RÉGINE PERNOUD

Héloïse et Abélard

ALBIN MICHEL

« Il n'y a sur terre que deux choses précieuses : la première, c'est l'amour; la seconde, bien loin derrière, c'est l'intelligence. »

Gaston BERGER.

HELOISE ET ABELARD

Née en 1909 à Château-Chinon (Nièvre), Régine Pernoud, qui a passé son enfance à Marseille, fait ses études à Aix-en-Provence et à Paris où elle entre à l'Ecole des Chartes et à l'Ecole du Louvre. Docteur ès lettres avec une thèse sur l'histoire du port de Marseille au XIIIᵉ siècle, elle consacre désormais ses travaux au monde médiéval.

A son premier ouvrage — Lumière du Moyen Age (1945) — est décerné en 1946 le Prix Femina-Vacaresco de critique et d'histoire. Le bref exposé sur Les Origines de la bourgeoisie (1947) sera complété par les deux tomes d'une Histoire de la bourgeoisie en France (1960-1962). Suivront diverses études notamment sur Les Croisés (1959) vus dans leur vie quotidienne ; Les Croisades ; Les Gaulois ; la littérature médiévale et de grandes figures de l'époque : Aliénor d'Aquitaine (1966), Héloïse et Abélard (1970), La Reine Blanche (1972).

Régine Pernoud, qui a commencé sa carrière au Musée de Reims et a été conservateur aux Archives Nationales où elle a réorganisé le Musée de l'Histoire de France, dirige actuellement le Centre Jeanne d'Arc à Orléans.

Des amants exemplaires aux amours contrariées, voilà ce qu'évoquent en général les noms d'Héloïse et d'Abélard.

La réalité est plus complexe, plus riche aussi et cette richesse fera notre enchantement puisque, pour expliquer en quoi ils ont vécu « une histoire d'amour sans pareille », Régine Pernoud ressuscite le bouillonnant monde médiéval auquel appartiennent Abélard (1079-1142) et son Héloïse (1101-1164).

Lui, fils de noblesse bretonne, a préféré au métier des armes la « discipline des disciplines » : la dialectique ou art de raisonner, dont la pratique lui vaut si beau renom de « disputeur » que les élèves accourent en foule à ses cours.

Il est ambitieux, cet imbattable, et de là viendront ses malheurs, car son intelligence sert trop bien ses desseins : ravir à ses maîtres leur autorité pour régner sur les « écoles », ravir à son hôte le chanoine Fulbert sa nièce Héloïse afin de satisfaire ses sens...

Ses rivaux en dialectique s'acharnent à lui nuire, Fulbert se venge en le faisant mutiler mais, paradoxalement, c'est à partir de là — et grâce à Héloïse — qu'Abélard va mériter d'entrer avec elle dans la légende.

Son autobiographie — l'*Historia calamitatum* — et sa correspondance avec Héloïse, qui prend le voile sur son ordre et deviendra abbesse du Paraclet tandis que lui sera moine, sont les sources premières de cette passionnante étude où revit tout l'esprit du Moyen Age.

I

LES DÉBUTS D'UN ÉTUDIANT DOUÉ

Dum fuisti manifestus semper claris
[es triumphis sublimatus.

Aussi longtemps que tu vécus
Dans le siècle, tu ne connus
Que triomphe et éclat sublime.

ABÉLARD,
Planctus David super Abner.

« ENFIN Paris! »

Le jeune étudiant, qui chemine depuis plusieurs jours déjà sur cette route presque droite — souvenir du tracé de l'ancienne voie romaine — qui joint Orléans à Paris, aperçoit au creux du coude de la Seine des clochers et des tours. Il a laissé sur sa gauche la petite église Notre-Dame-des-Champs, qui justifie alors son nom puisqu'elle se trouve en pleine campagne au milieu des cultures; il a aperçu, sur sa droite, l'abbaye Sainte-Geneviève dominant les clos de vignes qui s'étagent sur la colline; il a dépassé ce bâtiment qui a l'allure d'une grosse ferme avec son pressoir, ses vignobles et ses murailles robustes : l'antique palais des Thermes; et le voici qui arrive en vue du Petit Pont avec à main gauche l'église Saint-Séverin, à main droite Saint-Julien, tandis que tout là-bas, vers l'ouest, il distingue les maisons du bourg de Saint-Germain-des-Prés. Et tout en s'engageant sur le pont, entre les deux rangs de maisons et de boutiques accrochées au-dessus du fleuve, il répète en lui-même : « Enfin Paris! »

Pourquoi Pierre Abélard a-t-il tant désiré voir Paris ? Pourquoi a-t-il salué cette arrivée comme un pas décisif dans son existence ? On pourrait cependant dire de Paris, comme le fait un poète contemporain :

« Paris était à ce jour moult petite[1]*. »

Entassée dans l'île de la Cité qu'elle ne déborde guère, Paris est bien loin d'être alors une capitale ; si le roi vient quelquefois séjourner au Palais, on le voit davantage dans ses autres résidences, à Orléans, à Etampes ou à Senlis. Ce n'est pas l'attrait pour « la grand-ville » qui peut jouer ici ; et d'ailleurs, aux environs de l'an 1100, ce genre d'attrait n'existe guère. Il y a, en revanche, pour un garçon de vingt ans, beaucoup d'autres raisons de prendre la route. L'an 1100... Six mois plus tôt, Godefroy de Bouillon et ses compagnons ont repris possession de la ville sainte, de Jérusalem, perdue depuis quatre siècles et plus pour le monde chrétien ; l'un après l'autre, on voit revenir les seigneurs et hommes d'armes, une fois accompli leur vœu ; et d'autres s'ébranlent pour aller prêter main-forte à la poignée de chevaliers demeurés outre-mer ; l'appel de la Terre sainte est désormais familier, comme l'appel au pèlerinage. Sur la route qu'il a suivie et qui est aussi celle de Saint-Jacques-de-Compostelle, combien Pierre Abélard en aura-t-il rencontré, de ces pèlerins marchant par groupes, une étape après l'autre ; et combien de marchands aura-t-il vus aussi, poussant devant eux leurs bêtes de somme de marchés en foires, des bords de la Loire aux bords de la Seine !

Mais rien de tout cela n'émeut Pierre Abélard. S'il est animé d'un désir de gloire, ce n'est pas dans les prouesses chevaleresques qu'il compte l'assouvir. Il n'eût tenu qu'à lui de recueillir, avec l'héritage paternel, l'honneur des armes. Fils du seigneur du Pallet, aux confins de la Bretagne, il vient au contraire d'abandonner son droit d'aînesse en faveur de l'un ou l'autre de ses frères, Raoul et Dagobert. Et s'il partage la ferveur religieuse

---

* Voir les notes en fin de volume.

de son époque, ce n'est pas pour gagner telle ou telle abbaye, Saint-Denis, Saint-Marcel ou Sainte-Geneviève, qu'il a fait route vers Paris.

Ce qui l'attire, c'est que, comme il l'explique lui-même dans la *Lettre à un ami*[2] — son autobiographie —, Paris est déjà par excellence la cité des arts libéraux et que « la dialectique y est particulièrement florissante ».

*

Car être étudiant, au XIIᵉ siècle, c'est pratiquer la dialectique; c'est discuter interminablement de thèses et d'hypothèses, de majeure et de mineure, d'« antécédent » et de « conséquent ». Chaque époque a ainsi, plus ou moins, son cheval de bataille. En notre temps, le grand homme est celui dont les recherches portent sur la génétique ou sur l'énergie nucléaire, mais, il y a quelques années à peine, le courant d'intérêt pour l'existentialisme amenait toute une jeunesse à discuter de l'être et du non-être, de l'essence et de l'existence; c'est assez dire qu'en tout temps les mouvements de pensée ont eu leur dominante, capable d'influencer toute une génération, et en cela le XIIᵉ siècle ne diffère pas du XXᵉ.

Mais ce qui préoccupe alors l'intelligence, c'est la dialectique, c'est-à-dire l'art de raisonner, considéré alors comme l'art par excellence ou, comme l'écrivait déjà deux cents ans plus tôt un maître à penser, Raban Maur, « la discipline des disciplines; c'est elle qui enseigne à enseigner, qui apprend à apprendre; en elle la raison découvre et montre ce qu'elle est, ce qu'elle veut, ce qu'elle voit. ».

La dialectique recouvre donc à peu près le même domaine que la logique; elle apprend à utiliser cet instrument qui est, par excellence, celui de l'homme : la raison, dans la recherche de la vérité; mais, tandis que la logique peut être le fait d'un penseur solitaire allant de raisonnement en raisonnement pour déduire une conclusion à laquelle l'a mené sa recherche individuelle, la dialectique, elle, suppose la discussion, l'entretien, l'échange. Et c'est bien sous cette forme qu'on poursuit alors, en tous domaines, la recherche de la vérité : par la discussion, ou *dispute*. Peut-être est-ce là ce qui différencie du nôtre le monde scolaire d'alors : c'est qu'on ne conçoit pas comme possible de parvenir à une vérité qui n'ait été préalablement « disputée »; d'où l'importance de la dialectique qui apprend à poser les prémisses d'un entretien, à énoncer correctement les termes d'une proposition, à établir les éléments de la pensée et du discours, enfin, tout ce qui permet à la discussion d'être féconde.

Et c'est bien ainsi qu'en juge Pierre Abélard; il « préfère, entre tous les enseignements de la philosophie, la dialectique et son arsenal ». Passionné de savoir et d'études, il a d'abord « parcouru les provinces », selon sa propre expression, pour aller recueillir les leçons des dialecticiens renommés, partout où il s'en trouvait. Délibérément, il a, dès son jeune âge, préféré la robe du clerc à la cotte de mailles du chevalier. Comme il le dit dans son style tout nourri de réminiscences antiques, il a « abandonné la cour de Mars pour se réfugier dans le sein de Minerve »; il a « échangé les armes de la guerre contre celles de la logique et sacrifié les triomphes des batailles aux assauts de la discussion ». N'allons pas voir pourtant en lui un fils de famille en rupture de ban : c'est en complet accord avec son père, Bérenger, que Pierre a fait abandon de son droit d'aînesse et de sa part d'héritage. Le seigneur du Pallet a tout fait pour l'encourager à répondre à une évidente vocation, car Pierre, dès l'instant de ses premières études, a révélé un esprit prodigieusement doué, et ses brillantes aptitudes correspondaient aux goûts paternels : « Mon père, avant de ceindre le baudrier du soldat, avait reçu quelque teinture des lettres et, plus tard, il s'éprit pour elles d'une telle passion qu'il voulut faire donner à tous ses fils une éducation littéraire avant de les former au métier des armes. C'est ce qu'il fit. J'étais son premier-né : plus je lui étais cher, plus il s'occupait de mon instruction. »

Le fait est d'ailleurs loin d'être exceptionnel : à la même époque, le comte d'Anjou, Foulques le Réchin, rédige lui-même la chronique historique de sa famille. Le comte de Blois, Etienne, parti pour la première croisade, écrit à sa femme des lettres qui sont l'une de nos sources les plus précieuses pour connaître l'histoire de l'événement auquel il participe. Gardons-nous d'oublier le comte de Poitiers, Guillaume, duc d'Aquitaine, le premier en date de nos troubadours.

Pierre Abélard a donc quitté sa Bretagne natale, son manoir, sa famille, et, « toujours disputant », dit-il, il est allé d'une école à l'autre, dans son avidité à meubler sa mémoire et son raisonnement de tout l'arsenal de définitions et de modes d'argumentation alors en usage. Il a appris le maniement du vocabulaire philosophique, faute duquel on ne peut aborder les *Catégories* d'Aristote : à savoir, ce que sont « le genre, la différence, l'espèce, le propre et l'accident »; supposons un individu, Socrate; il a en propre ce qui fait qu'il est Socrate et non un autre. « Mais, si l'on néglige la différence (la « socratité »), on peut ne considérer dans Socrate que l'homme, c'est-à-dire l'animal raisonnable et mortel, et voilà l'espèce (l'espèce humaine)... Si, en esprit, on néglige encore le fait qu'il est raisonnable et mortel, reste ce qu'implique le terme animal et voilà le genre », etc.[3]. Et d'établir les rapports de l'espèce au genre qui sont les rapports de la partie au tout; distinguer l'essence de l'accident, poser les règles du syllogisme, la prémisse et le prédicat (tous les hommes sont mortels, or Socrate est homme; donc Socrate...), — toutes les bases du raisonnement abstrait dont on ne manque pas, à la manière du temps, de résumer l'essentiel en de petits poèmes mnémotechniques :

Si sol est, et lux est; at sol est : igitur lux.
Si non sol, non lux est; at lux est : igitur sol.
Non est sol et non-lux; at sol est : igitur lux.

« S'il y a soleil, il y a lumière; or il y a soleil,
                              [donc il y a lumière.
Sans le soleil, pas de lumière; or il y a lumière,
                              [donc il y a soleil.
Il ne peut y avoir à la fois soleil et non-lumière;
                    [or il y a soleil, donc il y a lumière. »
                                                Etc.[4].

Ces premiers rudiments de la dialectique, Abélard les a sans doute appris dans la région dont il est originaire. La Bretagne n'est-elle pas réputée pour fournir des « esprits vifs et appliqués à l'étude des arts[5] »? Lui-même déclare qu'il doit à « la vertu du sol natal » sa subtilité d'esprit. Et l'on trouve effectivement dans les textes mention de plusieurs écoles en Bretagne dès le XIe siècle : l'une à Pornic, une autre à Nantes où enseigne un certain Raoul le Grammairien, une autre à Vannes, une autre à Redon, à Quimperlé, etc. Pourtant, aucune d'elles n'atteindra la célébrité des grandes écoles d'Angers, du Mans et, plus encore, de celle de Chartres qu'illustreront deux compatriotes d'Abélard, les Bretons Bernard et Thierry de Chartres. Lorsqu'il fait allusion aux provinces qu'il parcourt, c'est sans aucun doute du Maine, de l'Anjou, de la Touraine qu'il s'agit, et l'on sait à coup sûr qu'il a étudié à Loches auprès d'un dialecticien fameux : Roscelin. Beaucoup plus tard, ce dernier rappellera à Pierre Abélard qu'il s'est long-temps assis à ses pieds « comme le moindre de ses élèves » (entre-temps, les deux hommes seront devenus ennemis.).

Curieuse figure que celle de ce Roscelin et qui vaut la peine qu'on s'y arrête un instant, car il joue un rôle dans l'histoire d'Abélard. Il a eu une vie agitée. D'abord maître aux écoles de Compiègne, il n'a pas tardé à avoir des démêlés avec l'autorité ecclésiastique. Condamné en 1093 au concile de Soissons, il a quelque temps séjourné en Angleterre; là, il n'a rien eu de plus pressé que de s'élever contre les mœurs du clergé anglais, l'Eglise d'Angleterre, à cette époque, est peu rigoureuse sur la question du célibat et Roscelin s'est scandalisé que l'on admît au sacerdoce des fils de prêtres. On le retrouve ensuite chanoine de Saint-Martin de Tours. Presque aussitôt il entre en conflit avec Robert d'Arbrissel — autre compatriote d'Abélard — le fameux prédicateur ambulant dont la parole amène irrésistiblement à Dieu ceux qui l'entendent, et qui entraîne après lui toute une foule dans laquelle se confondent les chevaliers et les clercs, les nobles dames et les prostituées; Roscelin, dont on dirait dans le langage courant qu'il « voit le mal partout », juge sévèrement la foule hétéroclite qui suit Robert, et que celui-ci ne tardera pas à fixer en fondant l'ordre de Fontevrault. Exhorté lui-même par le fameux canoniste Yves de Chartres à « ne pas vouloir se montrer plus sage qu'il ne convient », Roscelin a repris son enseignement à Loches et c'est par lui sans doute qu'Abélard aura pour la première fois eu écho de la grande querelle du temps, celle qui émeut tout le monde pensant d'alors : la question des universaux.

Lorsque, selon les *Catégories* d'Aristote, on parle de genre et d'espèce, désigne-t-on des réalités ou des conceptions de l'esprit ? ou s'agit-il de simples mots ? Peut-on à bon droit parler de l'homme en général, de l'animal, etc. ? En ce cas, existe-t-il quelque part dans la nature une réalité, un archétype, une sorte de modèle dont chaque homme serait comme l'exemplaire plus ou moins réussi, issu de ce même moule ? Ou, au contraire, le terme « homme » n'est-il qu'un mot, un artifice de langage et n'y a-t-il aucun élément d'identité entre un homme et un autre homme ? Questions ardemment discutées et qui divisent les grands dialecticiens du temps, chacun apportant son système et sa solution.

Abélard fut-il vraiment « le moindre » des élèves de Roscelin, *discipulorum minimus* ? Toujours est-il que quelque chose en lui demeurera de l'empreinte de son premier maître, car, pour Roscelin, les universaux — les genres et les espèces — ne sont que des mots. Et si quelque jour l'élève doit se dégager de cette conception, s'il finit par se poser en adversaire de son vieux maître de Loches, une certaine teinte du premier enseignement reçu persistera en lui néanmoins.

Sans doute sa formation n'est-elle pas restreinte à la dialectique. Abélard, comme tous les étudiants de son temps, a été initié aux sept arts libéraux entre lesquels se répartissent alors les diverses branches du savoir; il a étudié, puisque c'est le commencement de toute instruction, la *grammaire*, c'est-à-dire non seulement ce que nous désignons aujourd'hui par ce nom, mais aussi, plus généralement, ce que nous nommons les *lettres*, la littérature. Les auteurs latins connus en son temps lui sont familiers : Ovide, Lucain, Virgile et bien d'autres. Il s'est exercé à la rhétorique, l'art de bien parler pour lequel il est naturellement doué et, nous l'avons vu, à la dialectique; quant aux autres branches du savoir : arithmétique, géométrie, musique, astronomie, elles l'ont visiblement moins intéressé : il s'avoue complètement nul en mathématiques bien qu'il ait lu le traité de Boèce qui fait la base de l'enseignement de cette science. Ajoutons que s'il possède, comme la plupart des clercs d'alors, quelque teinture de grec et d'hébreu — juste ce qu'il faut pour pénétrer le sens de certains passages de l'Écriture sainte — il ne connaît, des maîtres de la pensée grecque, que les œuvres alors traduites en latin qui ont pénétré en Occident. De Platon, le *Timée*, le *Phédon*, la *République*; d'Aristote, l'*Organon*; les unes et les autres œuvres étant connues surtout à travers les extraits et les commentaires d'auteurs latins, antiques comme Cicéron, ou médiévaux comme Boèce.

*

« J'arrivai enfin à Paris[6]. » Cet « enfin » rapproche curieusement Abélard de notre temps : aujourd'hui, un étudiant en philosophie ayant commencé ses études en province ne s'exprimerait pas autrement. Abélard ne nous donne aucun détail sur son voyage. Vers la même époque, un moine de Fleury (Saint-Benoît-sur-Loire),

Raoul Tortaire, allant de Caen à Bayeux, nous a laissé de ce court itinéraire la description la plus vivante, s'émerveillant de toutes les marchandises qu'il a pu voir sur le marché de Caen, racontant comment il a croisé en chemin le cortège du roi d'Angleterre, Henri Ier, vêtu d'une tunique pourpre, entouré d'une escorte d'écuyers et suivi d'une véritable ménagerie d'animaux sauvages, y compris un chameau et une autruche. Il a été ensuite témoin, depuis le rivage, d'une chasse à la baleine qu'il décrit en termes pittoresques et il termine en déclarant qu'il s'est cru empoisonné par la boisson — une aigre piquette — qu'on lui a servie à son arrivée à Bayeux[7]. Mais il faut renoncer à chercher dans la *Lettre à un ami*, comme dans le reste de l'œuvre d'Abélard, les détails concrets, c'est un philosophe, non un conteur. Ce qui est vraisemblable, c'est que, fils d'un seigneur qui l'encourage à poursuivre ses études, il n'aura pas fait partie de cette foule souvent misérable des étudiants qui circulent à pied dans la poussière des routes; il a dû voyager comme voyage alors toute personne fortunée : à cheval, peut-être avec un domestique, couchant le soir à l'auberge; venant de l'ouest, il aura emprunté cette route dont on suit aujourd'hui encore le tracé sur le plan de Paris dans la ligne droite que dessinent la rue de la Tombe-Issoire, la rue Saint-Jacques, puis la rue Saint-Martin.

Peut-être aura-t-il cheminé avec d'autres étudiants. La réputation des écoles de Paris est encore neuve; l'école même de Notre-Dame remonte presque certainement aux temps carolingiens, mais ce n'est guère qu'à la fin du XIe siècle, très peu de temps avant la venue d'Abélard lui-même, qu'on constate un certain mouvement d'étudiants se rendant à Paris pour s'instruire. On connaît ainsi un Lorrain, Olbert, plus tard abbé de Gembloux, qui a fait ses études à l'abbaye de Saint-Germain-des-Prés; un nommé Drogon qui aurait enseigné dans la Cité; et, plus près d'Abélard, un Liégeois, Hubald, qui enseigne sur la Montagne Sainte-Geneviève; tandis que son compatriote, le Breton Robert d'Arbrissel, est venu lui aussi à Paris pour se perfectionner dans la discipline des lettres. Mais c'est avec le dialecticien Guillaume de Champeaux, et avec Abélard lui-même, que s'établira réellement le renom de la Cité. Un poète de la deuxième moitié du XIIᵉ siècle, Guy de Bazoches, dira qu'à Paris les sept sœurs — c'est-à-dire les sept arts — ont élu domicile permanent, et, un peu plus tard encore, l'Anglais Geoffroy de Vinsauf, comparant Paris et Orléans, déclare :

> Paris dispense dans les arts
> ces pains dont on nourrit les forts,
> Orléans éduque de son lait
> les nourrissons encore au berceau [8].

A l'époque même d'Abélard, Hugues de Saint-Victor, dans l'un de ses traités, écrit sous forme de dialogue, trace un vivant tableau de la foule des étudiants parisiens et de l'ardeur qui les anime :

« Tourne-toi encore d'un autre côté et vois.

— Je me suis tourné et je vois.

— Que vois-tu ?

— Je vois des écoles (des groupes) d'étudiants. Grande est leur foule; je vois ici des gens de tous âges : enfants, adolescents, jeunes gens, vieillards. Leurs études aussi sont diverses. Les uns apprennent à plier leur langue encore maladroite à prononcer de nouveaux sons et à émettre des mots insolites. D'autres s'efforcent de connaître des déclinaisons de termes, des compositions et dérivations, d'abord en les écoutant, ensuite en les redisant entre eux et, en les répétant de nouveau, à les enregistrer dans leur mémoire. D'autres labourent de leur stylet les tablettes de cire. D'autres dessinent les figures, de tracés variés et de diverses couleurs, dirigeant d'une main sûre leur plume sur le parchemin. D'autres encore, animés d'un zèle plus ardent et plus fervent, discutent entre eux de matières graves, selon toute apparence, et s'efforcent de se faire mutuellement échec à grand renfort de subtilités et d'argumentations.

Ici, j'en vois aussi qui calculent. D'autres, pinçant la corde tendue sur un chevalet de bois, produisent diverses sortes de mélodies; d'autres encore expliquent des tracés et des dessins de mesures; d'autres décrivent le cours et la position des astres et expliquent, avec divers instruments, les révolutions célestes; d'autres traitent de la nature des plantes, de la constitution des hommes et des propriétés et actions de toutes choses. »

Tel est le milieu dans lequel Abélard va se tailler une place et, bien entendu, cette place sera parmi ceux qui « font assaut de subtilités et d'argumentations », les dialecticiens. S'il est venu à Paris, n'est-ce pas pour entendre le plus célèbre d'entre eux, maître Guillaume de Champeaux ? Et ici, il faut lui céder la parole, car on ne saurait, mieux qu'il ne le fait, présenter en raccourci une carrière d'étudiant qui sera bien vite une carrière de maître.

« Je séjournai quelque temps à son école. Mais, bien accueilli d'abord, je ne tardais pas à lui devenir incommode parce que je m'attachai à réfuter certaines de ses idées et que, ne craignant pas d'engager la bataille, j'avais parfois l'avantage. Cette hardiesse excitait aussi la colère de ceux de mes condisciples qui étaient regardés comme les premiers, colère d'autant plus grande que j'étais le plus jeune et le dernier venu. Ainsi, ajoute-t-il, commença la série de mes malheurs qui durent encore. »

Quelques mots qui suffisent à camper scènes et personnages. Le professeur en renom, les élèves qui se pressent autour de lui, le nouveau venu en lequel on discerne immédiatement un « sujet »; mais le « sujet » ne tarde pas à se rendre odieux, à interrompre à temps et à contretemps, à engager sans fin des joutes qui deviennent d'autant plus agaçantes que souvent l'avantage lui reste. D'où les divisions qui naissent; les bons disciples zélés prennent parti pour le maître, d'autres, plus indépendants, plus hardis, pour le nouveau venu, et c'est le désordre là où, quelque temps auparavant, régnaient l'entente et la sérénité.

Lorsque Abélard constate qu'ainsi commence la série de ses malheurs, il a raison. Toute sa vie, il va être le gêneur, celui qui interrompt, qui argumente, qui agace, qui exaspère. Toute sa vie, il provoquera simultanément l'enthousiasme et la colère. Certes, c'est à de tels gêneurs que l'humanité doit quelques-uns de ses progrès les moins contestables. Mais les magnifiques dons du personnage sont quelque peu gâtés chez lui par la superbe assurance dont il fait preuve. Or, cette confiance en soi, la vanité avec laquelle il l'étale, c'est le genre de défaut que le professeur ne pardonne pas à la jeunesse lorsqu'elle bat en brèche son prestige, c'est-à-dire ce à quoi il tient le plus. En bref, Abélard a été « l'élève odieux » et, devant lui, Guillaume de Champeaux a réagi comme réagiront après lui tous les universitaires : en lui vouant une haine tenace, comme savent haïr les intellectuels.

Pour bien comprendre, d'ailleurs, il faut se replacer dans les conditions où se fait l'enseignement à l'époque d'Abélard. Rien de commun avec le cours magistral tel qu'il est pratiqué dans nos universités, et dans lequel le maître parle et les élèves prennent des notes; pour en restituer l'atmosphère, il faut plutôt évoquer ces séminaires qui, peu à peu, commencent à s'introduire en France par imitation des universités étrangères — celles notamment qui, comme dans les pays anglo-saxons, ont gardé quelque souvenir des traditions de l'université médiévale. Entre maître et élèves, il y a communément ce que nous nommons aujourd'hui le « dialogue ». Et d'ailleurs, l'enseignement n'est pas distinct de la recherche; il traduit l'état de la recherche et réagit sur elle; toute idée nouvelle est aussitôt l'objet d'études, de critiques, de discussions qui la transforment et en font jaillir de nouveaux germes; le dynamisme est semblable alors, dans le domaine philosophique, à celui qu'on observe aujourd'hui dans les divers domaines techniques.

A la base de cet enseignement, il y a la lecture d'un texte, *lectio*; le professeur est celui qui « lit ». Cet usage marquera l'enseignement d'une telle empreinte qu'aujourd'hui encore le titre de « lecteur » existe dans nos facultés. Et, inversement, lire, c'est enseigner; c'est en ce sens qu'il faut comprendre le terme lorsque, dans le courant du XIIIᵉ siècle, par exemple, quelques évêques interdiront de « lire » Aristote, c'est-à-dire d'en faire la base de l'enseignement; sens différent, inutile de le souligner, de celui des prohibitions de l'Index, lesquelles n'apparaissent, dans l'histoire de l'Eglise, qu'au XVIᵉ siècle.

Lire un texte, c'était donc l'étudier et le commenter. Le maître, après un cours d'introduction sur l'auteur qu'il allait lire, son ouvrage, les circonstances de sa composition, passait à l'exposition, c'est-à-dire au commentaire proprement dit. La tradition voulait que ce commentaire portât sur trois points : la lettre, c'est-à-dire l'explication grammaticale, le sens, autrement dit l'intelligence du texte, enfin, la sentence, son sens profond, son contenu doctrinal. L'ensemble de ces commentaires constituait la glose, et nos bibliothèques recèlent une foule de manuscrits qui sont le reflet très vivant de cette méthode d'enseignement, avec, au centre de la page, le texte qui a servi de base, et, dans les marges, les diverses gloses se rapportant à la *littera*, au *sensus* ou à la *sententia*. D'Abélard lui-même on possède ainsi les gloses faites au cours de sa « lecture » de Porphyre.

Mais l'étude du texte suscite, surtout lorsqu'on en vient à son contenu doctrinal, des questions à propos desquelles s'engage le dialogue entre maître et élèves; et la question entraîne la « dispute », c'est-à-dire la discussion; elle fait expressément partie des exercices scolaires, et surtout dans le domaine de la dialectique qui est, nous l'avons vu, non seulement l'art de raisonner, mais aussi l'art de discuter. Or, l'essor de la dialectique sera tel au XIIᵉ siècle que cette méthode des « questions disputées » s'étendra à toutes les sciences profanes et sacrées. Au milieu du XIIIᵉ siècle, les diverses Sommes de saint Thomas, comme beaucoup d'autres traités de l'époque, porteront le titre de *Questiones disputate*, témoignant des conditions mêmes dans lesquelles elles sont élaborées : elles se composent de propositions enseignées et discutées, elles sont donc le résultat et le fruit d'un enseignement, autant que le développement d'une pensée personnelle. En dehors des disputes entre maître et élèves, on assiste aussi à des disputes entre maîtres dont quelques-unes demeurent célèbres : à l'époque d'Abélard, le moine Rupert qui enseigne à Liège, et dont l'école monastique est très importante, se rend ainsi à une dispute qui doit l'affronter à Anselme de Laon et Guillaume de Champeaux sur le problème théologique du Mal. Il ne peut d'ailleurs rencontrer Anselme, mort dans l'intervalle, mais s'affronte — âprement, disent les textes — avec Guillaume.

Quant à l'emploi même du temps, aux divers exercices qui emplissent la journée de l'étudiant, nous avons le témoignage d'un personnage célèbre, Jean de Salisbury, qui fut un familier de Thomas Becket et du roi Henri II Plantagenêt avant de finir évêque de Chartres :

« On devait s'efforcer de retrouver chaque jour une partie de ce qu'on nous avait dit la veille, chacun selon ses possibilités. Ainsi, pour nous le lendemain était le disciple de la veille; l'exercice du soir, qu'on appelait déclinaison, était occupé par un enseignement si nourri de la grammaire qu'à moins d'être par trop borné, celui qui le suivait avec assiduité pendant un an pouvait s'exprimer et écrire convenablement et comprendre les cours qui nous étaient faits ordinairement[9]. »

Ainsi, le matin se passait à vérifier en quelque sorte le travail de l'élève, le soir à l'enseignement proprement dit. Il mentionne aussi ce qu'il appelle la *collation*, c'est-à-dire la mise en commun, qui devait être une sorte de récapitulation entre maître et élèves et qui avait lieu en fin de journée, avec, probablement, une conférence spirituelle ou un genre de prédication à l'usage des étudiants.

Et l'on a quelque idée aussi de ce qui emplissait la vie de l'étudiant lorsqu'on lit les conseils qu'au siècle suivant Robert de Sorbon adressera aux écoliers. Pour lui, il y a six règles indispensables : 1° attribuer une heure fixe à chaque genre d'étude ou de lecture; 2° concentrer son attention sur ce qu'on lit; 3° extraire de chaque lecture une pensée ou une vérité qu'on enregistrera soigneusement dans sa mémoire; 4° écrire un résumé de tout ce qu'on lit; 5° discuter son travail avec ses camarades; et cela lui apparaît plus important encore que la lecture proprement dite; enfin, le sixième point : prier, car la prière, dit-il, est le véritable chemin de la compréhension.

L'impression générale qui se dégage de ces notations qu'on glane çà et là dans les écrits du temps est celle d'une école « primesautière et tumultueuse[10] », et c'est bien la même impression qui se dégage des récits d'Abélard.

Quant à ses joutes avec Guillaume de Champeaux, nous en connaissons la matière tant par Abélard lui-même que par le seul ouvrage subsistant de son maître et qui s'intitule *Sententie vel questiones XLVII*. Il s'agissait principalement, bien sûr, de la question qui passionnait alors le monde des dialecticiens : celle des universaux. La position de Guillaume se situait à l'opposé de celle de Roscelin. Guillaume était un réaliste, ce qui signifie que, pour lui, les termes énumérés dans l'Introduction de Porphyre, dont il a été question plus haut, correspondaient à des réalités; ainsi professait-il que l'espèce est quelque chose de réel. Elle se retrouve la même et tout entière en chaque individu; l'espèce humaine est la même en chaque homme.

Or, l'argumentation d'Abélard contraint Guillaume à renoncer à son système : poussé à bout, ce système amène à des conclusions absurdes : Socrate et Platon, participant de la même espèce, seraient le même homme. Guillaume de Champeaux corrige donc sa première thèse. Socrate et Platon ne sont pas le même homme, mais, dans l'un et dans l'autre, l'espèce est la même, l'humanité de l'un est la même que celle de l'autre. Présentée ainsi, cette opinion trouvera-t-elle grâce aux yeux d'Abélard? Non! L'élève oblige le maître à mieux préciser les termes : l'humanité de Platon n'est pas identique à celle de Socrate; l'une et l'autre sont seulement *semblables.*

Ainsi peut-on résumer[11] les diverses phases d'une joute qui s'étend sur plusieurs années et comporte, cela va sans dire, des développements aussi volumineux qu'arides sur ce qu'est en Socrate la socratité, en l'homme la rationalité, etc, servant à étayer les arguments pour et contre. De ces raisonnements échafaudés pour soutenir chaque thèse, on retrouve le témoignage jusque dans un manuscrit, œuvre probablement d'un élève d'Abélard, qui énumère les thèses de Guillaume : « Notre maître Guillaume dit... » pour consigner aussitôt la réfutation : « Quant à nous, nous déclarons...[12]. » Abélard, avant d'être l'élève de Guillaume, avait été, nous l'avons vu, celui de Roscelin; c'est-à-dire qu'il devait posséder tout un arsenal d'arguments à opposer à ceux de Guillaume de Champeaux. Mais il est hors de doute qu'il ne s'est pas borné à répéter les leçons entendues, car lui-même va édifier un système différent à la fois du réalisme de Guillaume et du nominalisme de Roscelin, au point de se faire de ce dernier, nous le verrons, un irréconciliable ennemi. Entre-temps, il avait entamé sa propre carrière sur un coup d'éclat. « Présumant de mon esprit au-delà des forces de mon âge, j'osai, tout jeune encore, aspirer à devenir chef d'école. »

Plus tard, beaucoup plus tard, Abélard ouvre les conseils qu'il donne à son fils sur une recommandation pour lui lourde de sens :

« Aie plus grand soin d'apprendre que d'enseigner. »

22

Et il y insiste :

« Apprends longuement, enseigne tard et seulement ce qui te paraît sûr.

Et quant à écrire, ne sois pas trop pressé[13]. »

Ainsi tentait-il d'éviter à un être cher les expériences par lesquelles lui-même avait passé. Il est donc vraisemblable qu'elles furent douloureuses; du moins à la longue, car ses premiers essais se traduisent par d'éclatants succès, que lui-même nous expose avec beaucoup de verve :

« Déjà j'avais marqué dans ma pensée le théâtre de mon action, c'était Melun, ville importante alors et résidence royale. Mon maître soupçonna ce dessein et mit sourdement en œuvre tous les moyens dont il disposait pour éloigner ma chaire de la sienne, cherchant, avant que je quittasse son école, à m'empêcher de former la mienne et à m'enlever le lieu que j'avais choisi. Mais il avait des jaloux parmi les puissants du pays. Avec leur concours, j'arrivai à mes fins; la manifestation de son envie me valut même nombre de sympathies. »

Melun est donc le premier théâtre des exploits d'Abélard, d'élève passé maître. C'est une cité royale et l'on s'y rend facilement de Paris par la route, qui est, comme celle d'Orléans, une ancienne voie romaine. Les écoles de la ville — est-ce à cause du séjour qu'y fit Abélard? — ont connu un certain renom. Robert de Melun, un Anglais, qui, par la suite, sera maître de théologie à Paris, doit son nom au séjour qu'il y fit étant étudiant. On pense qu'Abélard e enseigné dans les écoles de l'église collégiale, Notre-Dame de Melun. Il n'y fait toutefois qu'un séjour assez court : ses ambitions sont ailleurs. Visiblement, il cherche à se poser en rival de son maître, Guillaume de Champeaux. Il y est encouragé par ses succès, car, s'il faut l'en croire, les élèves affluent, et désormais sa réputation de dialecticien est assurée. « Le succès augmentant ma confiance, je m'empressai de transporter mon école à Corbeil, ville voisine de Paris, afin de pouvoir plus à l'aise multiplier les assauts. »

Ainsi, dès les premières pages de son autobiographie, Abélard révèle les traits dominants de son caractère, ceux qui vont marquer toute sa vie : l'habileté dans la discussion philosophique qui lui vaudra la réputation d'être le meilleur « disputeur » de son temps, ses admirables aptitudes à l'enseignement, et aussi son agressivité. On ne peut l'imaginer sans un cortège d'étudiants, de disciples enthousiastes, qui se reforme dès qu'il ouvre la bouche, dès qu'il monte sur sa chaire d'enseignant; et on ne l'imagine pas davantage sans adversaire, sans ennemi à combattre. Il semble que, pour s'être manifestée par des voies pacifiques, sa vocation première de guerrier se soit néanmoins réalisée : il n'a fait que transposer dans le domaine de la discussion philosophique l'ardeur belliqueuse qui lui est naturelle, et lui-même ne peut s'empêcher, lorsqu'il rappelle ainsi ses débuts dans la carrière de professeur, d'employer des termes de stratège.

A Corbeil, toutefois, s'ouvre une parenthèse. Triomphe pour le débutant qu'il est, mais ce triomphe est acquis au prix d'un travail intensif, d'où l'inévitable conséquence : le surmenage. Pierre Abélard est alors victime de ce mal que connaît bien notre génération : la fatigue cérébrale, la dépression nerveuse; peut-être, d'ailleurs, chez cet émotif, succès et revers ont-ils l'effet semblable d'épuiser la résistance nerveuse; sa vie en offrira d'autres exemples.

Quoi qu'il en soit, excès de travail ou excès d'émotions, Pierre Abélard connaît une défaillance et, atteint de ce qu'il appelle une maladie de langueur, il retourne quelque temps dans son pays natal, au Pallet, pour se soigner en famille. Mais il ne manque pas de noter qu'il était « ardemment regretté par tous ceux que tourmentait le goût de la dialectique ».

*

Aussitôt guéri, Abélard s'empresse de regagner Paris, car en Bretagne, dans sa famille, il se considère ou peu s'en faut comme exilé. Il semble bien s'être donné pour but, dès cette époque, d'enseigner un jour à Paris, ce qui signifie qu'il sera sorti vainqueur de la joute qui l'oppose sur le plan philosophique à maître Guillaume de Champeaux.

Ce dernier, lorsque Abélard revient à Paris, a changé l'objet de son enseignement. Il professe un cours de rhétorique. Abélard redevient alors son élève. Peut-être Guillaume fut-il médiocrement flatté de le voir à nouveau s'asseoir au pied de sa chaire; il n'en dut pas moins subir le feu croisé des questions et des arguments d'Abélard. C'est alors qu'il modifie sa position première sur la question fameuse des universaux : « Champeaux, qui avait été obligé de modifier sa pensée, puis d'y renoncer, vit son cours tomber dans un tel discrédit qu'on lui permettait à peine de faire sa leçon de dialectique. » Bien que le récit d'Abélard manque ici de clarté, on y apprend qu'au bout de quelques mois, lui-même, Abélard, avait repris son enseignement et cela en plein Paris, aux écoles de Notre-Dame : « Les partisans les plus passionnés de ce grand docteur et mes adversaires les plus violents l'abandonnèrent pour accourir à mes leçons; le successeur de Champeaux lui-même vint m'offrir sa chaire et se ranger avec la foule, parmi mes auditeurs dans l'enceinte où avait jadis brillé d'un si vif éclat son maître et le mien. » Cela laisse entendre que Guillaume de Champeaux, découragé, avait abandonné son enseignement au profit d'un autre disciple qu'Abélard n'aura pas tardé à supplanter.

Cependant, pour apprécier pleinement les personnages et les événements, il faut savoir que la rivalité entre Abélard et Guillaume n'est pas ici seule en cause. En effet, tout cela se passe, d'après la *Lettre à un ami*, après cette date de 1108 qui est celle de la fondation, par Guillaume de Champeaux, des chanoines réguliers de Saint-Victor. Le nom n'évoque alors qu'un petit prieuré situé sur la rive gauche, en contrebas de la Montagne Sainte-Geneviève, près d'un gué de la Bièvre. C'est là que se réunissent, autour de Guillaume, quelques clercs qui ont décidé, suivant le mouvement de réforme religieuse qui souffle alors et s'affirme de plus en plus, de mener la vie commune. Bientôt, cette fondation va donner naissance à un vaste monastère, avec des écoles où s'illustreront quelques-uns des plus grands penseurs du XIIᵉ siècle : Hugues, Richard, Adam de Saint-Victor et beaucoup d'autres.

On se doute pourtant que, retiré à Saint-Victor où il enseignera désormais, Guillaume ait fort mal pris la substitution qui s'était faite aux écoles de Notre-Dame où il avait installé à sa place l'un de ses disciples. « N'ayant point de motif pour me faire une guerre ouverte, il fit destituer, sur une accusation infamante, celui qui m'avait cédé sa chaire, et en mit un autre à sa place pour me faire échec. » Abélard n'a plus d'autre ressource que de rouvrir son ancienne école de Melun. « Plus j'étais manifestement poursuivi par l'envie, plus je gagnais en considération, suivant le mot du poète : « La grandeur est en butte à l'envie; c'est contre les « cimes élevées que se déchaînent les tempêtes. » Cependant, Guillaume s'étant installé à Saint-Victor, Abélard, dont l'ambition est tenace, revient à Paris. « Mais, voyant qu'il avait fait occuper ma chaire par un rival, j'allai établir mon camp hors de la ville, sur la Montagne Sainte-Geneviève, comme pour faire le siège de celui qui avait usurpé ma place. »

Ma chaire, *ma* place : Abélard considère l'école Notre-Dame comme sa propriété personnelle. C'est autour de lui que les élèves affluent désormais, et de plus en plus, non sans provoquer le dépit du vieux maître. « A cette nouvelle, Guillaume, perdant toute pudeur, revint à Paris, ramenant ce qu'il pouvait avoir de disciples et sa petite confrérie dans un ancien cloître comme pour délivrer le lieutenant qu'il y avait laissé. » Et c'est le bulletin de victoire pour lequel Abélard embouche la trompette : « Mais en voulant le servir, il le perdit. En effet, le malheureux (maître de l'école Notre-Dame) avait encore quelques disciples à cause de ses leçons sur Priscien qui lui avaient valu quelque réputation. Le maître (Guillaume) à peine de retour, il les perdit tous, dut renoncer à son école et peu après, désespérant de la gloire de ce monde, il se convertit, lui aussi, à la vie monastique. Les discussions que mes élèves soutinrent avec Guillaume et ses disciples après sa rentrée à Paris, les succès que la fortune nous donna dans ces rencontres, la part qui m'en revint sont des faits connus depuis longtemps. Ce que je puis dire avec un sentiment plus modeste qu'Ajax, mais hardiment, c'est que, si vous demandez quelle a été l'issue de ce combat, je n'ai point été vaincu par mon ennemi. » La citation est d'Ovide; Abélard, comme il est d'usage en son temps, parsème ses écrits de citations empruntées aux auteurs antiques tant profanes que sacrés; mais le ton général est celui de l'épopée, et les passes se succèdent comme celles d'un tournoi. Incontestablement, il avait tous les avantages de la victoire. Mais ce récit dans lequel la modestie n'est qu'empruntée trahit aussi le personnage. Dialecticien consommé, maître incomparable, Abélard nous apparaît moins doué sous le rapport du caractère que de l'intellect. L'envie qu'il attribue à son vieux maître Guillaume de Champeaux est vraisemblable : c'est celle qu'éprouve tout maître à se voir dépassé par l'un de ses élèves. En revanche, Abélard ne craint pas de lui attribuer certains sentiments qui sont formellement incompatibles avec ce que nous apprend la biographie de Guillaume de Champeaux. Lorsqu'il nous dit que ce dernier « quitta son habit pour entrer dans l'ordre des clercs réguliers avec la pensée, disait-on, que cette manifestation de zèle le pousserait dans la voie des dignités » et que « cela ne tarda pas à arriver, car il fut fait évêque de Châlons », l'accusation est écartée par ce fait, bien connu d'ailleurs, que Guillaume, à trois reprises, refusa l'évêché de Châlons. Et il paraît difficile aussi de penser qu'une fondation comme celle de Saint-Victor n'ait été due qu'à l'ambition d'un homme qui, précisément, pouvait beaucoup mieux attirer l'attention sur sa personne et se « pousser dans la voie des dignités » en professant aux écoles de Paris qu'en se retirant dans l'obscur prieuré des bords de la Bièvre.

Qu'Abélard ait manifesté son ardeur combative aux dépens de son ancien maître, qu'il ait prouvé sa supériorité dans l'art de raisonner en poussant celui-ci à reviser par deux fois sa méthode, qu'il soit enfin parvenu à le supplanter dans l'admiration des étudiants parisiens, autant de faits incontestables; mais on aurait préféré que leur héros, en les racontant, n'allât pas inutilement noircir sa victime. Dès les premières pages de la *Lettre à un ami*, on est amené à se demander si, chez Abélard, l'homme était à la hauteur du philosophe.

Quant à la gloire du philosophe, elle est bien établie dès ces années où il enseigne sur la Montagne Sainte-Geneviève. Et l'on pourrait reprendre ses propres expressions pour évoquer l'assaut pacifique des étudiants se pressant désormais sur une colline qui jusqu'alors n'avait connu d'autre affluence que celle des vendangeurs à l'automne.

Car elle est encore couverte de vignes; les clos s'étagent depuis l'église Sainte-Geneviève jusqu'à la petite église Saint-Julien sur les bords de la Seine, jusqu'au bourg plus lointain de Saint-Marcel où l'on vénère les restes du premier évêque parisien. Et ce paysage agreste va se métamorphoser dans le cours du XIIᵉ siècle à cause de l'arrivée des étudiants qui, avides de savoir, viendront écouter la parole des maîtres qui s'y succéderont. La bataille d'intellectuels que se livrent Guillaume de Champeaux et Abélard aura pour conséquence imprévue l'accroissement de Paris sur cette rive gauche que marque dès lors une population d'un genre particulier : les *scolares*, les étudiants; monde jeune et bruyant, dont l'afflux ne cessera pas à travers les siècles. Le biographe d'un saint personnage, Goswin, qui devait plus tard être canonisé, raconte que son héros, dans sa jeunesse, avait fréquenté l'école Sainte-Geneviève; loin de se laisser convaincre par l'argumentation d'Abélard, il l'aurait défié, l'aurait convaincu d'erreur, puis, descendant du Mont, aurait célébré sa victoire avec quelques autres étudiants qui demeuraient près du Petit Pont. L'histoire est-elle authentique ? Elle n'est pas invraisemblable et montre en tout cas quelle action d'éclat ce pouvait être, pour un étudiant, que de discuter avec ce maître en discussion qu'était Pierre Abélard.

Elle témoigne aussi de ce mouvement des étudiants sur le Mont. Jusqu'alors, dans les divers actes qui portent témoignage de ces époques lointaines, il n'est question que de cultures : vers Notre-Dame-des-Champs, vers Saint-Etienne-des-Grez (la petite église, aujourd'hui disparue, qui se dressait approximativement entre la Faculté de droit et le lycée Louis-le-Grand), vers les Thermes, vers le Chardonnet; quelques maisons seulement se groupaient à l'entrée du Petit Pont et autour de l'église Sainte-Geneviève elle-même; des bourgs à proprement parler n'existaient qu'auprès de Saint-Germain-des-Prés, de Saint-Médard ou de Saint-Marcel. Chaque abbaye comportant ses écoles, il y avait là un embryon de vie estudiantine, mais c'est avec le grand essor de l'école Sainte-Geneviève que commence vraiment l'histoire de la rive gauche, rive intellectuelle par opposition à cette rive droite que fréquentent déjà les marchands attirés par les commodités que leur offre la grève où les bateaux abordent facilement, en contrebas de l'église Saint-Gervais. C'est au XIIᵉ siècle que se fixe décidément la physionomie de Paris, que les Halles sont installées sur ce lieu des Champeaux d'où elles ne bougeront plus jusqu'en notre temps, tandis que, sur la Montagne Sainte-Geneviève, on arrache les vignes pour faire place aux maisons où vont se presser maîtres et étudiants. Et l'on peut dire qu'une part de cette transformation est due à maître Pierre Abélard et au succès de son enseignement.

*

« Sur ces entrefaites, Lucie, ma tendre mère, me pressa de revenir en Bretagne. Bérenger, mon père, avait pris l'habit. Elle se préparait à faire de même[14]. » Abélard revient donc au Pallet et y demeure le temps nécessaire pour assister à la prise d'habit de son père et de sa mère, et régler les affaires d'une famille dont il était l'aîné. Ces sortes de cérémonies sont assez courantes à l'époque où volontiers, une fois venu le moment de la retraite, on décide de terminer ses jours dans la prière à l'ombre de quelque cloître.

Mais Abélard ne pouvait supporter, nous l'avons vu, de demeurer longtemps loin de Paris. Une fois rempli ce devoir familial, il s'empresse de revenir « en France ». Ainsi désigne-t-on ce qui est alors le cœur du royaume, le domaine royal, l'Ile-de-France. Nouvelle surprise pour nous : on se serait attendu à ce qu'il reprît, sur la Montagne Sainte-Geneviève, ses cours de dialectique, voire de rhétorique. Mais c'est une nouvelle orientation qu'il choisit : il a décidé d'étudier « la divinité », — entendons les sciences sacrées, *sacra pagina*, ce que nous appelons la théologie. Et la raison nous est aussitôt donnée : « Guillaume, qui l'enseignait depuis quelque temps, avait commencé à s'y faire un nom dans son évêché de Châlons. » On peut se demander dans quelle mesure les orientations successives d'Abélard ne sont pas dictées par le désir de rivaliser avec celui qui avait été son maître. Il est vrai qu'à l'époque, l'étude de la théologie est considérée comme le couronnement des études antérieures, celle des sciences profanes; après les arts libéraux, on passe à la Science des sciences; c'est là le cours, non pas obligatoire, mais normal, d'une carrière d'enseignant; et nous relevons aussi un trait typique de l'époque dans cette facilité avec laquelle un Abélard, professeur déjà renommé dans une branche, redevient étudiant dans l'autre.

Guillaume de Champeaux « avait reçu les leçons d'Anselme de Laon, le maître le plus autorisé de ce temps ». C'est donc vers Anselme qu'Abélard se dirige à son tour. Et le voilà, pour quelques mois au moins, étudiant à Laon, sur la colline vénérable qui, à l'époque, a conservé quelque chose de son ancien rang de capitale d'un royaume. De nos jours encore, nos bibliothèques témoignent de la vitalité de ses écoles, par le nombre de manuscrits, consacrés surtout aux sciences théologiques, qui proviennent de Notre-Dame de Laon.

Lorsque Abélard se rend dans la ville, celle-ci a été bouleversée l'année précédente, en 1112, par une véritable révolution urbaine dont un témoin, le moine Guibert de Nogent, a laissé un récit très vivant. Le pouvoir, dans la cité, était pour une part entre les mains du roi de France dont elle dépendait directement, et, pour l'autre, entre celles de l'évêque. Or, en 1106, le siège épiscopal avait été usurpé par un triste personnage nommé Gaudry, n'ayant même pas reçu les ordres sacrés, et qui n'avait pas tardé à dresser contre lui toute la population. Les bourgeois de Laon s'étaient érigés en commune, l'évêque avait voulu leur faire échec et des émeutes avaient éclaté; la cathédrale, la maison épiscopale, tout un quartier de la cité avaient été incendiés, tandis que Gaudry, découvert dans une cave de sa maison, avait été assommé sur place.

Un seul personnage avait eu suffisamment d'ascendant sur les insurgés pour les décider à ensevelir décemment leur évêque massacré, — et c'était l'écolâtre Anselme; il avait d'ailleurs été seul, six ans auparavant, à faire opposition à la candidature de Gaudry à l'épiscopat. Lui et son frère Raoul, qui enseignait aussi aux écoles cathédrales, s'étaient acquis à l'époque un renom extraordinaire; les étudiants étaient si nombreux à Laon que la crise du logement s'y faisait sentir : on a conservé la lettre d'un clerc italien écrivant à l'un de ses compatriotes de le prévenir avant l'hiver s'il veut venir le rejoindre, car il aura grand mal à lui trouver une chambre, même pour un prix élevé; on y voyait des gens de toutes les régions de France : Poitevins, Bretons, etc., et des Belges, des Anglais, des Allemands. Un peu plus tard, rappelant le temps où Anselme et Raoul enseignaient à Laon, l'Anglais Jean de Salisbury les nommera *splendidissima lumina Galliarum*, les plus splendides lumières des Gaules.

Tel n'est pas l'avis d'Abélard. Il n'a, à l'endroit d'Anselme, que les termes les plus méprisants : « J'allai entendre ce vieillard. C'était à la routine, il est vrai, plutôt qu'à l'intelligence et à la mémoire, qu'il devait sa réputation... Il avait une merveilleuse facilité de langage, mais le fond était misérable et vide de raison. » Et de poursuivre par des comparaisons peu aimables : un feu qui ne produit que de la fumée, un arbre à l'aspect imposant qui, de près, se révèle être le figuier stérile de l'Evangile, etc. Fort de cette constatation, Abélard se montre de moins en moins assidu à ses leçons. S'il faut l'en croire, quelques-uns de ses condisciples en furent blessés et en parlèrent au maître pour exciter contre lui sa jalousie. Il y a, parmi ces condisciples, deux personnages qui joueront un rôle dans l'histoire d'Abélard : ce sont Albéric de Reims et l'un de ses amis, un Novarais, nommé Lotulfe; nous les retrouverons plus tard l'un et l'autre enseignant à Reims. Sans doute se trouvaient-ils présents dans ce groupe d'étudiants qui, un soir, une fois terminées la leçon et la séance de controverse, causent familièrement avec Abélard. L'un d'entre eux lui demande ce que lui apporte l'étude de l'Ecriture sainte, à lui qui n'a encore pratiqué que les arts libéraux. (Il est évident que Pierre Abélard s'est rendu suffisamment célèbre dans cette branche pour que ses impressions puissent intéresser ses condisciples.) Abélard réplique que c'est la plus salutaire des lectures, mais qu'à son avis, il suffirait d'avoir le texte même de la Bible, avec une glose pour en expliquer les obscurités; le commentaire magistral qu'on en fait lui semble tout à fait inutile. Ses compagnons se récrient, et voilà maître Pierre engagé dans un défi. Serait-il capable, lui, d'improviser un commentaire de l'Ecriture sainte ? Le Breton qu'il est ne va pas se dérober : qu'on lui choisisse un passage de l'Ecriture avec une seule glose et il le « lira » en public. Rires dans l'assistance; les étudiants s'entendent pour lui proposer un passage d'Ezéchiel, lequel ne peut évidemment passer pour un auteur limpide. Rendez-vous est pris pour le lendemain.

Abélard s'enferme avec le texte glosé, passe la nuit à préparer son cours et, le lendemain, fait sa première leçon sur la science sacrée. Les auditeurs étaient peu nombreux : on ne pensait pas qu'il allait pousser la plaisanterie jusqu'au bout. Or, « ceux qui m'entendirent furent tellement ravis de cette séance, déclare-t-il, qu'ils en firent un éloge éclatant et m'engagèrent à donner suite à mon commentaire suivant la même méthode. La chose ébruitée, ceux qui n'avaient pas assisté à la première leçon s'empressèrent à la seconde et à la troisième, tous jaloux de prendre en note mes explications ». Il suffisait décidément qu'Abélard montât en chaire pour que le succès répondît : sa parole était irrésistible, et aussi la subtilité de son commentaire. Presque sans avoir étudié, il passait maître en ce qui était la Science des sciences — ce qu'on n'allait pas tarder à désigner couramment sous le nom de théologie.

Mais, ce faisant, il s'était attiré un nouvel ennemi. « Ce succès alluma l'envie du vieil Anselme. Déjà excité contre moi, comme je l'ai dit, par des insinuations malveillantes, il commença à me persécuter pour mes leçons théologiques comme avait fait Guillaume pour la philosophie[15]. » Anselme était loin, nous l'avons vu, d'être une personnalité aussi négligeable qu'Abélard veut bien le dire. L'enseignement de l'Ecriture sainte lui devait beaucoup; c'était à lui et à son équipe qu'était due ce qu'on appelait au Moyen Age la « glose ordinaire », c'est-à-dire le résultat d'un travail qui avait consisté à opérer un choix parmi les commentaires les plus autorisés des Livres saints; cette « glose ordinaire » allait devenir une sorte de manuel scolaire couramment utilisé par les étudiants aux XIIᵉ et XIIIᵉ siècles. Abélard a aussi peu d'égards pour l'œuvre que pour l'homme; il est vrai qu'Anselme est alors un vieillard; il va mourir peu de temps après, en 1117; on conçoit qu'il ait été blessé par l'entreprise peu élégante de cet élève qui surclasse la plupart de ses condisciples. Il riposta brutalement en lui interdisant de continuer l'enseignement qu'il avait improvisé.

« La nouvelle de cette interdiction répandue dans l'école, l'indignation fut grande : jamais l'envie n'avait si ouvertement frappé ses coups. Mais plus l'attaque était manifeste, plus elle tournait à mon honneur, et les persécutions ne firent qu'accroître ma renommée. »

Abélard dut quitter Laon, mais c'était avec les honneurs de la victoire. Il rentra à Paris et, cette fois, sa réputation éclipsant décidément celle de tous les autres candidats possibles, il se vit offrir *sa* chaire, celle des écoles de Notre-Dame : « Je remontai dans la chaire qui m'était depuis longtemps destinée, de laquelle j'avais été expulsé[16]. » Cette fois, il régnait sans partage; il était, dans ce Paris qui, depuis toujours, orientait ses ambitions, le maître le plus renommé et non plus seulement en dialectique, mais en théologie. Car il avait aussitôt repris le commentaire sur Ezéchiel entrepris et interrompu de façon si abrupte à Laon. Il n'avait plus de rival.

Guillaume de Champeaux, depuis 1113, a définitivement quitté la ville pour son évêché de Châlons; Abélard connaît un succès sans égal : « Ces leçons furent si bien accueillies, écrit-il lui-même, que bientôt le crédit du théologien ne parut pas moins grand que n'avait été jadis celui du philosophe. L'enthousiasme multipliait le nombre des auditeurs de mes deux cours. » Jamais les écoles parisiennes n'auront connu un tel afflux d'étudiants. Nous avons sur ce point d'autres témoignages que celui d'Abélard lui-même.

« La Bretagne lointaine t'adressait ses brutes à instruire. Les Angevins, dominant leur ancienne rudesse, s'étaient mis à te servir. Poitevins, Gascons, Ibères, Normands, Flamands, Teutons et Suèves s'accordaient à te louer et à te suivre assidûment. Tous les habitants de la cité de Paris et des provinces de la Gaule, proches ou lointaines, avaient soif de t'entendre comme si, en dehors de toi, aucune science ne pût être rencontrée. » Ainsi s'exprime un contemporain, Foulques de Deuil, qui insiste sur la renommée universelle d'Abélard : « Rome t'envoyait ses élèves à instruire; elle qui, autrefois, infusait à ses auditeurs la connaissance de tous les arts, montrait, en t'envoyant ses étudiants, que, savante, elle te reconnaissait plus savant. Aucune distance, ni mont si élevé, ni vallée si profonde, ni chemin si difficile qui puissent les décourager de se hâter vers toi en dépit des périls et des voleurs[17]. »

On connaît le nom d'élèves d'Abélard, devenus eux-mêmes illustres, parmi lesquels, entre beaucoup d'autres, l'Italien Gui de Castello, destiné à devenir le pape Célestin II, et, plus tard, l'Anglais Jean de Salisbury.

D'autres, quoique moins connus, ont joué un rôle en leur temps. Ainsi Geoffroy d'Auxerre, qui plus tard s'élèvera contre son ancien maître; ou Bérenger de Poitiers qui, lui, témoignera fougueusement de sa fidélité dans des moments difficiles. Si, en 1127, l'évêque Etienne décide de faire sortir l'école épiscopale du cloître Notre-Dame et, avec l'accord du chapitre, interdit que les écoliers soient désormais reçus dans cette partie du cloître qu'on appelait *Trissantia* (et où les leçons avaient lieu précédemment), c'est, n'en doutons pas, parce que le mouvement déclenché par Abélard a continué et que l'afflux des élèves vers les écoles de Paris, désormais célèbres, trouble le silence qui doit régner en principe dans l'enclos des chanoines. Le roi lui-même, un peu plus tard, n'enverra-t-il pas son fils, le futur Louis VII, étudier à Notre-Dame de Paris ? Tout ce mouvement scolaire, dont sortira l'Université parisienne promise à l'avenir que l'on sait, s'était esquissé avec Guillaume de Champeaux, mais c'est Abélard qui a assuré sa célébrité. Paris est désormais consacrée Cité des lettres.

Hic florent artes, celestis pagina regnat.

« Là fleurissent les arts, là règnent les écrits célestes[18]. »

Paris est « le paradis de toutes délices » pour les étudiants. Et sur eux règne le Maître, accueilli, ou peu s'en faut, comme le décrit un satiriste du temps :

Obvius adveniet populo comitante senatus; plebs ruet et dicet : « Ecce Magister adest. »

« Les notables viennent à sa rencontre accompagnés du peuple; la foule se rue et s'écrie : « Voici que vient le Maître[19]! »

Ses contemporains l'attestent : « Tous accouraient à toi comme à la source la plus limpide de toute philosophie, bouleversés par la clarté de ton esprit, par la suavité de ton éloquence, par ta facilité à manier le langage aussi bien que par la subtilité de ta science[20]. » Imbattable sur le terrain de la logique, il apporte à la science sacrée toutes les ressources de sa clarté d'esprit et de sa brillante élocution; les qualités pédagogiques vont de pair avec la force de raisonnement et l'originalité de la pensée chez ce maître exceptionnel. Affronté aux plus grands esprits de son temps, sorti vainqueur de l'épreuve, il s'affirme comme le penseur le plus profond, le plus pénétrant; à lui va l'enthousiasme de toute la jeunesse qui se presse aux écoles Notre-Dame. Il est le « Socrate des Gaules »; il est « notre Aristote à nous » — comme dira de lui, beaucoup plus tard, Pierre le Vénérable. Son royaume, c'est ce monde turbulent qui s'étourdit de dialectique, mais aussi parfois du vin des coteaux tout proches de la Montagne Sainte-Geneviève et d'où s'élèvent, mêlées aux chants des psaumes, les *chansons goliardiques* dont l'écho ne s'éteindra guère jusqu'en notre temps au quartier Latin. Car, parmi les étudiants, quelques-uns certes répondent au portait que trace de lui-même Guy de Bazoches :

Et ludis datus et studiis, sed rarus in illis, creber in his, doctus atque docendus eram.

« Donné aux jeux et aux études, mais peu à ceux-là, souvent à celles-ci, j'apprenais et voulais apprendre[21]. »

Mais d'autres aussi ont pour refrain :

> *Obmittamus studia,*
> *dulce est desipere,*
> *et carpamus dulcia*
> *juventutis tenere;*
> *res est apta senectuti*
> *seriis intendere.*

« Laissons là nos études,
Il est bon de s'ébattre,
Jouissons des doux moments
De la fraîche jeunesse.
C'est bon pour la vieillesse
De s'appliquer aux choses graves. »

Et la chanson poursuit :

> *Voto nostro serviamus,*
> *mos est iste juvenum;*
> *ad plateas descendamus*
> *et choreas virginum.*

« A nos désirs rendons-nous,
C'est l'usage des jeunes gens,
Et descendons vers les places
Et les chœurs des jeunes filles[22]. »

A quoi bon tant lire Ovide si l'on ne pratiquait soi-
même « l'art d'aimer »! :

> *Imperio; eya!*
> *Venerio, eya!*
> *cum gaudio*
> *cogor lascivire,*
> *dum audio*
> *volucres garrire.*

« Au service
De Vénus
Avec joie
Il me faut m'ébattre
Quand j'entends
Les oiseaux chanter[23]. »

La chanson d'amour, qui va faire son apparition en
langue vulgaire et qui, avec troubadours et trouvères,
s'emparera bientôt de la France entière, se multiplie
dans ce milieu ardent, un peu fou parfois; elle voisine
avec le chant bachique et les aventures du héros des
écoliers, ce *Golias* — Goliath — auquel, dans les *Métamorphoses de Golias,* on prête les aventures les plus
monstrueuses et les plus absurdes, tandis que dans
l'*Apocalypse de Golias,* on va jusqu'à parodier pour lui
les textes saints. A certains jours, le ton monte encore
dans cette cohue turbulente; les étudiants, en verve,
débordent les limites du cloître Notre-Dame et se
répandent par les rues de la Cité comme un vin
nouveau qui bout dans les barriques et fait jaillir la
bonde. Ainsi à l'octave de Noël, où subsistent quelques
réminiscences des saturnales antiques. Les jeunes
clercs, ce jour-là, sont les maîtres; toutes les folies,

toutes les excentricités leur sont permises, et ce sont ripailles et beuveries, avec, à l'occasion, des ébats sans pudeur; on se libère alors collectivement des efforts intenses de la vie scolaire et de sa sévère discipline :

> Adest dies
> optata, socii;
> quidquid agant
> et velint alii,
> nos choream
> ducamus gaudii :
> pro baculo
> exsultet hodie
> clerus cum populo.

> « Voici le jour
> Attendu
> Les amis;
> Quoi qu'ils fassent
> Les autres y consentent;
> Pour nous, conduisons
> Le chœur de joie :
> A cause du bâton
> Exultent aujourd'hui
> Le clergé et le peuple[24]. »

Car ce sont eux qui ce jour-là détiennent le « bâton » — le bâton du maître de chœur, insigne d'autorité — ; c'est la « fête du bâton » à laquelle ne sont admis que ceux qui ont l'esprit large et la bourse grande ouverte; les autres sont honnis des étudiants.

> Omnes tales ab hoc festo
> procul eant; procul esto :
> tales odit baculus.
> Illi vultus huc advertant,
> quorum dextrae dando certant,
> quorum patet loculus.

« Tous ceux-là, qu'ils s'éloignent,
Qu'ils s'éloignent de la fête
Ceux-là, le bâton les hait.
Ceux-ci, qu'ils viennent et s'approchent
Dont la dextre est prête à donner,
Dont la bourse est prête à s'ouvrir[25]. »

Maître Pierre Abélard s'est certainement mêlé à ces festivités. Son âge ne l'éloigne guère d'une foule sur laquelle il exerce un prestige incontesté. L'appétit de savoir, le goût de l'absolu vont de pair, dans cette foule estudiantine, avec la turbulence; buveurs, querelleurs, débauchés parfois, les écoliers parisiens n'en sont pas moins exigeants lorsqu'il s'agit de raisonnement, de preuve, de démonstration. Or, Abélard satisfait leur esprit critique : il n'est pas de ceux qui esquivent les problèmes embarrassants ou s'en réfèrent prudemment aux autorités. Avec lui, les « disputes » ne sont pas simples exercices d'école : « Ils (mes disciples) disaient qu'ils n'avaient pas besoin de vaines paroles, qu'on ne peut croire que ce que l'on a compris et qu'il est ridicule de prêcher aux autres ce qu'on ne comprend pas plus que ceux à qui on s'adresse[26]. » Et quel problème résisterait aux raisonnements du maître? Il est Aristote; mais un Aristote réincarné, jeune, et proche des jeunes. On se faisait, à l'époque, un portrait conventionnel du vieux péripatéticien, en grande faveur dans les écoles, et qui devient presque un héros épique, présidant aux foudroyantes conquêtes de son élève, Alexandre. Aristote, auprès d'Abélard, est un vieillard pâle :

« Le front maigre, pâle, le maître aux cheveux rares..., son visage livide révèle la lampe nocturne..., ses jeûnes se trahissaient à la maigreur de ses mains; aucune chair que la peau sur les os... »

Tel n'est pas Abélard. Il ne paraît pas qu'il ait beaucoup pratiqué le jeûne, et son visage resplendit de tout l'éclat de la jeunesse. Il n'a guère que trente-cinq ans ou environ; tout en lui est exceptionnel : cette science, qui semble chez lui infuse, de la dialectique et même de la théologie, ses dons d'enseignant, sa vivacité d'esprit, son éloquence, son charme enfin; car il est beau, extrêmement beau et cela joue indéniablement son rôle dans son prestige. « Paraissiez-vous en public, qui, je le demande, ne se précipitait pour vous voir? Qui, lorsque vous vous retiriez, ne vous suivait le cou tendu, d'un regard avide? Quelle épouse, quelle fille ne brûlait pour vous en votre absence et ne s'embrasait à votre vue[27]? » Ces belles mains dont l'index se lève lorsqu'il affirme la conclusion d'un syllogisme, qui donc ne souhaiterait en être caressé? Si Abélard fait tourner les têtes sur son passage lorsqu'il parcourt les rues de la Cité, sa gloire a depuis longtemps débordé les limites du cloître Notre-Dame. « Etait-il un roi, un philosophe dont la renommée pût être égalée à la vôtre? Quelle contrée, quelle cité, quel village ne rêvait de vous voir[28]? »

Avec la gloire, la fortune est venue. « Quels bénéfices ils (mes élèves) me rapportaient et quelle gloire, la renommée a dû vous l'apprendre », écrit Abélard lui-même[29]. Il fait payer ses leçons, ce qui est normal; mais alors que la plupart des maîtres vivent assez chichement, il gagne, lui, beaucoup d'argent de ses élèves. Parmi les enseignants, quelques-uns se font scrupule de dispenser la sagesse moyennant finances, mais ce scrupule ne semble guère l'avoir effleuré. La rémunération des enseignants a toujours été un problème, problème social à notre époque et, à celle d'Abélard, problème de conscience : jusqu'à quel point est-il permis de vendre la science sacrée, les trésors de l'esprit? Et pourtant, n'est-il pas légitime que le maître vive de ce qu'il enseigne, comme le prêtre doit vivre de l'autel? Pour parer tant bien que mal à ce dilemme, on prévoit pour le maître – l'écolâtre – un *bénéfice,* c'est-à-dire un revenu quelconque lui permettant de vivre. Abélard lui-même semble bien avoir eu à l'école Notre-Dame une prébende de chanoine. A cela est venu s'ajouter le paiement des leçons, du moins par ceux des élèves qui peuvent s'en acquitter. Le maître qui abuse de cette source de revenus est sévèrement jugé à l'époque. On stigmatise, comme le fait Baudri de Bourgueil, « le maître vénal qui vend des paroles vénales..., qui ne remplit l'oreille de l'élève que si celui-ci a rempli son coffre... » Et Bernard de Clairvaux s'élèvera contre ceux qui « veulent apprendre pour vendre leur science, soit pour en faire de l'argent, soit pour s'élever aux honneurs. » Abélard cumule l'argent et les honneurs et n'en semble pas autrement troublé.

S'il a renoncé à la gloire des armes, quelle gloire lui aura value le service de l'esprit! Il ne tiendrait qu'à lui de couronner tant d'exploits par des triomphes d'une autre sorte. On oppose volontiers, en son temps, le personnage du clerc à celui du chevalier; et ce sera une question ardemment combattue dans les cours d'amour, de savoir s'il vaut mieux être aimé de l'un ou de l'autre : de celui qui excelle sur le champ du tournoi ou du clerc qui gagne ses lauriers dans les joutes oratoires.

> *Dulcis amicitia clericis est gloria.*
> *Quidquid dicant alie, apti sunt in opere.*
> *Clericus est habilis, dulcis et affabilis.*

« La douce amitié est la gloire du clerc.
Quoi qu'en disent les autres, ils sont gens fort doués.
Le clerc est habile, doux et affable. »

Entendons naturellement le terme *clerc*[30] au sens qu'il possède à l'époque : non un membre de la hiérarchie ou du clergé, mais simplement un lettré; Abélard lui-même, dans sa correspondance, emploie indifféremment les termes écolier et clerc. Nombreux sont alors les poèmes en forme de débat qui plaident ainsi alternativement pour le clerc et pour le chevalier.

Meus est in purpura, tuus in lorica;
Tuus est in prelio, meus in lectica.
Meus gesta principum relegit antica;
Scribit, querit, cogitat totum de amica.

« Le mien revêt la pourpre et le tien la cuirasse.
Le tien vit au combat et le mien dans sa chaire.
Le mien lit et relit les exploits des Anciens,
Il écrit, cherche, et pense, et tout pour son amie[31]. »

Ainsi l'héroïne d'un de ces poèmes vante-t-elle les mérites du clerc son ami. Et les chansons goliardiques, bien entendu, donnent aussi à ce dernier la préférence. Pour sa science comme pour ses mœurs, c'est le clerc, disent-elles, le plus apte à l'amour[32]. Ainsi décide la cour du dieu d'Amour, convoquée devant lui pour trancher un débat toujours ouvert. Or, s'il y eut jamais clerc séduisant, doté de tous les prestiges, ceux de l'esprit et ceux du corps, c'est bien Pierre Abélard.

II

LA PASSION ET LA RAISON

> « Ah Dieu ! Qui peut amour tenir
> Un an ou deux sans découvrir ?
> Car amour ne se peut celer. »
>
> BEROUL, *Tristan.*

« IL y avait alors, dans cette cité même de Paris, une jeune fille nommé Héloïse[1]. »

Ce pourrait être le début d'un conte : il y avait une fois... Mais c'est une histoire vécue; et vécue avec une intensité telle qu'à travers les siècles elle a gardé intact son pouvoir d'émotion.

Cette jeune fille nommée Héloïse fait, elle aussi, tourner les têtes sur son passage. On parle d'elle. Et pas seulement à Paris même. Sa réputation s'est rapidement étendue dans le monde du savoir, dans les écoles et les cloîtres. « J'entendais dire qu'une femme, encore retenue dans les liens du siècle, se consacrait à l'étude des lettres et, chose rare, de la sagesse, et que les plaisirs du monde, ses frivolités et ses désirs ne pouvaient l'arracher à l'idée de s'instruire[2]. »

Celui qui parle ainsi était alors un tout jeune moine — de ceux, il est vrai, qui prennent activement part au mouvement intellectuel de son temps puisque, dès l'âge de vingt-trois ou vingt-quatre ans, il a eu la direction des écoles monastiques de Vézelay, à l'ombre de la belle abbatiale alors toute neuve. Sur sa colline bourguignonne, Pierre de Montboissier, entré très jeune dans l'ordre de Cluny (il a fait profession à dix-sept ans au

prieuré de Sauxillanges et ne porte pas encore ce surnom de Vénérable qu'on lui décernera plus tard), songe
parfois à Héloïse, à cette jeune fille qu'il ne connaît pas
et que son intelligence, son goût pour l'étude signalent
à l'attention de ses contemporains. Elle n'est encore
qu'une adolescente et déjà elle aborde, dit-on, les études
philosophiques; pourtant, elle ne semble pas se destiner
au cloître. Qu'une moniale étudie et pousse loin son
instruction, c'est assez naturel, qu'elle devienne
« théologienne » après avoir été « grammairienne »,
comme l'écrira plus tard Gertrude de Helfta, il n'y a pas
là de quoi s'étonner. Mais qu'une jeune fille demeurée
dans le monde ne songe qu'à s'instruire à l'âge où tant
d'autres se consacrent à leur parure; qu'elle n'ait d'autre ambition que d'accroître son savoir et qu'elle
aborde avec succès ces rivages de la philosophie qui
rebutent beaucoup d'hommes, il y a là de quoi s'étonner. « Quand le monde entier, pour ainsi dire, donne le
spectacle de la plus déplorable apathie pour ces études,
quand la sagesse ne sait plus où poser le pied, je ne
dirai pas chez le sexe féminin d'où elle est entièrement
bannie, mais dans l'esprit même des hommes, vous, par
le transport de votre zèle, vous vous êtes élevée au-dessus de toutes les femmes, et il est peu d'hommes que
vous n'avez surpassés. » Ainsi s'exprimera plus tard
Pierre le Vénérable, disant à Héloïse combien son
grand renom l'avait frappé dès sa jeunesse[3].

Héloïse a fait ses premières études dans un couvent
de la région parisienne, à Notre-Dame d'Argenteuil, qui
tenait école comme le faisaient alors la plupart des couvents de femmes. Elle y a révélé des dons exceptionnels
et un zèle pour l'étude tout aussi exceptionnel. Sa formation a été celle de son temps : les psaumes, l'Ecriture
sainte et ces auteurs profanes qu'on étudie en classe de
grammaire et qui font la base du bagage intellectuel.
Elle cite avec aisance les Pères de l'Eglise, et aussi
Ovide ou Sénèque; dans une circonstance particulièrement dramatique, ce sont des vers de Lucain qui, spontanément, monteront à ses lèvres. Sa curiosité d'esprit

est sans limites, puisqu'elle a voulu étudier non seulement le cycle complet des arts libéraux, la dialectique en tête, mais aussi, à en croire Pierre le Vénérable, la théologie. Peut-être n'a-t-elle pas pu trouver à Argenteuil des religieuses assez instruites pour alimenter sa soif de savoir. Aussi son oncle Fulbert, chanoine de Paris, lui a-t-il offert l'hospitalité dans sa maison du cloître Notre-Dame; émerveillé de l'intelligence de sa pupille, il ne néglige rien pour faciliter son instruction.

Les historiens d'Héloïse se sont parfois étonnés de voir un oncle aussi préoccupé de l'éducation de sa nièce; on a supposé que ses parents étaient morts. En fait, on ne sait absolument rien des antécédents d'Héloïse. Seul nous est resté le nom de sa mère, appelée Hersent et sœur du chanoine Fulbert; mais si l'on se reporte aux usages du temps, il n'y a aucun besoin de supposer qu'elle fût orpheline pour que son oncle se soit occupé d'elle. La famille est alors conçue au sens large, et il est courant de voir oncles, tantes ou parents à divers degrés participer à l'éducation des enfants. Pour expliquer la présence d'Héloïse à Paris auprès de son oncle Fulbert, il suffit de penser que ses parents auront vu dans ce séjour la possibilité de faire pousser plus loin l'instruction qu'ils lui avaient déjà fait donner au monastère d'Argenteuil.

Non moins étonnante est pour nous la présence de la jeune fille dans ce cloître Notre-Dame que volontiers nous imaginerions réservé au seul clergé de la cathédrale. Mais le terme cloître ne désigne pas le promenoir couvert traditionnellement ménagé dans l'enceinte d'un monastère; il évoquerait plutôt le « close » des cathédrales anglaises tel qu'il s'est conservé à Wells ou à Salisbury : un ensemble de petites maisonnettes groupées autour de l'église, et où habitent les chanoines. Il y avait ainsi une quarantaine de maisons canoniales situées à l'extrémité de l'île de la Cité, du côté est, et peut-être enfermées dans une enceinte, car le territoire du cloître était une sorte de petite ville qui, de tout temps, avait bénéficié de l'immunité; les officiers royaux n'avaient pas le droit d'y pénétrer; le cloître jouissait du droit d'asile, ce qui signifie que nul n'avait le droit de mettre la main sur celui qui s'y était réfugié, fût-il le pire des criminels. Deux petites chapelles, Saint-Aignan, au nord, et, au sud, du côté de la rive gauche, Saint-Denis-du-Pas — ainsi nommée parce qu'à cet endroit aboutissait un gué permettant de traverser la Seine à cheval — s'élevaient dans l'enceinte de ce cloître; elles allaient, dans le courant du XIIe siècle, devenir des paroisses pour répondre aux besoins d'une population sans cesse croissante. Mais, à l'époque d'Hé-loïse, l'église-cathédrale semble bien être encore fré-quentée par la foule. Ce n'est d'ailleurs pas celle que nous connaissons et qui est postérieure à notre histoire, puiqu'on en posera la première pierre l'année précédant la mort d'Héloïse, en 1163. Deux églises s'élevaient sur son emplacement : Saint-Etienne, située sur le parvis et dont l'abside devait déborder un peu la façade de l'ac-tuelle Notre-Dame, et la cathédrale proprement dite qui s'élevait à l'emplacement du chœur de la nôtre, mais dont les proportions étaient beaucoup moins vastes. Il y a encore un baptistère, Saint-Jean-le-Rond, qui ne sera démoli qu'au XVIIIe siècle; un autre cloître situé plus au sud et qui est cet enclos appelé *Trissantia* où les écoliers se pressent pour entendre Abélard et d'où ils se verront expulsés une dizaine d'années plus tard. Ainsi, c'est une petite « ville cléricale » qui occupe l'extrémité de l'île de la Cité, avec ses bâtiments multiples, églises et chapel-les, cloître et maisons d'école, enclos et jardins, et les demeures particulières, parmi lesquelles celle du cha-noine Fulbert; la tradition veut qu'elle se soit élevée à peu près à l'angle de la rue des Chantres et de l'actuel quai aux Fleurs.

Abélard aura donc eu plus d'une fois l'occasion de rencontrer Héloïse au cours de ses allées et venues. Il aura pu croiser la jeune fille lorsque, entouré de ses étudiants tout à leur ardeur à discuter, il professe l'art

48

de la dialectique en se promenant en plein air, à l'exemple de son illustre maître, le péripatéticien; ou lorsqu'il se rend à ses cours; ou lors des fêtes qui, dans la cathédrale déjà trop petite pour la population, regroupent étudiants et maîtres. D'ailleurs, la présence, dans le cloître Notre-Dame, d'une jeune fille venue expressément pour y poursuivre ses études n'est pas chose courante. Cela aussi contribue à la célébrité d'Héloïse : des femmes lettrées, il en existe beaucoup dans les couvents, quelques-unes dans les cours seigneuriales; mais aux écoles Notre-Dame, parmi les jeunes clercs, Héloïse produit un peu l'effet que produira, à la fin du XIXe siècle, la première jeune fille inscrite à la Sorbonne. Bien des regards doivent la suivre au passage lorsque, pour aller à l'église ou pour se détendre, elle sort de la maison du chanoine où se passe la majeure partie de son temps, tout occupée à l'étude et aux leçons qu'elle reçoit.

On la regarde d'autant plus volontiers qu'Héloïse est belle. Abélard écrira plus tard qu'elle « réunissait tout ce qui peut provoquer à aimer ». Notation fâcheusement imprécise en dépit de tout ce qu'elle peut suggérer. On aimerait en savoir davantage. Faute de mieux, on a tenté de déduire son apparence physique de l'examen de ses ossements : on sait que les restes d'Héloïse, comme ceux d'Abélard, devaient, en effet, connaître bien des tribulations avant d'être ensevelis au Père-Lachaise. Exhumée une première fois en 1780, une seconde fois sous la Révolution, en 1792, des témoins ont attesté, dans les deux cas, que, d'après son squelette, elle devait être « d'une grande stature et de belles proportions... le front bien arrondi et en harmonie avec les autres parties de la face », enfin la mâchoire « garnie de dents d'une extrême blancheur [4] ». Force est de s'en tenir à ces macabres déductions. C'est vainement que l'on chercherait à l'époque des descriptions précises : l'art du portrait ne date que du XVe siècle, ou, au plus tôt, du XIVe. En revanche, la littérature du temps abonde en comparaisons qui évoquent la beauté fémi-

nine, toute de splendeur et d'harmonie : cheveux blonds
lumineux comme de la soie, flamboyants comme de
l'or, front blanc comme le lait, sourcils noirs, teint
clair, des yeux qui brillent comme deux étoiles; la rose,
le lis, l'ivoire, la neige sont évoqués tour à tour pour
parler du visage et de la poitrine, le cristal pour la voix;
pour les jambes, des colonnes de marbre. Et, faisant
suite aux poètes de ce début du XIIᵉ siècle qui s'expri-
ment encore en latin, un Baudry de Bourgueil, un Matthieu de Vendôme, un Geoffroy de Vinsauf, les premiers
essais poétiques en langue d'oc ou en langue d'oïl leur
feront écho :

> Elle avait plus que fleur de lis
> Clair et blanc le front et le vis (visage).
> Sur la blancheur, par grand merveille,
> D'une couleur fraîche et vermeille
> Que nature lui eut donnée
> Etait sa face enluminée;
> Les yeux si grand clarté rendaient
> Qu'à deux étoiles ressemblaient.

Ainsi s'exprime Chrétien de Troyes pour décrire
Enide, et l'on peut imaginer qu'Héloïse répondait à ce
qui fut l'idéal de beauté féminine en son temps.

« Si par l'apparence physique elle n'était pas la dernière, par ses connaissances intellectuelles, elle était la
première[5] », nous dit Abélard en son terrible style de
rhétoricien. Il est d'ailleurs à remarquer que, s'il pratique volontiers la litote en parlant des autres, les éloges
sont plus clairement exprimés lorsqu'il parle de lui-
même. « J'avais une telle réputation, une telle grâce de
jeunesse et de beauté que je croyais n'avoir aucun refus
à craindre, quelle que fût la femme que j'honorasse de
mon amour. » Car le voilà, lui, le philosophe que n'a
jusqu'ici tourmenté que le démon de la dialectique, soudain dominé par les appétits sensuels dont il ne s'est
guère soucié jusqu'alors. Il pourrait s'appliquer la chan-

son à peu près contemporaine qui fait partie du réper-
toire des étudiants :

« Sans doute, ignores-tu les jeux de Cupidon ?
Ce serait déshonneur si, jeune et bien venu,
Tu n'allais souvent jouer à la cour de Vénus[6]. »

Ignoras forsitan ludos Cupidinis ?
sed valde dedecet si talis juvenis
non ludit sepius in aula Veneris.

Lui-même nous explique sans ambages le genre de
fièvre dont il se sent alors travaillé : « Je commençais,
moi qui avais toujours vécu dans la plus grande conti-
nence, à lâcher la bride à mes passions. Et plus j'avan-
çais dans la voix de la philosophie et de la théologie,
plus je m'éloignais par l'impureté de ma vie des philosophes et des saints... J'étais dévoré par la fièvre de
l'orgueil et de la luxure[7]. »
Autrement dit, chez cet intellectuel, les instincts commencent à parler, aussi exigeants que l'ambition de
jadis. Il se sait désormais « le seul philosophe sur
terre », sa frénésie de dispute se calme peu à peu, mais,
en revanche, les plaisirs des sens auxquels il ne s'est
jamais livré le réclament.

Non posco manum ferule
non exigo sub verbere
partes orationis.
projiciantur tabule,
queramus quid sit ludere
cum virginali specie,
que primule, non tercie
sit declinationis

et prima conjugatio
cum sit presenti temporis,
hec : amo, amas, amat.

sit nobis frequens lectio
scola sit umbra nemoris,
liber puelle facies
quam primitiva species
legendam esse clamat.

« Je ne cherche pas de main pour ma férule;
Je n'exige pas sous la menace
Les parties du discours;
Qu'on jette au loin les tablettes :
Cherchons plutôt comment jouer avec l'espèce féminine
Qui en soit au premier, non au troisième
Genre de déclinaison.

La première conjugaison se présente au temps présent :
J'aime, tu aimes, il aime;
Répétons-en souvent la leçon;
Faisons école à l'ombre d'un arbre:
Le livre, c'est le visage de la fillette,
Qu'il nous faut lire à présent
En sa fraîcheur première[8]. »

Abélard entend donner satisfaction à sa fièvre de luxure comme à sa fièvre d'orgueil. Mais par quel moyen terme? « J'avais de l'aversion pour les impurs commerces de la débauche; la préparation laborieuse de mes leçons ne me permettait guère de fréquenter la société des femmes de noble naissance; j'étais aussi presque sans relations avec celles de la bourgeoisie[9]. » La Femme, mais pas n'importe quelle femme. Il y a bien des prostituées dans le Paris du XIIe siècle, refoulées à l'autre extrémité de la ville, ce qui ne veut pas dire qu'il faille aller très loin pour les chercher; mais Abélard n'entend pas s'assouvir sur des prostituées; et, d'autre part, il n'a pas le temps de se livrer aux travaux d'approche qui lui seraient nécessaires à lui, le professeur, lequel n'a jamais fréquenté que le monde des clercs, pour être admis dans la société et lier connaissance avec les femmes ou les filles de la bourgeoisie ou de la noblesse. En revanche, n'y a-t-il pas là, tout près de lui, une jeune fille répondant à ce qu'il cherche? Physiquement, elle lui plaît; « elle est parée de toutes les séductions »; et, entre autres avantages, elle est lettrée. « Même séparés, nous pourrions nous rendre présents l'un à l'autre par un échange de lettres. »

Et Abélard redevient stratège; il manœuvre comme il a manœuvré jadis contre Guillaume de Champeaux, s'installant sur la Montagne Sainte-Geneviève comme sur un camp retranché d'où il pouvait investir la place et, finalement, s'en rendre maître. Il serait mauvais logicien s'il ne se servait, en l'occurrence, des ressources de la logique qui l'ont jusqu'alors si magnifiquement servi. « Je pensai à entrer en rapport avec elle et je m'assurai que rien ne serait plus facile que de réussir. » Pas l'ombre d'un sentiment en tout cela : l'intellect et les sens. Mais cette affinité entre deux pôles qui ne sont éloignés qu'en apparence est, somme toute, assez habituelle. Abélard, nous avons eu à plusieurs reprises l'occasion de le constater, est un parfait prototype d'universitaire.

Restent à mettre en place les éléments de sa stratégie. Il lui faut trouver « l'occasion de nouer des rapports intimes et journaliers qui familiariseraient cette jeune fille avec lui et l'amèneraient plus aisément à céder ». Or, les circonstances le favorisent au-delà de ce qu'il attendait. « J'entrai en relations avec son oncle par l'intermédiaire de quelques-uns de ses amis. Ils l'engagèrent à me prendre dans sa maison, qui était très voisine de mon école, moyennant une pension dont il fixerait le prix. J'alléguai pour motif que les soins d'un ménage nuisaient à mes études et m'étaient trop onéreux. Fulbert aimait l'argent. Ajoutez qu'il était jaloux de faciliter à sa nièce tous les moyens de progrès dans la carrière des lettres. En flattant ses deux passions, j'obtins sans peine son consentement et j'arrivai à ce que je souhaitais. »

Le chanoine fut ébloui à l'idée de recevoir comme pensionnaire l'illustre professeur, enchanté de penser que sa nièce allait pouvoir profiter de ses leçons. Que ne donnerait une telle élève sous la conduite d'un tel maître! Et c'est de lui-même qu'il propose à Abélard ce que celui-ci eût à peine osé espérer : « Il confia Héloïse à ma direction pleine et entière, m'invita à consacrer à son éducation tous les instants de loisir que me laisserait l'école, la nuit comme le jour, et, quand je la trouverais en faute, à ne pas craindre de la châtier. » Quelle que fût la fatuité d'Abélard, il avoue que la réussite passait tous ses espoirs et qu'il « ne pouvait revenir de son étonnement ». Il pensait avoir encore des trésors d'adresse à déployer pour parvenir à ses fins vis-à-vis d'Héloïse, et voilà qu'on lui confiait spontanément celle qu'il avait décidé de s'approprier « comme une tendre brebis à un loup affamé »! La fortune le comblait : la gloire, les honneurs et, à présent, l'amour, ou du moins — ce qu'il avait cherché — le plaisir.

Et c'est ainsi que maître Pierre vint s'installer avec armes et bagages dans la demeure du cloître Notre-Dame. Eut-il, en franchissant le seuil, quelque inquiétude, quelque pressentiment du drame dans lequel il engageait sa vie? Il ne le semble pas. Pas même, une fois calmé son étonnement, cette sorte de vertige que donne parfois la réussite trop facile. Il était Pierre Abélard, l'homme le plus doué, le plus intelligent, le plus avisé de son temps; il avait fait son plan et ce plan réussissait : quoi de plus naturel?

*

« Nous fûmes d'abord réunis par le même toit, puis par le cœur. » Le récit d'Abélard est ici expressif par sa brièveté même : Héloïse, visiblement, ne lui opposa aucune résistance. Dès le premier instant, dès la première minute où leurs regards s'étaient rencontrés, elle lui appartenait. Pouvait-il en être autrement? Héloïse a dix-sept ou dix-huit ans. C'est l'âge auquel, physique-

54

ment, toute fille attend celui dont elle recevra son épanouissement de femme, puisque, de par sa nature, la femme reçoit au moment même où elle se donne. Elle est, plus que toute autre, sensible au prestige de l'intelligence et du savoir; elle-même s'est vouée à l'étude et, comme Abélard l'avait fait à son âge, a renoncé aux plaisirs frivoles, aux divertissements permis à une jeune fille de sa condition pour consacrer tout son temps aux lettres, à la dialectique, à la philosophie. Si Fulbert, son oncle, a accueilli Abélard avec empressement, on imagine quels ont pu être les sentiments et l'émotion d'Héloïse en apprenant qu'elle allait être son élève. Pour elle, il ne peut y avoir « débat » entre le clerc et le chevalier : c'est vers le personnage du clerc que va toute son admiration. Or, celui qui vient à elle est le clerc par excellence; c'est le maître le plus écouté du temps, celui qui règne sur les écoles Notre-Dame et y attire une foule telle qu'on n'en avait jamais vue avant lui. Il est le Philosophe, l'Aristote du siècle, le penseur le plus éminent, celui qui exerce sur la jeunesse une influence indiscutée. Et cette incarnation de la sagesse est dotée d'un beau visage, d'une allure élégante, d'une voix persuasive, bref de tous les pouvoirs de la séduction. Comment n'en pas être subjuguée ? C'est à l'instant même de leur première rencontre qu'Héloïse lui voue cet amour exclusif qui sera le sien jusqu'à son dernier souffle. Amour violent que rien ne viendra attiédir ou affaiblir, car Héloïse est une nature absolue. Elle est trop jeune, trop naïve, trop amoureuse elle-même pour comprendre que l'arrivée d'Abélard sous son toit et dans sa chambre est d'abord le résultat de calculs assez bas, qu'il n'est pas animé d'un sentiment de même qualité que le sien propre. Elle aime. Elle aimera toute sa vie. Abélard va passer par des phases diverses et subir une évolution dans sa manière d'aimer. Mais non Héloïse. Ce sera sa grandeur et, par moments, nous le verrons, sa faiblesse; son amour à elle est sans nuance comme sans faille : c'est l'Amour.

Rencontre unique. Si jamais deux êtres ont été faits l'un pour l'autre, ce sont Héloïse et Abélard. Que leur entente fût physiquement parfaite, ils le disent et on peut les croire. Mais en eux les esprits aussi se situaient à un même niveau : toute leur correspondance en témoigne. Si Abélard est le plus grand philosophe de son temps, Héloïse n'est guère moins douée que ce maître qui, bientôt, sera dérouté par son élève. Et l'harmonie qui s'établit est d'autant plus parfaite qu'ils sont l'un et l'autre neufs et intacts. Le premier homme et la première femme qui aiment. Aucun d'eux n'a cédé auparavant à la facilité, au plaisir. L'amour se présente à eux sous sa forme la plus neuve, la plus entière, la plus absolue; c'est la Genèse, le paradis terrestre. « Plus ces joies étaient nouvelles pour nous, plus nous les prolongions avec délire, nous ne pouvions nous en lasser. » Et Abélard, en quelques phrases, trace un tableau suffisamment évocateur de cette période de délices : « Sous prétexte d'étudier, nous étions tout entiers à l'amour; ces mystérieux entretiens que l'amour appelait de ses vœux, les leçons nous en ménageaient l'occasion; les livres étaient ouverts, mais il se mêlait dans les leçons plus de paroles d'amour que de philosophie, plus de baisers que d'explications, mes mains revenaient plus souvent à son sein qu'à nos livres, l'amour se réfléchissait dans nos yeux plus souvent que la lecture ne les dirigeait sur les textes. Pour mieux éloigner les soupçons, j'allais parfois jusqu'à la frapper, coups donnés par l'amour non par la colère, par la tendresse non par la haine et plus doux que tous les baumes. Que vous dirai-je? Dans notre ardeur, nous avons traversé toutes les phases de l'amour; tout ce que la passion peut imaginer de raffinements, nous l'avons épuisé. » Et Héloïse reprend en contrepoint le même thème : « Quelle reine, quelle princesse n'a point envié et mes joies et mon lit [10] ? »

Cette passion sans égale a trouvé son expression littéraire. En dehors des pages brûlantes de la correspondance qui nous sont demeurées, elle s'est traduite par des poèmes — c'est-à-dire, suivant l'usage d'un temps où toute poésie reste musicale, par des chansons. « Vous aviez, entre tous, deux talents faits pour séduire dès l'abord le cœur de toutes les femmes : le talent du poète et celui du chanteur. » Notre époque ne peut que souscrire à cette remarque d'Héloïse, et ce n'est pas sans étonnement que l'on constate qu'en son temps le poète, le chanteur exerce une séduction absolument comparable à celle qu'il exerce au nôtre, car Abélard ne garde pas pour lui, ne confie pas à la seule Héloïse les chants qu'il compose en son honneur : « Vous avez composé tant de vers et de chants d'amour qui, partout répétés à cause de la grâce sans égale de la poésie et de la musique, tenaient incessamment votre nom sur les lèvres de tout le monde. La douceur seule de la mélodie empêchait les ignorants même de les oublier. C'était là surtout ce qui faisait soupirer pour vous le cœur des femmes, et ces vers, célébrant en très grande partie nos amours, ne tardèrent pas à répandre mon nom en maints pays et à rendre plus vives bien des jalousies de femmes[11]. » Que ne donnerait-on pas pour connaître les chansons d'amour d'Abélard ! Bien des érudits se sont penchés sur les poèmes du temps, en particulier sur les œuvres goliardiques, pour tenter d'y reconnaître sa main, son style, son inspiration, mais sans jamais parvenir à quelque certitude. Peut-être, parmi tant d'œuvres mal étudiées et mal identifiées, en retrouvera-t-on quelque jour, comme on a retrouvé une grande partie des hymnes composées par lui dans un manuscrit de la bibliothèque de Chaumont, bien après l'édition, que l'on croyait complète, de la Patrologie latine. Ce serait un incomparable enrichissement à notre histoire poétique, comme au roman vécu par ces amants incomparables entrés tout vifs dans les lettres pour y trouver leur place à côté de Pyrame et Thisbé, Roméo et Juliette,

Tristan et Yseut. De la poésie d'Abélard, il ne nous reste, en dehors des hymnes liturgiques, que des complaintes.

> *Infausta victoria*
> *potitus interea :*
> *quam vana, quam brevia,*
> *hec percepi gaudia !*

> « O victoire infortunée
> Remportée en ce temps,
> Combien vaines, combien brèves
> Les joies que j'en ai tirées[12] ! »

Les poèmes aujourd'hui perdus tiennent lieu pour Abélard, en cette période, de dialectique et de théologie. Car le Philosophe a subi une mutation dont il est le premier à s'étonner. Les questions disputées par lui avec tant d'ardeur quelques mois auparavant, il ne leur trouve désormais plus d'intérêt. Seule l'occupe la poésie amoureuse. Répondant à l'appel des sens, il ne s'est pas douté un instant qu'à y répondre un sentiment allait naître, capable de le transformer lui-même. Beaucoup plus tard, dans sa vieillesse, on percevra l'écho de cette stupéfaction profonde avec laquelle il a constaté ce qui s'opérait en lui :

Quelle que soit l'espèce d'oiseau de proie
La plus propre à ravir, la femme est plus forte qu'elle :
Nul être mieux que la femme ne fait sa proie des
[esprits humains[13].

La violence même avec laquelle il se livre à cette passion nouvelle réagit sur tout son comportement : « A mesure que la passion du plaisir m'envahissait, je pensais de moins en moins à l'étude et à mon école. C'était pour moi un violent ennui d'y aller ou d'y rester. C'était aussi une fatigue, mes nuits étant données à l'amour, mes journées au travail. » Qu'est devenu le brillant professeur de jadis? « Je ne faisais plus mes leçons qu'avec indifférence et tiédeur. Je ne parlais plus d'inspiration mais de mémoire. Je ne faisais guère que répéter mes anciennes leçons et, si j'avais assez de liberté d'esprit pour composer quelques pièces de vers, c'était l'amour, non la philosophie, qui me les dictait. »

La gloire que lui valent ses poèmes, il la juge, visiblement, de qualité inférieure à celle qu'il s'était acquise comme logicien et comme théologien. Avec sa complaisance habituelle, il ajoute : « De ces vers, vous le savez, la plupart, devenus populaires en maints pays, sont encore chantés par ceux qui se trouvent sous le charme du même sentiment. » Mais cette satisfaction est moins vive que celle que lui procurait l'enthousiasme de ses disciples.

Or — et c'est ici l'occasion de remarquer une fois de plus combien la carrière d'Abélard est celle d'un enseignant, d'un pédagogue, toujours liée à l'action qu'il exerce sur son auditoire et aux réactions qu'il provoque en lui — ses élèves sont les premiers à s'apercevoir du changement de leur maître bien-aimé. On a évoqué à ce propos le thème du chevalier « recréant », familier aux romans de chevalerie : c'est le cas d'Erec après son mariage avec Enide qui le comble, mais fait aussi de lui un être indifférent à l'idéal chevaleresque, qui ne recherche plus prouesse ni valeur, qui fuit les tournois et ne songe plus qu'à l'amour, au confort, à la vie facile.

Une autre image paraît plus adaptée encore; elle sera d'ailleurs maintes fois évoquée et illustrée dans l'imagerie et les contes médiévaux : celle de l'Aristote bafoué, dont, un siècle plus tard, le Normand Henri d'Andeli composera un lai plein de malice : le plus célèbre des philosophes asservi par une femme et se prêtant à tous ses caprices, jusqu'à marcher à quatre pattes, à prendre les postures les plus humiliantes.

Parce qu'il a rencontré Héloïse, Abélard apprend d'expérience que quelque chose existe, qui désarme la logique. Il croyait n'avoir rien à redouter, et voilà que l'aventure dans laquelle il s'est délibérément engagé pour satisfaire ce qu'il n'hésite pas à juger comme inférieur en l'homme se révèle dès l'abord préjudiciable à cette gloire à laquelle il tient par-dessus tout. Et ce sont ses élèves qui le lui révèlent : « Quelles furent la tristesse, la douleur, les plaintes de mes disciples quand ils s'aperçurent de la préoccupation, que dis-je, du trouble de mon esprit, on peut à peine s'en faire une idée. »

Les journées au travail, les nuits à l'amour. Mais ce sont les nuits qui comptent. L'attente impatiente du couvre-feu, du silence qui, peu à peu, s'établit dans la maison plongée dans l'obscurité, le moment où l'on se glisse furtivement dans le couloir, dans l'escalier, et la porte qui s'ouvre sur le jardin de délices.

> *Plût à Dieu que jamais ne cessât la nuit,*
> *Que de moi jamais ne s'éloignât mon amie.*
> *Que le guetteur jamais ne vît le jour, ni l'aube,*
> *Eh, Dieu, hélas! que tôt vient l'aube* [14] *!*

Nombre de poèmes éclosent à l'époque sur ce thème de l'aube cruelle aux amants; ce sera l'un des genres favoris dans la poésie des troubadours et des trouvères. Et de même le thème du « losengier », du médisant, jaloux du bonheur des amants.

> *Médisants sont en aguets,*
> *Amie, pour nous aguetter* [15].

Ces derniers ne jouent d'ailleurs aucun rôle dans l'histoire d'Héloïse et Abélard. Ils n'ont pas manqué pourtant autour du chanoine Fulbert, mais celui-ci s'est longtemps refusé à voir ce qui pour tous était évident. Sa tendresse pour sa nièce, sa confiance dans le philosophe, justifiée par la réputation dont il avait joui jusqu'alors, étaient inébranlables, et il était, lui aussi, de ces êtres entiers, absolus, qui aiment et qui haïssent sans nuances, qui n'accordent qu'en bloc, une fois pour toutes, leur amitié ou leur antipathie. Les chansons d'amour d'Abélard mettaient sur toutes les lèvres le nom d'Héloïse, ses cours reflétaient le désarroi du maître au vu et au su de tous ses élèves, et il n'était probablement question, dans la Cité, en tout cas dans le monde des écoles, que du scandale de ces amours presque affichées, que Fulbert se refusait à croire, voire à entendre et voir ce que tout le monde savait. Abélard ne manque pas de rappeler à son propos la remarque de saint Jérôme : « Nous sommes toujours les derniers à connaître les plaies de nos maisons et nous ignorons encore les vices de nos enfants et de nos épouses quand déjà ils sont publiquement la risée de la foule. » Mais cet état bienheureux ne pouvait pas durer. « Ce qu'on apprend après les autres, on finit toujours par l'apprendre, et ce qui est connu de tous ne peut rester caché à eux seuls : ce fut ce qui, après quelques mois, nous arriva [16]. »

Abélard précise un peu plus loin qu'il leur arriva ce que la mythologie raconte de Mars et de Vénus surpris ensemble. Tout le monde à l'époque connaît l'*Art d'aimer* d'Ovide; c'est dire, sans la moindre ambiguïté, qu'ils avaient été surpris en flagrant délit.

Surpris sans doute par Fulbert lui-même puisque Abélard dit expressément : « Quel déchirement pour l'oncle à cette découverte! » Et l'on imagine, en effet, le chagrin et la fureur du malheureux chanoine voyant ainsi s'effondrer les espoirs et la confiance dans lesquels il tenait sa pupille bien-aimée, sa stupéfaction devant une vérité si crûment révélée, sa consternation à la pensée que lui-même avait préparé le piège dans lequel était tombée Héloïse et, enfin, sa fureur contre Pierre Abélard, aussi grande que l'estime qu'il lui avait jadis portée.

Ce qui suit immédiatement, on l'imagine sans trop de mal. Pour commencer, Abélard est chassé incontinent de la maison de Fulbert. C'est alors qu'il nous donne pour la première fois l'impression d'aimer. Les chansons d'amour, le « violent ennui » éprouvé durant les cours de dialectique, tout cela pouvait n'être encore que l'effet d'une joie toute physique, toute sensuelle. La séparation lui révèle un sentiment qui le dépasse : entré dans la demeure de Fulbert en cynique, en jouisseur, c'est en amoureux qu'il en sort : « Quelle douleur pour les amants contraints de se séparer !... Chacun de nous gémissait non sur son propre sort, mais sur le sort de l'autre; chacun de nous déplorait l'infortune de l'autre, non la sienne. » Ce qu'Héloïse a éprouvé spontanément, dès le premier regard, Abélard y est parvenu peu à peu, par degrés; l'analyse lucide qu'il a toujours pratiquée sur lui-même marque nettement ce progrès de l'amour simplement sensuel à un sentiment plus profond, envahissant tout son être, de l'*eros* vers l'*agapê* : « La séparation ne faisait que resserrer l'étreinte des cœurs; privé de toute satisfaction, notre amour s'enflammait davantage. »

Sans aucun doute, Abélard avait élu domicile quelque part dans l'île de la Cité où d'ailleurs il continuait son enseignement. Lui et Héloïse, comme Pyrame et Thisbé, comme Tristan et Yseut, inventaient avec l'ingéniosité de l'amour mille moyens, sinon de se retrouver du moins de correspondre.

> Comme amants qui trop sont destraiz
> Pourpensent de mainte voidise,
> D'engin et d'art et de cointise
> Comme ils pourront entr'assembler
> Parler, envoiser et jouer [17].

Cette « voidise », cette ruse propre aux amants, encore un thème familier aux poètes du temps auxquels n'a échappé nulle nuance de l'amour. Peut-être la complicité de quelque servante, peut-être des signaux convenus entre eux leur permettaient-ils d'échanger à la dérobée au moins quelques mots. D'ailleurs, si Héloïse comme Abélard avaient à redouter la colère de Fulbert et à déjouer sa surveillance, ils ne se gênaient aucunement vis-à-vis des tiers, élèves ou familiers : « La pensée du scandale subi nous rendait insensibles au scandale. » Chacun disant désormais tout haut ce qu'il avait murmuré tout bas à leur propos, l'un et l'autre se sentaient affranchis de toute espèce de honte. Mais voilà qu'Héloïse sent qu'elle va être mère. Elle s'empresse de l'écrire à Abélard « avec des transports d'allégresse ». Pas l'ombre d'angoisse ou de consternation chez elle, mais seulement une certaine perplexité. « Elle me consulta sur ce qu'elle devait faire. » L'occasion favorable fut enfin trouvée. Le chanoine Fulbert s'étant absenté, Abélard s'empresse de pénétrer chez Héloïse en secret, pendant la nuit; il l'enlève. Pour éviter qu'elle ne soit reconnue et la faire voyager plus facilement, il s'est procuré un habit de religieuse et l'en revêt sans se douter de l'étrange valeur de signe que comporte son geste. Ainsi déguisée, il « la fait passer en Bretagne ». L'expression dont Abélard se sert ne nous permet pas de savoir s'il l'accompagna lui-même ou s'il la fit escorter par des amis dévoués. Héloïse fut accueillie au Pallet chez la sœur d'Abélard, dans la maison paternelle. C'est là qu'elle fit ses couches et mit au monde un fils qu'elle nomma Pierre Astrolabe.

*

Semblable récit appelle quelques commentaires. A propos des réactions d'Héloïse, notamment, nombre d'historiens, un peu déroutés et jugeant, comme on est porté à le faire, selon la mentalité de leur époque, ont fait remarquer combien Héloïse « était en avance sur son temps »; autrement dit, qu'elle était remarquablement dépourvue de toute espèce de « préjugé bourgeois ». C'est oublier qu'elle a vécu *avant* l'avènement de la civilisation bourgeoise et de la mentalité qu'elle comporte. Il faudrait des volumes pour éclaircir les malentendus provenant de ce qu'on attribue obstinément au Moyen Age la mentalité qui fut celle des temps classiques et bourgeois. Une petite anecdote très significative et qui a le mérite d'être une « histoire vraie », écrite non pour l'effet littéraire, mais simplement parce qu'il s'agit d'un épisode de la vie de Guillaume Le Maréchal qui vivait à la cour des Plantagenêts, peut jeter quelque lumière sur l'ensemble de la question. Guillaume chemine un jour avec un écuyer, Eustache de Bertrimont, quand un couple à cheval les dépasse : un homme et une femme; l'homme paraît soucieux, la femme pleure et soupire. Guillaume interroge du regard son compagnon, tous deux piquent des éperons pour rejoindre les personnages qui leur ont fait pénible impression. Ils parlent ensemble; c'est effectivement un couple suspect : un moine échappé d'un monastère avec une femme qu'il a enlevée. Guillaume et son compagnon tentent de les réconforter, déplorent avec eux le mal d'amour qui fait commettre tant d'erreurs, consolent de leur mieux la femme si visiblement angoissée; ils vont se séparer quand Guillaume leur pose la question : « Au moins, avez-vous de quoi vivre ? » Sur quoi, le moine défroqué le rassure; il a une bourse bien garnie : quarante-huit livres qu'il compte placer à intérêts; ils vivront du revenu. Explosion de colère chez les deux chevaliers : « Ainsi, tu comptes vivre d'usure! Par le glaive-Dieu, cela ne se fera pas! Prenez les deniers, Eustache! » Et, furieux, ils se jettent sur le défroqué, lui enlèvent ce qu'il possède, l'envoient au diable, lui et sa compagne, et retournent au château, où le soir, racontant l'aventure, ils distribuent à leurs compagnons l'argent dont ils l'ont dépouillé.

Autrement dit, si l'usure fait alors l'effet d'un crime inexpiable parce qu'elle implique qu'on vit du travail des autres, on reste plein d'indulgence pour ceux que la passion a égarés, eussent-ils, comme dans le cas cité, jeté par amour le froc aux orties.

Et l'on peut rappeler aussi, pour bien marquer en quel sens s'est faite l'évolution, celle qu'a subie la législation concernant les bâtards : leur situation, en effet, a empiré à partir d'une époque que l'on considère bizarrement comme dégagée de toute espèce de préjugé, c'est-à-dire le XVIIIe siècle; au XVIIe siècle encore, on ne songeait guère à cacher les naissances illégitimes; la tendance naît vers l'époque de la Régence et s'affirmera avec le Code Napoléon; c'est alors que la réprobation tombera le plus lourdement sur la femme, que la recherche de paternité sera interdite ou considérablement entravée, et que l'enfant illégitime n'aura proprement aucun droit. Pendant toute la période médiévale, les bâtards sont élevés dans la famille paternelle; au vu et su de tous, ils portent leur surnom et, dans les familles nobles, ils ont droit au blason paternel chargé pour eux d'une brisure, la fameuse « barre de bâtardise ». Si, en principe, ils sont inaptes à certaines charges, si on leur refuse l'entrée dans les ordres sacrés, les exceptions seront nombreuses et, précisément, le fils même d'Héloïse et Abélard en sera une.

En revanche, ce qui est hors du temps et que toutes les législations du monde ne pourront que difficilement contenir, c'est l'esprit de vengeance. Chez un être comme Fulbert, la rancune est aussi violente que l'avait été sa confiance. Lorsqu'il constate qu'Héloïse s'est évadée, il en devient « comme fou; il faut avoir été témoin de la violence de sa douleur, des abattements de sa confusion pour en concevoir une idée ». C'est au point qu'Abélard craint pour sa vie. « Je me tenais en garde, convaincu qu'il était homme à oser tout ce qu'il pourrait, tout ce qu'il croirait pouvoir faire. » De fait, Fulbert prouvera qu'il est capable de tout.

Ce n'est qu'après la naissance d'Astrolabe, donc certainement quelque cinq à six mois après la fuite d'Héloïse, qu'Abélard se décide enfin à faire le geste que l'on eût attendu de lui : aller trouver le chanoine, lui présenter des excuses et lui proposer réparation. La démarche lui coûte, et ce n'est pas seulement par lâcheté : c'est que les sentiments qu'elle implique ne sont nés que peu à peu en lui.

« Enfin, dit-il, touché de compassion pour l'excès de sa douleur et m'accusant moi-même du vol que lui avait fait mon amour comme de la dernière des trahisons, j'allai le trouver. » Prodigieusement doué pour les joutes intellectuelles, Abélard l'est beaucoup moins pour les mouvements du cœur. Ce logicien n'apprend que peu à peu à compatir à la souffrance des autres. C'est un domaine qui lui est étranger; il ne le découvre qu'au spectacle d'une douleur excessive et qu'il a lui-même causée. Ce n'est pas sans étonnement qu'on découvre de telles carences, mais elles sont fréquentes, il faut bien le dire, parmi les intellectuels; le développement cérébral, contrairement à ce qu'on pourrait croire, n'implique pas un développement équivalent du caractère : combien d'universitaires restent toute leur vie des potaches ! Maître dans l'art de raisonner, Abélard n'est encore qu'un enfant dans la connaissance de l'homme. Sa maturité intellectuelle ne signifie pas qu'il soit adulte quant aux sentiments.

A la manière même dont il raconte son propre drame, on parcourt les étapes qu'il a lui-même parcourues, comment ce logicien a découvert par degrés qu'il y a plus de choses dans le ciel et sur la terre que n'en rêve toute sa philosophie. Déjà sa rencontre avec la Femme a fait de lui un autre homme; déjà il a été dérouté par une passion qu'il croyait pouvoir contrôler et conduire comme un raisonnement logique; déjà il a fait l'expérience d'un autre Abélard, en qui l'amoureux a supplanté le professeur. Il n'est pas au bout de ses découvertes.

Elle dut être pathétique, la rencontre des deux hommes : le vieux chanoine aveuglé de fureur et de désespoir, le jeune maître enfin parvenu à reconnaître ses torts. Abélard ne nous en donne qu'un récit très partiel, car, pas un instant, il ne cède la parole à Fulbert. En revanche, on devine, à travers ce passage de la *Lettre à un ami,* que même en la circonstance, le dialecticien en lui n'a pas désarmé.

« Je le suppliai, je lui promis toutes les réparations qu'il lui plairait d'exiger, je protestai que ce que j'avais fait ne surprendrait aucun de ceux qui avaient éprouvé la violence de l'amour et qui savaient dans quels abîmes depuis la naissance du monde les femmes avaient précipité les plus grands hommes. » Si l'on en juge par les innombrables citations et rappels de l'Antiquité profane ou sacrée qui émaillent la correspondance d'Abélard et d'Héloïse, on imagine sans trop de peine les exemples qui furent invoqués, et qu'il ne fit grâce ni de Samson et Dalila, ni de Socrate et Xanthippe, ni d'Hercule et Omphale, ni de Cléopâtre et César, ni d'Eve et d'Adam. Ce torrent d'éloquence finit par produire son effet; les deux hommes parviennent à un accord : « Pour mieux l'apaiser encore, je lui offris une satisfaction qui dépassait tout ce qu'il avait pu espérer : je lui proposai d'épouser celle que j'avais séduite, à la seule condition que le mariage fût tenu secret afin de ne pas nuire à ma réputation. »

Et ici, on ne peut manquer d'être surpris : devant la suffisance du professeur qui offre en manière de satisfaction la solution qui nous paraîtrait, à nous, la plus naturelle, le mariage, et, ce faisant, trouve que sa conduite est au-delà de tout ce qu'on aurait pu espérer; également, devant la condition mise : que le mariage reste secret, et l'étrange raison alléguée : ne pas nuire à la réputation d'Abélard.

*

Toujours est-il qu'en conclusion de cette entrevue, Abélard croit la situation réglée; il a trouvé une solution satisfaisante pour l'esprit; Héloïse sera sa femme et il n'en sera pas moins le premier philosophe de son temps. Il s'empresse donc de prendre la route et de se rendre en Bretagne afin, dit-il, « d'en ramener mon amante et d'en faire ma femme[18] ». Bien qu'il ne le dise pas expressément, c'est sans doute au Pallet même que vivait sa sœur et qu'Héloïse s'était réfugiée, dans la demeure paternelle; il n'en reste aujourd'hui qu'une vague éminence sur laquelle s'élèvent quelques pans de murailles et une chapelle, marquant probablement l'emplacement de la chapelle seigneuriale au temps d'Abélard. On en a exhumé quelques pierres tombales, marquées d'une croix ansée, et, sur le sommet du monticule, a été planté un calvaire. On imagine sans peine l'émotion de ce retour au pays natal, l'inexprimable bonheur des amants de nouveau réunis, sans doute aussi, bien qu'il ne nous en dise mot, la joie d'Abélard devant Pierre Astrolabe, son fils. Pendant tout ce voyage rempli d'allégresse et d'espoir, il avait dû lui-même imaginer longuement cette fête des retrouvailles.

Ce qu'il n'avait pas prévu, c'est l'attitude d'Héloïse et sa réaction au projet dont il vient lui faire part. Or, c'est à ce point du récit que se révèle la personnalité d'Héloïse. Jusqu'alors, tout a été conclu entre hommes, en dehors d'elle, bien que chacun, son oncle comme son amant, ait eu en vue son intérêt à elle. Chacun s'est cru assuré de son approbation et Abélard tout le premier. Ne la connaissait-il pas mieux que personne? N'avait-elle pas, jusqu'alors, consenti à tout ce qu'il avait voulu, à se donner à lui, à s'enfuir, à se réfugier dans sa famille à lui?

Héloïse se révèle — et c'est ici la dialectique du couple — l'une de ces réalités humaines dont l'étude n'était pas au programme du maître dialecticien. Elle n'est plus la tendre jeune fille, l'agneau offert au loup affamé, l'élève émerveillée devant le maître qui abaissait les yeux sur elle; sa personnalité s'est affermie dans la mesure même où elle a été aimée; l'acte par lequel Abélard entendait s'assouvir a mûri en elle la femme qu'elle était et, dans le nouvel affrontement, ce n'est plus lui qui domine, c'est elle, Héloïse. Il y a là un mode de croissance que la logique n'a pas prévu mais que l'expérience affirme. Et, pour la première fois, Héloïse refuse ce qui lui est proposé. Elle ne veut pas du mariage, secret ou public.

La stupéfaction d'Abélard reste perceptible à travers le temps, car, pour la première fois dans son récit, il laisse littéralement la parole à Héloïse et rapporte longuement ses dires, ses raisons, son argumentation, jusqu'à la faire parler en style direct, ce qui ne lui arrive que très rarement.

A vrai dire, la surprise du lecteur n'est pas moins profonde que la sienne. On a pu trouver étonnante la fatuité d'Abélard offrant le mariage comme « une satisfaction dépassant tout ce que l'on pouvait espérer »; — étonnante aussi cette clause du secret « afin de ne pas nuire à sa réputation ». Héloïse repoussant l'une et l'autre nous déroute tout à fait; et il n'en faut pas moins que la longue argumentation qu'elle développe pour parvenir à la comprendre.

L'objection qui se présenterait le plus naturellement à nous est celle à laquelle Héloïse ne fait qu'une brève allusion : « Iras-tu, toi, clerc et chanoine, préférer des voluptés honteuses au ministère sacré? » En l'absence d'autres textes ou d'autres renseignements sur l'époque, nous conclurions volontiers qu'Abélard était clerc et chanoine et qu'il ne pouvait, par conséquent, envisager un mariage rendu illicite par les lois de l'Eglise. Mais il faut rendre aux termes la signification qu'ils ont au XIIᵉ siècle : être clerc, nous l'avons vu, ne signifie pas être prêtre. Le moindre étudiant est alors clerc et de même son valet, s'il se trouve en avoir un. Les textes canoniques, dès cette époque, précisent que la cléricature n'est pas un ordre; on peut toute sa vie être appelé clerc et bénéficier des privilèges du clerc tout en menant une vie qui nous paraîtrait, à nous, des plus laïques; le clerc est tonsuré, mais il est autorisé à se marier. Les interdictions portent sur d'autres points : ainsi, un clerc ne peut s'adonner au commerce, encore moins à la banque; mais, en ce qui concerne le mariage, une seule restriction : il ne peut se marier qu'une fois et celle qu'il épouse doit être vierge; le clerc qui aurait épousé une veuve est appelé bigame; cela peut nous paraître étrange, mais c'est que, selon la mentalité du temps, le mariage du clerc doit être un mariage chrétien dans toute sa pureté : lui et celle qu'il épouse doivent être « le premier homme et la première femme ».

Quant à la qualité de chanoine, elle ne désigne pas forcément, comme de nos jours, le dignitaire ecclésiastique. Entendons que, dès cette époque et normalement, le chanoine est l'un des membres du chapitre, de ceux qui assistent l'évêque de leurs conseils et l'aident dans l'administration du diocèse, au spirituel comme au temporel. Mais le mot peut avoir aussi gardé son sens originel. On est chanoine, *canonicus,* quand on se trouve inscrit sur le registre de l'église, *in canone.* La cathédrale, en effet, n'est pas seulement un bâtiment de pierre, c'est aussi, dirions-nous aujourd'hui, un complexe de vie qui réunit une multitude de clercs de tous ordres et d'institutions nées sous la pression des circonstances, entre autres les écoles où peuvent enseigner de simples clercs mineurs pourvus d'une prébende de chanoine; ceux-là n'ont pas « voix au chapitre »; ils ne peuvent ni élire l'évêque ni disposer des biens matériels ou spirituels que gère le chapitre proprement dit; ils font partie de ce monde intermédiaire entre la hiérarchie et les laïcs, alors si divers et si nombreux; ce n'est que beaucoup plus tard qu'on verra se creuser un fossé entre clergé et peuple chrétien et que, par contrecoup, sera prise l'habitude de désigner par le terme d'« Eglise » la seule hiérarchie ecclésiastique.

Ainsi, Abélard pouvait épouser Héloïse sans rien perdre de ses privilèges de clerc et sans avoir, probablement, à faire abandon de sa prébende de chanoine[19]. Héloïse n'insiste pas sur cet aspect de la situation, mais développe les inconvénients qu'aurait, pour Abélard, son nouvel état, en traçant de la vie dans le mariage le tableau le plus propre à épouvanter un intellectuel : « Songez à la situation que vous donnerait une alliance légitime. Quel rapport peut-il y avoir entre les travaux de l'école et le train d'une maison, entre un pupitre et un berceau, un livre ou une tablette et une quenouille, un style ou une plume et un fuseau ? Est-il un homme qui, livré aux méditations de l'Ecriture ou de la philosophie, puisse supporter les vagissements d'un nouveau-né, les chants de la nourrice qui l'endort, le va-et-vient du service, hommes et femmes de la maison, la malpropreté de la petite enfance ? »

Quel abaissement pour un penseur ! Celui qui s'est dévoué à la philosophie peut-il envisager une vie dans le siècle, celle de l'homme ordinaire, envahie par les préoccupations matérielles ?

« Les riches le font bien, direz-vous. Oui, sans doute, parce qu'ils ont dans leur palais ou dans leur vaste demeure des appartements réservés, parce que l'argent ne coûte point à leur opulence et qu'ils ne connaissent pas les soucis de chaque jour. Mais la condition des philosophes n'est pas la même que celle des riches, et ceux qui cherchent la fortune ou dont la vie appartient aux choses de ce monde ne se livrent guère à l'étude de l'Ecriture ou de la philosophie. » Héloïse semble énoncer ici une loi générale, reconnue en son temps et toujours valable au nôtre : il y a un choix à faire, l'argent ou les joies de l'esprit[20]. Elle souhaite par-dessus tout qu'Abélard soit de ces hommes qui se séparent du vulgaire et s'élèvent au-dessus de la foule. Tel il lui est apparu lorsque, pour la première fois, il s'est trouvé en sa présence, tel elle le veut, et elle a conscience de le rendre ainsi fidèle à lui-même. L'idée que cet être exceptionnel puisse se trouver réduit à la condition de père de famille lui est insupportable. Est-elle en cela si étrange, si loin de nous ? Ce n'est pas sans quelque surprise que l'on retrouve une position exactement similaire chez une femme de notre temps dont personne ne niera qu'elle soit à la fois très représentative de son époque et qu'elle ait exercé une profonde influence sur celle-ci : Simone de Beauvoir. Lorsque se présente pour elle l'éventualité d'un mariage avec Sartre, elle écrit : « Je dois dire que pas un instant je ne fus tentée de donner suite à sa suggestion. Le mariage multiplie par deux les obligations familiales et toutes les corvées sociales. En modifiant nos rapports à autrui, il eût fatalement altéré ceux qui existaient entre nous. Le souci de préserver ma propre indépendance ne pesa pas lourd..., mais je voyais combien il en coûtait à Sartre de dire adieu aux voyages, à sa liberté, à sa jeunesse, pour devenir professeur en province et, définitivement, un adulte. Se ranger parmi les hommes mariés, c'eût été un renoncement de plus[21]. » Même refus pour des motifs à peu près semblables, bien que colorés chacun de la teinte propre à leur temps.

Et Héloïse va plus loin encore : ce n'est pas seulement la perspective des enfants, des charges familiales, des corvées sociales qu'elle redoute pour Abélard, c'est elle-même. Elle non plus ne veut pas faire de son idole un « homme marié ». Abélard est un trésor que le monde réclame et qu'elle se doit de laisser au monde. Le sage ne doit pas se marier; qui dit mariage dit : exigences légitimes. Les conjoints ont des devoirs l'un envers l'autre, et l'idée qu'Abélard puisse subir quelque restriction à sa liberté lui est intolérable, à elle, Héloïse. Il est intéressant de voir, sur ce point, les exemples qu'elle invoque et dans quel ordre elle les invoque. Elle commence par citer saint Paul : « Es-tu délivré de femme, ne cherche point femme. Se marier, pour l'homme, n'est point péché; ce n'est point péché non plus pour la femme; cependant, ils seront soumis aux tribulations de la chair et je veux vous les épargner. » Le débat de la personne et du couple est ici résumé avec autant de simplicité que de vigueur. Dans la vie du couple, chacun des conjoints cesse de s'appartenir, puisque l'autre a droit sur lui. Il n'est évidemment pas question de péché, mais d'obligations réciproques : or, de ces obligations doit se trouver libre celui qui a décidé de consacrer sa vie à une cause qui le dépasse. Voilà pourquoi les ministres de l'autel sont soumis à la loi du célibat. A l'époque d'Abélard et Héloïse, le célibat des prêtres est énergiquement rappelé par le mouvement de réforme qui se dessine depuis un demi-siècle environ, et, non sans quelque paradoxe, c'est cette amante passionnée qui rappelle ici l'obligation pour les prêtres, les consacrés, que leurs fonctions séparent de la foule en vue du culte et du service divins, de garder la pleine et entière liberté de leur personne. Mais on pénètre mieux sa psychologie propre et celle de son amant en lisant le passage qui suit : « Que si je ne me rendais ni aux conseils de l'apôtre ni aux exhortations des saints sur les entraves du mariage, je devais au moins, disait-elle, écouter les philosophes et prendre en considération ce qui avait été écrit à ce sujet soit par eux, soit sur eux. » Elle est, à l'exemple du maître qui l'a formée corps et âme, tellement pénétrée d'admiration pour l'Antiquité classique que, pour elle, l'exemple du Sage sera plus convaincant que celui du Saint.

Il ne sera pas dit que le nouvel Aristote s'est laissé asservir par une femme. Et de développer avec abondance de détails les exemples propres à le convaincre : Cicéron, Théophraste, Sénèque dans ses *Lettres à Lucilius*, et aussi les collèges de l'Antiquité hébraïque rassemblant, comme des moines avant la lettre, Nazaréens, Pharisiens, Sadducéens, Esséniens, pour en revenir ensuite aux pythagoriciens et terminer sur l'exemple de Socrate, bien propre à épouvanter le Sage. Et dès lors on comprend mieux l'attitude d'Abélard, dont on sait qu'il se considère comme le Philosophe par excellence, estimant qu'en offrant au chanoine d'épouser sa nièce, la satisfaction dépasse tout ce qu'on pouvait attendre de lui.

Mais il y a une autre raison encore pour laquelle Héloïse refuse le mariage; et cette raison, Abélard ne l'a pas comprise. C'est la qualité même de son amour qui est en cause : amour absolu et parfait pour autant que se puisse concevoir quelque humaine perfection. Là est le secret d'Héloïse, là le motif profond de son refus. La qualité de son amour exige qu'il soit gratuit. Ce sentiment, il faut en avoir pénétré toute la force si l'on veut comprendre le siècle d'Héloïse : c'est le même qui inspirera l'Amour courtois. Un amour si total, si exigeant qu'il ne peut accepter d'être payé de retour, qu'il se nourrit en quelque sorte de son propre don, qu'il est tout offrande et repousse tout ce qui aurait couleur de rétribution : ainsi, le poète qui s'humilie devant la Dame et trouve la joie dans la souffrance même qu'il éprouve de la savoir à tout jamais inaccessible. Et de même que le poète refuse de livrer le nom de sa Dame qui est son secret bien-aimé, de même qu'il repousse tout ce qui pourrait ternir la réputation de celle qu'il aime, ainsi Héloïse refuse-t-elle de ternir la gloire d'Abélard en faisant de lui un homme ordinaire assujetti par les liens d'un mariage dont elle sait que le secret sera dérisoire.

Abélard a peut-être eu conscience de cette raison profonde, mais elle lui paraît aussi obscure qu'à nous-mêmes. Alors qu'il a longuement transcrit tout ce qui dans les discours d'Héloïse était raisonnements ou exemples tirés de l'Antiquité — les uns et les autres familiers à sa forme de pensée —, il effleure à peine, en terminant, ce motif mystérieux : « Elle me représentait... combien le titre d'amante, plus honorable pour moi, lui serait, à elle, plus cher que celui d'épouse, à elle qui voulait me conserver par le charme de la tendresse, non m'enchaîner par les liens du mariage. »

Plus tard, Héloïse lui reprochera, et violemment, de n'avoir pas compris que c'était son amour même qui la poussait à refuser le mariage, la solution facile. A la lecture de la *Lettre à un ami*, elle a pu douloureusement apprécier que si l'amour d'Abélard a été aussi passionné que le sien, il n'était pas d'une qualité semblable : « Vous n'avez pas dédaigné de rappeler quelques-unes des raisons par lesquelles je m'efforçais de vous détourner d'un fatal hymen, mais vous avez passé sous silence presque toutes celles qui me faisaient préférer l'amour au mariage, la liberté à une chaîne. » Pour elle, la déception est forte : Abélard n'a pas compris ce qui était l'essentiel aux yeux d'Héloïse : « Jamais, Dieu m'en est témoin, je n'ai cherché en vous que vous-même; c'est vous seul, non vos biens que j'aimais. Je n'ai songé ni aux conditions du mariage, ni à un douaire quelconque, ni à mes jouissances, ni à mes volontés personnelles. Ce sont les vôtres, vous le savez, que j'ai eu à cœur de satisfaire. Bien que le nom d'épouse paraisse et plus sacré et plus fort, un autre a toujours été plus doux à mon cœur, celui de votre maîtresse ou même, laissez-moi le dire, celui de votre concubine, de votre prostituée. Il me semblait que plus je me ferais humble pour vous, plus je m'acquerrais de titres à votre amour, moins j'entraverais votre glorieuse destinée. »

Si amoureux fût-il, Abélard n'avait pas songé à cette dimension de l'amour qui outrepasse jusqu'aux satisfactions qu'il espère. Et c'est pourtant là ce qui fait la personnalité d'Héloïse, ce qu'elle-même considère comme essentiel, voire sacré. Par deux fois, solennellement, elle prend Dieu à témoin de ce qu'elle énonce et qui nous paraît, à nous, presque blasphématoire, en tout cas parfaitement paradoxal : « J'en prends Dieu à témoin, Auguste, le maître du monde, m'eût-il jugée digne de l'honneur de son alliance et à jamais assuré l'empire de l'univers, le nom de courtisane avec vous m'aurait paru plus doux et plus noble que le nom d'impératrice avec lui. » L'amour, pour Héloïse, c'est cela : le don de soi poussé jusqu'au sublime. Et Abélard ne l'a pas compris. Si l'amour est né en lui, il ne l'a pas conduit au-delà de lui-même et c'est pourquoi, bien qu'il ait tenté, avec une application visible, de retracer les discours d'Héloïse, quelque chose dans ces discours lui a échappé, qui justement était l'essentiel. Sa vaste intelligence pouvait tout comprendre, son extraordinaire subtilité d'esprit lui donnait accès aux vérités les plus hautes, lui permettait de dénouer les problèmes les plus complexes, mais quelque chose lui échappait, qui, pour Héloïse, était la clarté même.

C'est assez dire combien elle dépasse Abélard dans la voie de l'amour humain. Elle y apporte une générosité dont il est, lui, incapable. La nuance était déjà perceptible lorsque, dans son ingénuité, Abélard retraçait leur désespoir à l'un et à l'autre au moment où, surpris par Fulbert, ils avaient dû se séparer : « De quel cœur brisé, écrit-il, je déplorai l'affliction de la pauvre enfant ! et quel flot de désespoir souleva dans son âme la pensée de mon propre déshonneur[22] ! » Réciprocité de sentiments, sans doute, mais on sent qu'en cet instant même Abélard n'allait pas, comme Héloïse, jusqu'à oublier « son propre déshonneur » pour ne songer qu'à celui d'Héloïse dont il était, lui, responsable. Et de même le trouvera-t-on par la suite incapable de faire entièrement confiance à celle qui lui a donné pourtant la preuve de son amour absolu. L'argumentation d'Héloïse, ses évocations un peu lassantes de grandeurs antiques, la mettent pour nous au même niveau qu'Abélard; nous avons affaire à deux intellectuels; mais Héloïse va plus loin dans l'amour parce qu'elle est femme et qu'en tant que femme, elle manifeste du génie dans le don de soi.

Et c'est aussi parce qu'elle est femme et qu'elle use de son intuition féminine que d'un seul coup elle pénètre au cœur du réel. Elle voit ce qu'Abélard est incapable de voir et qui échappe à la logique : de toute façon, le mariage ne sera qu'une duperie, un faux-semblant. Fulbert n'a pas pardonné; il ne pardonnera pas; elle le sait; l'oncle et la nièce sont de la même trempe, de ces natures que rien ne peut plier. Il ne tiendra pas sa promesse, le mariage ne sera pas secret, et Dieu sait quels périls ils devront par la suite affronter l'un et l'autre. « Puis, voyant que ses efforts pour me dissuader venaient échouer contre ma folie et n'osant me heurter de front, elle termina ainsi, à travers les sanglots et les larmes : « C'est la seule chose qui nous reste à faire si « nous voulons achever de nous perdre tous les deux et « nous préparer un chagrin égal à notre amour. » Et en cela, le monde entier l'a reconnu, elle eut les lumières de l'esprit de prophétie. »

La solution envisagée par Abélard conciliait l'amour et la gloire. Elle était logique, raisonnable, facile. Mais Héloïse, parce qu'elle aimait, savait que l'amour est incompatible avec la facilité.

*

La logique et la raison ont eu momentanément le dernier mot. Héloïse et Abélard reprennent la route de Paris. Leur fils est demeuré entre les mains de la sœur d'Abélard, qui va élever l'enfant. Si l'on veut tenir le mariage secret, en effet, il n'est pas question de le garder avec eux.

« Nous recommandons donc à ma sœur notre jeune enfant et nous revenons secrètement à Paris. Quelques jours plus tard, après avoir passé la nuit à célébrer vigile dans une église, à l'aube, en présence de l'oncle d'Héloïse et de plusieurs de ses amis et des nôtres, nous reçûmes la bénédiction nuptiale, puis nous nous retirâmes secrètement chacun de notre côté et, dès lors, nous ne nous vîmes plus qu'à de rares intervalles et furtivement, afin de tenir le mieux qu'il serait possible notre union cachée. »

Vouloir tenir cachée une union qui en soi constitue une réparation, qui a eu des témoins — la même sorte de témoins qu'en d'autres temps ou d'autres lieux on eût convoqués pour un duel —, c'était manifestement un projet assez naïf.

Fulbert et ses amis n'eurent rien de plus pressé que de clamer bien haut la nouvelle du mariage. L'affront avait été public, publique devait être la réparation; telle était sans doute l'excuse du chanoine peu soucieux de garder la foi jurée. « Héloïse protestait hautement du contraire et jurait que rien n'était plus faux. Fulbert, exaspéré, l'accablait de mauvais traitements. »

Abélard imagine alors un subterfuge qu'il est difficile de ne pas juger sévèrement. Qu'il ait voulu soustraire Héloïse aux sévices de son oncle, c'est légitime, mais la décision qu'il prend semble bien dictée surtout par le souci de sa gloire à lui, par le désir d'opposer un démenti à toutes les affirmations contraires, de faire cesser les commérages :

« Informé de cette situation, je l'envoyai à une abbaye de nonnes voisine de Paris et appelée Argenteuil où elle avait été élevée et instruite dans sa première jeunesse et, à l'exception du voile, je lui fis prendre les habits de religion en harmonie avec la vie monastique. » Il est difficile, à ce point du récit, de ne pas partager l'indignation de Fulbert et de ses amis. Si Abélard oblige Héloïse à entrer en religion, c'est simplement pour cacher leur mariage : aux yeux de tous, Héloïse est entrée au couvent non pas comme pensionnaire mais bien comme novice; elle porte l'habit; seul lui manque le voile, qu'elle prendra lorsqu'elle fera profession. Son abnégation à elle est sublime; mais, de son sacrifice, Abélard est seul à bénéficier. « Son oncle et ses parents, écrit-il, pensèrent que je m'étais joué d'eux et que j'avais mis Héloïse au couvent pour m'en débarrasser[23]. »

Tout leur entourage, en effet, a pu penser de même; et qui nous prouvera jamais que telle n'ait pas été l'intention d'Abélard? Sans doute, il l'aime encore, il en donne même la manifestation la plus précise, car c'est un souvenir qu'il évoquera dans l'une de ses lettres[24] :

« Après notre mariage, vous le savez, et pendant votre retraite à Argenteuil au couvent des religieuses, je vins discrètement vous rendre visite et vous vous rappelez à quels excès la passion me porta sur vous dans un coin même du réfectoire faute d'un autre endroit où nous puissions nous retirer, vous savez, dis-je, que notre impudicité ne fut pas arrêtée par le respect d'un lieu consacré à la Vierge. » L'habit dont il l'a revêtue ne signifie donc pas qu'il ait entendu se priver d'elle, mais il la privait, elle, de sa liberté.

78

Qu'Héloïse ait consenti à tout, il pouvait s'y attendre; que lui-même ait choisi un moyen aussi équivoque et dont elle était seule à supporter le poids, cela jette un jour pénible sur le philosophe amoureux de sa propre gloire.

Et c'est alors le drame, qu'Abélard raconte lui-même, avec sobriété. Selon sa propre expression, le clan Fulbert, le chanoine, ses parents, ses amis, étaient « outrés d'indignation »; « ils s'entendirent et, une nuit, pendant que je reposais chez moi dans une chambre retirée, un de mes serviteurs, corrompu à prix d'or, les ayant introduits, ils me firent subir la plus barbare et la plus honteuse des vengeances, vengeance que le monde entier apprit avec stupéfaction : ils me tranchèrent les parties du corps avec lesquelles j'avais commis ce dont ils se plaignaient, puis ils prirent la fuite ».

*

Abélard avait été plus que quiconque préoccupé de sa propre gloire : voilà qu'il en trouvait la plus hideuse contrefaçon. « Le matin venu, la ville entière était rassemblée autour de ma maison[25]. » Et l'on imagine la scène. Le drame s'est déroulé à l'aube; on a entendu des cris, des pas étouffés, des poursuites, des hurlements. Le voisinage éveillé est accouru, on a pris soin du blessé; de bouche à oreille la nouvelle s'est transmise et, au matin, ce sont tous les clercs des environs, tous les élèves d'Abélard, tous ceux qui ont entendu parler du philosophe, c'est-à-dire tout le monde, qui se pressent dans l'enclos et les rues du cloître. Il n'est question, dans Paris, que de la mutilation subie par le maître. « Dire l'étonnement, la stupeur générale, les lamentations, les cris, les gémissements dont on me fatiguait, dont on me torturait, serait chose difficile, impossible. »

N'allons pas ici taxer Abélard d'exagération. Une lettre écrite par l'un de ses amis, Foulques, prieur de Deuil, s'exprime dans les mêmes termes; or, elle émane d'un homme qui tente de le calmer, de modérer en lui l'esprit de vengeance. Le tableau qu'il dresse est plus saisissant encore que celui d'Abélard : « C'est la Cité presque tout entière qui s'est consumée dans ta douleur... Elle pleure, la foule des chanoines et des nobles clercs; ils pleurent, tes concitoyens; c'est un déshonneur pour leur cité; ils s'affligent de voir leur ville profanée par l'effusion de ton sang. Que dirai-je des lamentations de toutes les femmes qui ont répandu autant de larmes — telle est leur manière d'être à elles, femmes — pour t'avoir perdu, toi, leur chevalier, que si chacune d'elle avait vu périr à la guerre son époux ou son amant[26]! » Quels que fussent ses défauts personnels, quelques scandales qu'il ait pu causer — et peut-être en partie à cause de ces scandales —, Abélard a été, pour la foule parisienne, une sorte de héros; portée par le monde des étudiants dont il est l'idole, sa gloire a débordé l'univers des écoles; on pourrait la comparer à celle que connaissent, assez paradoxalement, les grands peintres en notre temps. Aussi, le coup qui le frappe ne laisse-t-il personne indifférent. Les femmes qui ont en secret soupiré pour lui, les filles qui ont envié le bonheur d'Héloïse, tous ceux et toutes celles qui ont eu ses chansons sur les lèvres ressentent la violence dont il est victime; on s'en afflige comme d'une calamité publique. Sur le pas des portes, dans les ruelles où les artisans travaillent à l'échoppe, sur les marchés, sous le porche des églises, il n'est question que d'Abélard. La nouvelle court sur les routes avec les pèlerins, les marchands, les clercs vaguants; elle ira de foire en foire, de monastère en monastère; en cette époque où les nouvelles circulent avec une rapidité surprenante, elle atteindra bientôt tout l'Occident, au moins dans ses grands centres, ceux où l'on se retrouve alors pour étudier, pour enseigner, pour cultiver la sagesse.

« Les clercs surtout, et plus particulièrement mes disciples, me martyrisaient par leurs gémissements intolérables; je souffrais de leur compassion plus que de ma blessure; je sentais ma honte plus que ma mutilation; j'étais plus accablé par la confusion que par la douleur. »

Il s'est voulu célèbre par l'usage le plus élevé de la raison humaine : il le sera par la plus humiliante des blessures corporelles. La gloire à l'envers. Jamais on n'a autant parlé de lui, mais c'est pour un motif qu'entre tous il eût voulu cacher. Il cherchait à soulever l'admiration et il provoque la pitié. « De quelle gloire je jouissais encore tout à l'heure; avec quelle facilité elle avait été en un moment abaissée, détruite! » Un instant, un geste, une lame qui tranche et voilà le premier des philosophes, le seul philosophe de son temps, qui n'est plus qu'un eunuque, un châtré. Abélard, toutes les fois qu'il a évoqué cet atroce souvenir, a protesté que la douleur physique avait été pour lui plus tolérable que le coup porté à son orgueil; il a moins souffert physiquement, dans sa chair, que dans son amour-propre, en esprit. Fulbert et ses amis avaient touché juste : aucune souffrance ne pouvait être comparable à celle-là parce que, au-delà même du coup et de ses conséquences physiologiques, Abélard était atteint dans cet orgueil de l'esprit qui était son point sensible. Il est désormais l'Aristote bafoué.

Les pensées qu'il nous livre, en ces moments de désarroi, sont bien révélatrices. « Ce qui contribuait encore à m'atterrer, c'était la pensée que, selon la lettre meurtrière de la Loi, les eunuques sont en telle abomination devant Dieu que les hommes réduits à cet état par l'amputation ou le froissement des parties viriles sont repoussés du seuil de l'Eglise comme fétides et immondes. » Et de citer les deux passages du Lévitique et du Deutéronome excluant du sacrifice les animaux châtrés et interdisant à l'eunuque d'entrer dans le temple. Abélard est ici curieusement l'homme de la Loi. Sa réaction est celle de l'Hébreu, déterminé par l'Ancien

Testament plutôt que par le Nouveau. De même que, du point de vue philosophique, sa position rejoint celle d'Aristote, de même, du point de vue religieux, reste-t-il pour une part l'homme de l'ancienne Alliance. Il y aura, certes, évolution en lui, mais sa nature intime le porte plutôt vers la Loi que vers la Grâce. La pensée ne lui vient pas, en cet instant de sa vie, d'ouvrir l'Evangile. Ce n'est que plus tard qu'il puisera, dans la Parole relative aux eunuques « en vue du royaume de Dieu » et dans l'exemple d'Origène qui, dit-on, se fit eunuque pour prendre la Parole à la lettre, et se libérer des tentations de la chair, un symbole réconfortant. Il s'en tient provisoirement à l'exécration de l'Ancienne Loi.

Si bien que rien ne vient tempérer la honte qui l'accable, ce sentiment d'une défaite irréversible : « Quel triomphe pour mes ennemis de voir ainsi le châtiment égalé à la faute ! Quelle peine inconsolable le coup qui me frappait porterait dans l'âme de mes parents et de mes amis ! Comme l'histoire de ce déshonneur sans précédent allait se répandre dans le monde entier ! Où passer maintenant, comment paraître en public ? J'allais être montré au doigt par tout le monde, déchiré par toutes les langues, devenir pour tous une sorte de monstre. »

Sur un point pourtant, la Logique vient à son secours : « Combien était juste le jugement de Dieu qui me frappait dans la partie de mon corps qui avait péché ! Combien étaient légitimes les représailles de Fulbert qui m'avait rendu trahison pour trahison ! »

Toute la grandeur d'Abélard, moralement parlant, tient en ces deux phrases. Et il faut souligner qu'elles appartiennent à ses réactions premières, qu'elles font partie des « mille pensées qui se présentaient à son esprit », à son propre témoignage, dans les instants qui suivirent la blessure. Son acceptation est entière devant Dieu comme devant l'homme le plus détesté ; il est trop épris de rigueur logique pour ne pas reconnaître le châtiment comme juste.

Novi, meo sceleri
Talis datur ultio.

Cujus est flagitii
Tantum dampnum patio.
Quo peccato merui
Hoc feriri gladio [27].

« Je le vois, de mon forfait
C'est le juste châtiment.

Pour le mal que j'ai commis
J'endure dommage grand.
Mon péché a mérité
Que me frappe cette épée. »

Et il ne variera pas dans ce sentiment. Beaucoup plus tard, parlant à Héloïse, donc à l'être auquel il mentirait moins qu'à tout autre, il répétera énergiquement : « Conformément à la justice, l'organe qui avait péché est celui qui a été frappé et qui a expié par la douleur le crime de ses plaisirs. » S'il y a pour lui un germe de salut, un sentiment capable de le faire triompher du désespoir, c'est dans cette acceptation immédiate et totale qu'il le faut chercher.

Mais pour immédiate que fût l'acceptation intérieure, elle ne devait pas exclure le souci de réclamer justice. La lettre que le prieur de Deuil, Foulques, écrit à Abélard et qui doit dater de quelques mois au plus après l'événement nous révèle que les auteurs de l'attentat avaient pris la fuite, mais que deux d'entre eux au moins avaient été retrouvés et châtiés : « Certains de tes agresseurs ont eu les yeux crevés et les parties génitales coupées. Celui qui dénie que le forfait ait été son œuvre a été désormais châtié par la spoliation complète de tous ses biens. Ne va pas appeler responsables de ta perte et de l'effusion de ton sang les chanoines et l'évêque qui ont cherché à faire justice pour toi et pour eux-mêmes autant qu'ils le pouvaient. Mais écoute le bon conseil et la consolation d'un ami véritable. » Ce qui laisse entendre qu'Abélard jugeait la sentence insuffisante. L'un des deux criminels qui avaient subi le terrible châtiment était ce serviteur d'Abélard qui avait trahi sa confiance et grâce à qui l'attentat avait été possible.

Ce devrait être la fin d'une histoire d'amour. Le roman d'Héloïse et Abélard devrait s'arrêter là. Une brève histoire : deux ans, trois ans à peine. Peu de chose dans la vie d'un homme et d'une femme ordinaires. Et l'on pourrait imaginer des dénouements qui soient ceux de la vie ordinaire : Abélard cachant sa honte dans quelque couvent, reprenant, dans une cité éloignée, l'enseignement de la dialectique; Héloïse oubliant peu à peu son aventure de jeunesse, obtenant pour se remarier la reconnaissance en nullité d'un mariage contracté dans des conditions insolites. L'oubli pour eux-mêmes, pour les autres, pour les siècles...

Ce qui fait que l'histoire a une suite, c'est qu'Héloïse et Abélard ne sont pas des êtres ordinaires, et aussi, qu'ils sont pleinement accordés à un temps où l'amour n'est pas réduit à l'appétit sexuel. Il est impossible de les bien comprendre si l'on ne se replace en leur époque qui est celle de l'amour courtois :

> Hélas ! j'en croyais tant savoir
> Sur amour et j'en sais si peu !
> Car d'aimer ne me puis tenir
> Celle dont jamais n'aurai bien;
> Elle a pris mon cœur, elle a pris mon sens
> Et tout moi-même et tout au monde;
> Et quand m'a pris, rien ne m'a laissé
> Sinon désir et cœur jaloux [28].

Encore faut-il rappeler qu'avant de parler provençal avec les troubadours, la poésie amoureuse de ce temps a parlé latin :

Inspiciunt sine re, sed juvat inspicere.
Praemia magna putant dum spe pascuntur inani,
Irritantque suos hanc inhiando oculos.

« Ils ne peuvent que la contempler, mais cette contem-
[plation fait leur joie.
Ils supputent de grandes faveurs en se nourrissant
[d'espoirs vains
Et se tourmentent à ouvrir leurs yeux sur elle[29]. »

L'amour d'Héloïse et d'Abélard appartient bien à un
temps où l'on considère que le propre de l'amour est
cette capacité de se dépasser lui-même, de transcender
les jouissances mêmes dont il se nourrit, et c'est pourquoi leur amour traversera les siècles. Car c'est pur
paradoxe, si l'on y songe, qu'ils aient, pour les générations à venir, incarné le Couple, l'Amant et l'Amante,
eux qui ne furent qu'un instant réunis, qui ne connu-
rent que brèves délices.

Encore leur rencontre ne fut-elle une vraie rencontre
qu'au moment de leur première séparation : on a vu
quels bas calculs avaient amené Abélard à s'emparer
d'Héloïse comme d'une proie pour apaiser sa faim. Si
amoureuse fût-elle, elle n'était alors qu'une fille séduite.
Et l'on a pu noter comment l'amour ne semble être né
comme tel chez Abélard qu'au moment où il s'est vu
chassé de la demeure de Fulbert. Ces héros d'un amour
incomparable n'auront donc été animés d'une semblable passion qu'à l'instant où leur vie amoureuse se trouvait contrariée, où elle s'acheminait vers le brutal
dénouement.

« Nous revêtîmes tous deux en même temps l'habit
religieux, moi, dans l'abbaye de Saint-Denis, elle, dans
le couvent d'Argenteuil dont j'ai parlé plus haut. » Cette
phrase dans laquelle Abélard résume l'épilogue de leurs
amours cache une autre réalité assez sordide : deux

lignes plus haut, avec une sincérité embarrassée, il écrit : « Héloïse, suivant mes ordres avec une entière abnégation, avait déjà pris le voile et était entrée dans un monastère. » On en doit conclure que c'est sur ses ordres qu'Héloïse est entrée au couvent d'Argenteuil où, sur ses ordres déjà, elle demeurait; elle y portait l'habit, mais non le voile qui est le signe de la profession monastique. C'est cette prise de voile qui a lieu, toujours « sur les ordres d'Abélard » et avant que lui-même soit entré dans un monastère.

C'est donc lui qui a imaginé et imposé cette solution. Peut-être a-t-il trouvé qu'elle s'imposait d'elle-même : Héloïse était sa femme devant Dieu et devant les hommes, mais lui-même ne pouvait plus être son époux selon la chair. Le lien qui subsistait ne pouvait être dissous sinon par leur commune entrée au monastère.

Sans doute l'entrée au monastère ne représente-t-elle pas, à l'époque, ce qu'elle serait à nos yeux. De nos jours, le couvent implique les hautes murailles, la clôture rigoureuse, le sacrifice de toute liberté et de toute joie; c'est le lieu d'élection où un petit nombre d'âmes répondent à un appel personnel et déterminé; au regard même du croyant, entrer au couvent suppose une vocation haute et exigeante. Il en est de même au XIIᵉ siècle, mais dans un contexte assez différent; le monastère est une unité de vie qui, comme toute autre institution, implique la foule, une foule de gens qui se trouvent agrégés à des titres divers, prêtres ou simples frères, moines de chœur ou convers, oblats et laïcs, ceux qu'une dépendance toute matérielle lie au monastère parce qu'ils sont nés sur ses terres, y cultivent la vigne ou le blé, ceux qu'un lien spirituel lie par la prière ou l'aumône, ceux qu'une fonction quelconque met en relation avec l'abbaye, à titre d'avoués, de procureurs, de ministériaux. Ainsi, la conception même de la vie religieuse s'est-elle considérablement épurée à travers les temps, perdant en revanche ce contact avec la foule qui faisait aussi bien d'un monastère un lieu d'asile pour le criminel et d'accueil pour le clochard. Bien caractéristique de l'époque est le proverbe qu'elle nous a laissé : « L'habit ne fait pas le moine », signifiant que quantité de gens portent l'habit sans avoir à proprement parler prononcé les vœux qui constituent au sens strict la vie monastique. Dans le contexte de la vie du temps, entrer au couvent n'inspire donc pas exactement le même sentiment que de nos jours, quoique la règle, entendue dans sa rigueur, présente les mêmes exigences.

Il reste que, pour Héloïse, le sacrifice personnel était le même. Elle avait vingt ans et elle aliénait irrévocablement sa liberté. C'est Abélard qui décide d'entrer au couvent, pas un instant il ne doute qu'Héloïse ne sera disposée à agir comme lui; aussi bien précise-t-il qu'elle le fit « avec une entière abnégation ». Héloïse, plus tard, lui fera écho : « Notre commune entrée en religion que vous seul avez décidée[30]. » C'est peut-être là — Gilson y a insisté non sans raison[31] — le plus grand reproche que l'on puisse formuler à l'endroit d'Abélard : qu'il ait tenu à ce qu'Héloïse prît le voile la première. Elle en demeura profondément blessée. Telle était la qualité de son amour qu'elle n'eût pas hésité, en tout état de cause, à prendre le voile pour l'imiter; mais que celui-ci ait manqué, en le lui faisant prendre, à cette confiance qu'il lui devait allait lui laisser une amertume profonde. Plus tard, beaucoup plus tard, cette amertume s'exhalera en un reproche dont la violence surprendra son époux.

Pourtant, sur le moment, la conduite d'Héloïse ne manifeste aucune hésitation. Abélard lui a donné l'ordre de prendre le voile : elle va le prendre d'elle-même. Les deux termes, apparemment contradictoires, s'éclairent au récit de la scène qui se déroule alors dans le couvent d'Argenteuil.

Parents et amis d'Héloïse s'apitoient sur son sort, la pressent de renoncer à prendre le voile; ils lui représentent sa jeunesse et les exigences de la règle : « Va-t-elle lier ainsi son avenir et sa personne ? »

« Elle ne répondit qu'en laissant échapper à travers les pleurs et les sanglots la plainte de Cornélie : « O « noble époux, si peu fait pour un tel hymen, ma for- « tune avait-elle donc ce droit sur une tête si haute ? « Criminelle que je suis, devais-je t'épouser pour causer « ton malheur ? Reçois en expiation ce châtiment au- « devant duquel je veux aller. » C'est en prononçant ces mots qu'elle marcha vers l'autel, reçut des mains de l'évêque le voile bénit et prononça publiquement le serment de la profession monastique ! »

On n'a pas manqué de souligner que c'était une étrange manière de faire profession dans la vie religieuse que de monter vers l'autel en récitant des vers de Lucain. Héloïse est la digne élève d'Abélard ; elle est comme lui toute pénétrée d'antiquité classique. Si celui-ci s'est senti écrasé de honte en pensant au sort des eunuques chez les Hébreux, elle est écrasée de désespoir à l'idée d'avoir, comme l'héroïne de la Pharsale, causé le drame de son époux. Le sens dans lequel ils ont l'un et l'autre développé leur culture intellectuelle s'impose ici.

Mais si ces diverses citations donnent pour nous une teinte légèrement artificielle au récit, le drame, lui, reste aussi pathétique à travers le recul du temps, qu'il s'agisse d'Abélard, déchu à tout jamais de la gloire à laquelle il avait aspiré, ou d'Héloïse amenée à vingt ans à cette dure vie séparée du monde qu'elle n'avait pas choisie. Au-delà même de leurs destinées particulières, c'est la fin tragique d'amours incomparables, la rupture irrémédiablement consommée entre deux êtres qui ne peuvent plus appartenir l'un à l'autre, fût-ce en pensée. Deux destinées exceptionnelles se sont un instant rejointes ; le jardin de délices s'est ouvert pour eux et les voilà, comme dans l'imagerie familière, chassés plus cruellement encore qu'Adam et Eve, puisque c'est entre eux désormais que s'élève la barrière qui séparait ceux-ci du Paradis terrestre.

LE PHILOSOPHE ERRANT

« Ce fut, je l'avoue, un sentiment de honte plutôt que la vocation qui me fit chercher l'ombre d'un cloître[1]. » Abélard souhaite l'oubli aussi ardemment qu'il a souhaité la renommée. Autant il a jadis goûté ces marques d'attention si flatteuses que lui dispensait la vie quotidienne : entendre murmurer sur son passage, voir les passants se détourner pour le suivre du regard, recueillir les acclamations de ses auditoires, autant il souhaite dorénavant passer inaperçu. Se cacher, s'ensevelir, disparaître : le temps au moins d'avoir fait oublier l'humiliante aventure, d'être sûr que l'intérêt qu'on lui porte n'est pas dû à la compassion, à la pitié, voire à l'ironie.

Voilà pourquoi il entre au couvent. Mais non dans n'importe quel couvent. Ils sont nombreux, à l'époque, les cloîtres qui auraient pu lui dispenser l'ombre bienfaisante qu'il cherchait. Nombreux dans tout l'Occident; et à Paris même ou aux proches environs, il avait le choix entre Saint-Germain-des-Prés, Saint-Magloire, Saint-Martin-des-Champs, combien d'autres encore !

Or, c'est à Saint-Denis qu'il demande et obtient son admission, et ce choix est révélateur.

Quelle abbaye est alors plus vénérée, plus glorieuse que Saint-Denis, l'abbaye royale ? C'est là que l'onction a été conférée par le pape en personne, Etienne II, au roi Pépin, à sa femme, la reine Berthe, et à ses deux fils, Carloman et Charles — le Charlemagne de l'histoire et des chansons de geste; et c'est en présence de Charlemagne lui-même que cette église, une fois terminée, a été consacrée, l'an 775. Elle n'a pas cessé, depuis ces temps lointains, d'être l'objet de la sollicitude des empereurs, puis des rois de France.

Consciemment ou non, Abélard aura cherché un milieu de vie dans lequel son prestige de maître, ses qualités d'esprit fussent pleinement appréciés. Il n'est guère d'abbaye qui n'eût été honorée de le recevoir, mais lui-même a entendu choisir une retraite digne de sa personne : l'oubli, peut-être, mais non la réclusion.

Si la cathédrale du sacre est déjà celle de Reims, la tradition exigera bientôt qu'un second couronnement ait lieu pour les rois à Saint-Denis, qui garde en dépôt l'épée et les ornements dont on use lors de cette solennité. L'un après l'autre, les rois ont voulu y avoir leur tombeau : Pépin le Bref lui-même, Charles le Chauve, et plusieurs de leurs descendants, comme, après eux, Hugues Capet et son fils, Robert le Pieux. Bien entendu, cette qualité d'abbaye royale lui a valu, à chaque règne, de nouvelles donations qui en ont fait une puissance foncière; le témoignage de ces libéralités successives : octroi de champs cultivables, d'arpents de vigne, de forêts entières comme celle des Yvelines, a traversé les temps et demeure pour nous consigné dans les précieux cartulaires où l'on en a pris copie et que conservent les Archives nationales. A cette opulence matérielle, Saint-Denis joint le prestige d'un passé religieux remontant aux premiers temps de l'évangélisation de la Gaule : et c'est important en une époque où toute institution est fière de son passé, comme tout individu de la lignée dont il se réclame. La première, la plus ancienne église de Saint-Denis n'a-t-elle pas été édifiée sur l'emplacement même de la tombe de celui qui aurait été, à Paris, le premier témoin de l'Evangile ? Les récits du martyre de saint Denis et de ses compagnons, qui circulaient dès les temps mérovingiens, ont été, de nos jours, tour à tour mis en doute par la critique des textes et vérifiés par la science archéologique. En particulier, les fouilles de S. K. Crosby ont mis en évidence le fait que les sanctuaires élevés successivement à Saint-Denis : une chapelle datant peut-être du ive siècle, une église de la fin du ve siècle que, vers l'an 630, le roi Dagobert fit reconstruire en même temps qu'un hôpital et des bâtiments abbatiaux, enfin celle même que vit Abélard et dont Charlemagne en personne avait présidé l'inauguration, sont toutes érigées dans l'axe d'une même tombe contenant les « corps saints », ceux de saint Denis et de ses compagnons martyrisés à Montmartre et transportés dans le cimetière chrétien de *Catolacus,* nom antique de Saint-Denis[2]. Abélard aura d'ailleurs vu, de son vivant, entreprendre la construction d'une nouvelle église, celle des temps carolingiens étant devenue trop étroite au point que l'affluence qui s'y pressait lors des cérémonies qui avaient lieu chaque année pour la fête de saint Denis, le 9 octobre, provoquait des bousculades : les moines chargés du soin des reliques avaient dû parfois évacuer le sanctuaire en passant par la fenêtre, dans l'impossibilité où ils étaient de se frayer un chemin dans la foule; il n'aura pas vu l'inauguration de ce nouveau sanctuaire qui eut lieu deux ans après sa mort, le 11 juin 1144, mais il a été, dans l'abbaye, le compagnon de celui qui en fut le réalisateur, l'abbé Suger.

Suger n'est nulle part nommé dans la *Lettre à un ami.* A la réflexion, c'est assez extraordinaire, car il s'agit d'une personnalité hors de pair. Il n'a pas encore la charge abbatiale en 1120; les moines ne l'éliront pour abbé que deux ans plus tard, à la mort de l'abbé Adam, dont il est en revanche question dans le récit d'Abélard. On peut se demander pourquoi ces deux hommes, Suger et Abélard, partageant la vie commune, moines dans un même monastère, ne paraissent pas avoir sympathisé. Suger, de très basse extraction — il était fils de serfs —, ne s'était pas moins imposé dès son plus jeune âge par son intelligence et ses brillantes qualités. Le roi de France Louis VI, qui dans sa jeunesse a été son condisciple puisqu'il était lui-même élevé à l'école abbatiale de Saint-Denis, l'a suffisamment apprécié pour en faire son conseiller. Suger, aussi bien qu'Abélard, est ce que nous appellerions un humaniste. Ses ouvrages témoignent d'une culture étendue, tant profane que sacrée; c'est un fin poète, un artiste et aussi un tempérament hardi et novateur : il le prouvera, car, le premier en son temps, il utilisera, pour la reconstruction de son abbaye, la croisée d'ogives. Et cette audace architecturale équivaut alors — toutes proportions gardées — à celle qu'ont manifestée les reconstructeurs de la chapelle de Ronchamp en s'adressant à un Le Corbusier; inutile d'insister sur ses répercussions : c'est elle qui détermine l'essor de l'art gothique. Il est vrai que les intérêts de Suger vont plutôt vers l'histoire, l'architecture, les réalisations concrètes que vers la discussion philosophique. Pourtant, il est un point sur lequel il aurait pu s'accorder avec Abélard : la réforme de Saint-Denis, qui sera son œuvre.

Car l'abbaye dans laquelle le maître s'est fait moine est indéniablement de celles qui avaient alors besoin d'être réformées. « Elle était livrée à tous les désordres de la vie mondaine. L'abbé ne tenait le premier rang entre tous que par la dissolution et l'infamie de ses mœurs[3]. »

C'est alors le cas d'un très grand nombre d'abbayes; et la richesse matérielle de Saint-Denis favorise encore le relâchement. Du reste, la vie et l'histoire des monastères durant toute la période féodale et jusqu'au XIVe siècle sont faites de ces mouvements de réforme qui, périodiquement, les ramènent à leur but premier et les rendent à eux-mêmes; lorsque cessera ce mouvement, ce sera aussi le déclin de la vie monastique, déclin devenu à peu près total durant la période classique, aux XVIIe-XVIIIe siècles. A Saint-Denis, la réforme s'imposait. Abélard en a conscience, il en proclame la nécessité : « Je m'étais plus d'une fois élevé contre ces scandaleux débordements, tantôt en particulier, tantôt en public[4]. » Mais son zèle de réformateur ne rencontre aucun écho; il dut paraître quelque peu intempestif, voire choquant, à ses nouveaux compagnons : une vertu si subitement née, succédant à un scandale notoire, on pouvait s'en étonner, et d'ailleurs, Abélard étant désormais lui-même à l'abri des tentations, il ne lui était que trop facile de s'en prendre aux faiblesses des autres! Zèle bien suspect chez ce moine dont, hier encore, les aventures faisaient causer tout Paris : allait-on lui laisser faire la leçon à des religieux qui étaient largement ses aînés dans la vie monastique?

En réalité — la suite de sa vie le prouvera —, le zèle de réforme traduisait, chez Abélard, un élan sincère, une conversion intérieure véritable. L'atroce épreuve qu'il avait subie aurait pu provoquer en lui une réaction négative : refus, repliement sur soi-même. Or, il l'a acceptée : une acceptation immédiate et totale. Plus encore, s'il est entré au monastère sans vocation, chez lui, l'habit a fait le moine.

Quoi que tu fasses, même si tu obéis à un ordre,
Si tu le fais parce que tu le veux, sois sûr que c'est
[un gain pour toi[5].

Cette maxime qu'Abélard a inscrite parmi celles qu'il adresse à son fils, il l'a faite sienne. C'est par là qu'il est grand. En d'autres temps, on le considérera comme un champion de la liberté d'esprit. C'est justice, car, cette liberté, il s'en est d'abord servi pour accepter la tragique condition dans laquelle il se trouvait. La transformation n'est pas sans en évoquer une autre, illustre elle aussi, et contemporaine de celle d'Abélard : Thomas Becket, le fastueux chancelier du roi d'Angleterre, qui, nommé archevêque de Cantorbéry par la faveur de son maître, deviendra instantanément un homme d'Eglise aussi pieux, pauvre et dévoué au service de Dieu qu'il avait été un homme d'Etat efficace, opulent et attentif au service du roi. De tels exemples sont du reste au niveau d'une époque éprise d'absolu.

Mais si cette conversion personnelle, attestée pour

nous par l'ensemble de sa vie, ne nous paraît pas douteuse, il n'en va pas de même pour des moines que son zèle heurte et dérange. Ses efforts de réforme n'aboutissent qu'à un échec; chose curieuse, la réforme aura lieu un peu plus tard; elle sera l'œuvre de Suger et c'est sous l'influence de Bernard de Clairvaux qu'elle s'accomplira. Bernard réussira où Abélard avait échoué et c'est une première confrontation entre deux hommes que la suite de leur existence va dramatiquement opposer l'un à l'autre. Mais l'un et l'autre n'en savent rien encore et Abélard se borne à dresser lui-même un bilan négatif : « Je m'étais rendu odieux et insupportable à tous[6]. »

Une circonstance pourtant vient le tirer d'embarras : il reprend son enseignement. « A peine étais-je convalescent de ma blessure, précise-t-il, qu'accourant en foule, les clercs commencèrent à fatiguer notre abbé, à me fatiguer moi-même de leurs prières. Ils voulaient que ce que j'avais fait jusque-là par amour de l'argent ou de la gloire, je le fisse maintenant pour l'amour de Dieu. Ils disaient que le talent dont le Seigneur m'avait doué, le Seigneur m'en demanderait compte avec usure, que je ne m'étais guère encore occupé que des riches, que je devais me consacrer maintenant à l'éducation des pauvres, que je ne pouvais méconnaître que, si la main de Dieu m'avait touché, c'était afin qu'affranchi des séductions de la chair et de la vie tumultueuse du siècle, je pusse me livrer à l'étude des lettres et, de philosophe du monde, devenir le vrai philosophe de Dieu[7]. » Le vrai philosophe de Dieu... L'expression n'est pas d'Abélard, on la retrouve souvent dans les textes de l'époque; le philosophe de Dieu, c'est alors le moine; la vie monastique est réputée *vera philosophia*, car, pour les maîtres spirituels d'alors, la recherche de la sagesse, c'est la recherche de Dieu; et c'est le but exclusif de ceux qui sont entrés au monastère. Le terme oppose implicitement cette sagesse nouvelle, fondée sur l'amour, à la sagesse antique purement intellectuelle. Sous la plume d'Abélard, il va prendre un sens nouveau : n'a-t-il pas pour ambition de concilier les deux sagesses, celle d'Aristote et celle de Paul ? Philosophe par goût, appelé à être moine, il a compris que son épreuve lui ouvrait un nouveau programme, et que là était sa vocation véritable; il serait philosophe de Dieu.

Certains disent que tout dépend du hasard;
Pourtant tout a été évidemment disposé par Dieu.
Si tu reconnais que tel événement n'a pas dépendu de
notre libre arbitre,
C'est qu'il a dépendu du plus libre arbitre de Dieu.
A tort tu jugeras que quelque chose s'est produit à tort,
Puisque à toutes choses préside la souveraine raison de
[Dieu.
Quoi qu'il lui arrive, cela ne provoque pas la colère du
[juste :
Il sait que, puisque Dieu en a disposé, tout a été bien
[fait[8].

Ainsi énonce-t-il, à l'usage de son fils, cette règle de sagesse qu'il a lui-même expérimentée, douloureusement.

A Saint-Denis, moines et abbé ne demandaient qu'un prétexte pour se débarrasser d'un insupportable censeur. « Si bien que, charmés des instances journellement répétées de mes disciples, ils profitèrent de l'occasion pour m'écarter. Pressé par les sollicitations incessantes des écoliers et cédant à l'intervention de l'abbé et des frères, je me retirai dans un prieuré pour reprendre mes habitudes d'enseignement[9]. » Et tout aussitôt, le cercle enthousiaste des auditeurs se reforme. Le prieuré en question est situé à Maisoncelles-en-Brie. On verrait mal de nos jours un professeur en renom s'installer à Maisoncelles-en-Brie et y voir accourir les foules; mais il faut tenir compte de nos habitudes de centralisation qui, nous avons eu déjà plusieurs fois l'occasion de le constater à propos d'Abélard, n'existent aucunement à l'époque. Maisoncelles-en-Brie est d'ailleurs proche de Provins — une cité prospère qui, deux fois l'an, à l'occasion de ses fameuses foires, en mai et en septembre, devient l'un des centres économiques les plus importants de l'Occident. Le public des marchands n'est pas celui des clercs, mais les étudiants n'en accourent pas moins. « Telle fut l'affluence des auditeurs que le lieu ne suffisait pas à les loger ni la terre à les nourrir [10]. »

Alors s'ouvre la période la plus féconde dans la vie d'Abélard, celle pendant laquelle il met au point sa méthode et rédige ses principaux ouvrages. Lui-même nous explique comment il entend remplir le nouveau programme qu'il s'est tracé et répondre à sa vocation de « philosophe de Dieu » : « Je me livrais particulièrement à l'enseignement de la science sacrée. Toutefois, je ne répudiais pas entièrement l'étude des arts séculiers dont j'avais plus spécialement l'habitude et qu'on attendait particulièrement de moi... Et comme le Seigneur semblait ne m'avoir pas moins favorisé pour l'intelligence des saintes Ecritures que pour celle des lettres profanes, le nombre de mes auditeurs, attirés par les deux cours, ne tarda pas à s'accroître tandis que l'auditoire des autres (maîtres) se dépeuplait [11]. » Comme on voit, ses malheurs n'ont pas ébranlé cette superbe confiance en lui-même que semble d'ailleurs justifier la confiance non moins enthousiaste de son auditoire. Un détail significatif montre l'influence qu'il va exercer sur l'enseignement et qui, selon une de ses maximes, est destinée à lui survivre, à prolonger sa gloire au-delà même de sa vie :

Le savant vit par son renom au-delà de sa mort
Et la philosophie est plus puissante que la nature [12].

En effet, le terme de *théologie*, devenu usuel pour indiquer l'enseignement systématique du dogme et, généralement, la science sacrée, n'avait été employé avant lui que pour désigner les religions païennes, dans le sens où l'utilisaient les écrivains antiques; pour parler de la science de Dieu, on disait l'Ecriture sainte, *sacra pagina*, ou encore, faisant plus précisément allusion à l'enseignement lui-même, *lectio divina*. C'est à l'influence personnelle d'Abélard qu'est due, semble-t-il, l'adoption d'un terme destiné à prendre dans le vocabulaire religieux l'importance que l'on sait; et il n'est pas sans intérêt de constater que ce terme, d'une part, se reliait à l'Antiquité et, de l'autre, allait désigner tout ce qui ferait la matière propre de sa scolastique au siècle suivant. L'emploi du terme de *théologie* marque ainsi une étape d'une extrême importance dans l'évolution de la vie et de la pensée religieuses. A l'époque d'Abélard, comme aux premiers siècles chrétiens, ce qui importe, c'est la connaissance de l'Ecriture sainte elle-même. L'effort de pensée et de synthèse des écrivains chrétiens, aussi bien au XIIe siècle qu'au temps des Pères de l'Eglise, consiste à scruter l'Ecriture sainte, soit pour en extraire les richesses doctrinales, soit encore pour en tirer des arguments propres à défendre leur foi; au temps d'Abélard, la grande majorité des sermons et travaux divers des maîtres spirituels est consacrée à l'exégèse des Livres saints[13]. Toute la vie du croyant, à l'époque, s'alimente de la Bible, des plus illustres docteurs jusqu'aux plus humbles paysans, qui la connaissent pour l'entendre lire et chanter aux offices de leur paroisse, ou commenter dans les sermons et homélies; cela va si loin, cette fréquentation de la Bible est si ancrée dans les mœurs, qu'apprendre à lire, à l'époque, c'est « apprendre » le psautier; si l'on en croit les études les plus récentes sur le sujet, l'effort de l'écolier consistait à retrouver et à épeler les lettres et les mots du psautier qu'il avait précédemment appris par voie orale, et surtout par le chant. Le latin de la Bible est alors une langue assez familière pour que, dans la pratique, les psaumes, du moins les plus usuels, soient chantés en latin. En ce domaine, comme en celui de la poésie profane, la langue vulgaire commence à s'imposer à l'époque d'Abélard et l'on ne tarde pas à traduire la Bible, et à la commenter dans la langue de tous les jours; les manuscrits de nos bibliothèques attestent encore pour nous le grand nombre de bibles en français —

quelques-unes rédigées en vers mnémotechniques.

Or, Abélard est de ceux qui vont contribuer à présenter la science sacrée comme un exposé systématique de doctrines, avec définitions et démonstrations : ce que seront les Sommes théologiques du siècle suivant. Et c'est là ce qu'on désignera dorénavant par ce terme de théologie dont on lui est redevable : un exposé doctrinal. Peu à peu, on accordera plus d'importance à la théologie qu'à l'Ecriture sainte dans l'enseignement religieux. Et, pour présenter en raccourci une évolution qui s'est étendue sur des siècles et a comporté de nombreuses variantes, là où l'on commençait par étudier des psaumes, on étudiera un catéchisme, un ensemble de questions et de réponses, ce qui entraîne, on s'en doute, d'énormes changements dans la mentalité et la forme de piété; car, pour l'adulte comme pour l'enfant, il y a une grande différence entre celui qui a appris à répéter « Dieu est un être tout-puissant », et celui qui a d'abord appris à dire, en s'adressant à Dieu : « Tu es mon rocher. »

L'effort d'Abélard, tel qu'on le suit à travers ses travaux successifs, se situe au début de ces exposés systématiques qui fleuriront au XIIIᵉ siècle. On voit en lui le « père de la scolastique ». Poser un ensemble de définitions claires et compréhensibles, tel est l'objet de son enseignement. « Je composai un *Traité sur l'Unité et la Trinité divine* à l'usage de mes disciples qui demandaient, sur ce sujet, des raisonnements humains et philosophiques et auxquels il fallait des démonstrations et non des mots [14]. » Ce premier ouvrage *De l'Unité et de la Trinité divine* va éveiller autour d'Abélard les premières tempêtes; inquiétude, soupçons, malentendus de toutes sortes qui ne seront guère dissipés, disons-le, qu'à notre époque, lorsque, avec le recul du temps, la pensée d'Abélard aura été clairement analysée. La manière dont il le présente, ajoutant : « On ne peut croire que ce que l'on a compris », a passé, entre-temps, pour un programme de pur rationalisme, voire de libre pensée, qui est loin, on le verra, de correspondre aux intentions du maître. Cet ouvrage contient, au moins en germe, toute la philosophie d'Abélard, tout ce qui va faire scandale aux yeux des contemporains, tout ce qui, aux yeux des générations successives, constituera son originalité; il est donc indispensable de s'y arrêter quelque peu, bien que la matière puisse paraître passablement aride.

Et d'abord, pourquoi ce premier ouvrage est-il consacré à la Trinité? Pour les historiens du XIXᵉ siècle, présentant Abélard comme un rationaliste, un libre penseur égaré dans son époque, il y avait là, semble-t-il, une difficulté; car ce serait en vain qu'on chercherait, dans cet ouvrage, *Tractatus de Unitate et Trinitate divina*, la moindre trace de négation, voire de scepticisme, touchant le dogme de la Trinité[15]. Bien au contraire, son propos consiste à établir le plus clairement possible, à l'usage des élèves d'Abélard, que Dieu est Un en trois Personnes. Son approche est celle d'un croyant sincère, préoccupé d'exposer l'objet de la foi et non de le mettre en doute, encore moins de le détruire.

D'ailleurs, le fait que ce premier ouvrage soit consacré à la Trinité révèle combien les préoccupations d'Abélard sont celles mêmes de son siècle, car il est frappant de voir avec quelle ardeur le dogme central du christianisme est alors scruté et étudié. Ce problème qui hantait Augustin sur les rivages d'Ostie, qui, plus tôt encore, avait motivé la réunion, à Nicée, du premier concile œcuménique de l'histoire, et sur lequel s'était fait entendre la voix des tout premiers docteurs de l'Eglise, un Athanase, un Hilaire de Poitiers, se trouve, à l'époque d'Abélard, au centre même des études, des réflexions, des méditations — celles des philosophes comme celles des mystiques. On n'en finirait pas d'énumérer les traités et les sermons consacrés à la Trinité au XIIᵉ siècle; faisant suite aux maîtres de l'âge précédent comme Fulbert de Chartres ou Pierre Damien, citons Anselme de Cantorbéry, Anselme de Laon, Guillaume de Saint-Thierry, Rupert de Deutz, Honorius d'Autun, Gilbert de la Porrée et surtout les maîtres de l'école de Saint-Victor, Hugues et Richard, parmi beaucoup d'autres; en fait, il n'est guère d'écrit spirituel qui n'aborde la question par un biais ou par un autre.

Cette profusion d'écrits indique combien la religion du temps est orientée vers ce mystère, et cela se sent même dans des détails de vie quotidienne. N'est-il pas courant, à l'époque, de trouver, au début des chartes royales, et jusque dans les plus simples actes notariés, la formule : « Au nom de la sainte et indivisible Trinité »? C'est assez dire que l'on considère comme essentiel, dans la vie chrétienne, ce problème qui polarise l'activité du penseur comme la piété du croyant. Dans le monde des écoles, c'est par excellence l'objet des discussions et de l'enseignement. La terminologie même que l'on emploie à propos de la Trinité reste alors un peu imprécise : on parle de personne, de substance ou, employant les termes grecs, d'hypostase ou d'ousie; au siècle suivant, cet effort de recherche aboutira à un énoncé du mystère dans des termes que l'on devra reconnaître sous peine de passer pour hérétique. Ce qui caractérise le XIIᵉ siècle, c'est une extrême émulation, une étonnante ferveur dans la recherche; les conciles s'assemblent, les évêques, les abbés s'écrivent ou se rencontrent pour juger d'une doctrine qui leur paraît suspecte; réunions et discussions se succèdent, il en sort approbations ou condamnations, le risque d'erreur étant inévitable partout où se manifeste une quête de vérité.

Tout cela peut, en notre temps, faire l'effet de querelles byzantines; en réalité, lorsqu'on pénètre l'époque, on constate que cette question de la Trinité débouche sur des terrains pour nous inattendus. A lire, par exemple, les ouvrages issus de ce monastère de Saint-Victor qui exerce une si profonde influence sur son temps, l'étude de la vie trinitaire, de la relation entre elles des trois Personnes divines apparaît sous un éclairage tel que tout croyant — et pratiquement tout le monde est croyant à l'époque — a conscience d'y être engagé. Lorsqu'un Richard de Saint-Victor parle de la Trinité, il met en jeu la conception même de la personne au sens humain du terme, et celle de l'amour. Pour lui, en effet, comme pour la plupart des penseurs contemporains, Dieu est Un, mais cette unité n'est pas sentie d'une manière « monarchique »; car Dieu est Trois; et ce qui fait qu'il est Un, c'est qu'il est Amour : un Amour qui est incessant échange dans une parfaite égalité, une totale communion. Ainsi le croyant a-t-il, lorsqu'il pense à Dieu, non la notion statique d'un Etre supérieur, mais la vision dynamique d'un mouvement d'amour.

C'est sur une exigence de la nature profonde de l'amour qu'un Richard de Saint-Victor fonde sa croyance en la Trinité : « L'élément essentiel de la vraie charité, c'est non seulement d'aimer l'autre comme soi-même et d'en être aimé de la même manière, mais de vouloir que l'autre soit aimé comme on l'est soi-même »; ainsi l'amour véritable n'est-il complet que dans le désir de voir partager cet amour; et c'est l'amour parfait qui exige la troisième Personne « dont la participation égale à l'amour et à la joie des deux autres est une exigence du même amour, porté à sa perfection. » Ajoutons, pour donner la note de ce temps, que la beauté même de cette conception, fondée sur la valeur absolue de l'amour qui exige une pluralité de personnes, est alors considérée ou à peu près comme une preuve de la vérité de cette doctrine. Pour un Richard de Saint-Victor, semblable vision de Dieu est « trop belle pour n'être pas vraie [16] ».

Ainsi être, pour Dieu, c'est aimer. Or, l'homme se trouve provoqué par cet échange d'amour. On ne considère pas, à l'époque, que l'amour divin puisse se manifester à l'endroit de l'homme de façon autoritaire, en l'obligeant à « aimer », ou de façon paternaliste, en déversant sur lui un torrent d'amour; mais au contraire cet amour invite l'homme à participer au cycle trinitaire, donc à retrouver en lui-même « l'image de Dieu ». C'est ainsi que l'on conçoit la relation de Dieu à l'homme; et elle ne manque pas de se refléter du sacré au profane. « L'amour, cette invention du XIIe siècle », disait Seignobos. Il n'est pas surprenant que ce qui fait la préoccupation essentielle des maîtres spirituels, en une époque où chacun reçoit ce courant spirituel par le canal de la liturgie, laquelle imprègne alors la vie quotidienne, se prolonge jusque dans les divers modes d'expression, dans l'art et dans la poésie du temps. Lorsqu'on connaît cet arrière-plan, lorsqu'on constate la ferveur avec laquelle mystiques et théologiens se penchent sur le *Cantique des Cantiques* et mettent en évidence cette quête de l'âme, c'est-à-dire de l'Epouse, par l'Epoux divin, c'est-à-dire le Christ, on ne s'étonne guère de voir, dans les lettres, fleurir l'amour courtois. Toute époque est ainsi solidaire de ce qui fait l'essence de sa philosophie; la démonstration n'est pas à faire en un temps comme le nôtre où l'on ne trouve guère d'écrit, fût-il purement littéraire, qui n'ait été influencé par tel ou tel courant d'idées philosophiques : marxisme, existentialisme, etc. Au XIIe siècle, on pourrait facilement mettre en équation l'amour extatique de Richard de Saint-Victor et la *joy* des troubadours ou les diverses conceptions de l'amour profane telles qu'elles se trouvent exposées dans le *Traité de l'amour* d'André le Chapelain ou mises en actes dans les romans de chevalerie.

Il faut replacer sur cet arrière-plan l'histoire d'Abélard si on veut la comprendre. Elle n'apparaît dans toute son intensité paradoxale que lorsqu'on le sait contemporain des plus illustres représentants de cette théologie de l'amour extatique et, notamment, des maîtres de Saint-Victor : Hugues meurt un an avant lui, Richard, trente ans après : autant dire que toute cette école des maîtres victorins occupe le centre même de ce temps sur lequel s'esquisse la pensée abélardienne. Et le paradoxe est que, pour nous, Abélard est d'abord le héros d'une histoire d'amour, alors qu'en son temps, il se présente d'abord comme un philosophe.

*

Si elle est à nos yeux paradoxale, la situation d'Abélard, au regard de ses contemporains, est extrêmement critique. Il s'attaque à un sujet qui est *le sujet* par excellence en son temps, celui que développe les maîtres et dont discutent les conciles locaux, très nombreux à l'époque et très couramment réunis; et il s'y attaque non seulement en maître ès sciences sacrées, en « théologien » (adoptons le terme à sa suite), mais aussi en dialecticien, en maître dans l'art de raisonner. Lui-même a bien précisé, nous l'avons vu, cette double qualité qui, à ses yeux, fait la valeur et l'intérêt de son enseignement. Ce n'est d'ailleurs pas une nouveauté absolue. D'autres l'ont fait avant lui avec un bonheur inégal; et si la question des universaux passionne alors les milieux scolaires, c'est bien parce que cette question de pure dialectique trouve un retentissement dans le problème même de la Trinité. Quand Abélard discutait avec Guillaume de Champeaux et, par ses arguments, obligeait son maître à remanier par deux fois la doctrine qu'il enseignait, ce n'était point simple ergotage philosophique; l'élève comme le maître sentaient toute l'importance des positions prises, par leur prolongement sur le plan religieux. Si les universaux n'existent pas, s'ils ne sont que de simples mots, s'il n'y a entre les êtres individuels aucun élément d'identité, si l'on ne peut, en toute vérité, parler que « des hommes » sans saisir entre eux aucune espèce de rapport qui ne soit un simple mot, « l'humanité », peut-on voir, dans l'Unité de Dieu, autre chose qu'un mot ? Le dogme de la Trinité n'apparaît alors, pour le croyant qui raisonne, que comme un trithéisme : trois dieux, trois personnes distinctes, mais entre lesquelles ne peut exister cette Unité de nature qui est l'objet même de la révélation biblique.

En écrivant son ouvrage, Abélard intervenait dans une querelle déjà ancienne au cours de laquelle s'étaient successivement fait condamner Bérenger de Tours et son ancien maître Roscelin. Contre ce dernier, Anselme de Cantorbéry avait fait un exposé du problème : « Hérétiques, s'était-il écrié, ces dialecticiens qui pensent que les universaux ne sont que de simples mots... dont la raison est à ce point obnubilée par ses imaginations corporelles qu'elle n'en peut sortir et n'est pas capable de discerner ce qu'elle-même est seule à pouvoir purement contempler... Celui qui n'a pas compris comment plusieurs hommes individuels sont un seul homme par l'espèce, comment comprendra-t-il qu'il y a plusieurs Personnes en cette mystérieuse nature, que chacune est parfaitement Dieu, qu'elles sont un seul Dieu [17] ? » Et de poursuivre ainsi sa démonstration par divers exemples : Si l'on ne peut comprendre que la couleur d'un cheval puisse être quelque chose de distinct du cheval lui-même, que le mur puisse être considéré comme quelque chose d'autre que la maison, etc.

Or, Abélard va, dans la même ligne, prendre position contre son ancien maître Roscelin. A une date difficile à préciser, mais certainement antérieure au concile de Soissons de 1121, on le voit adresser à l'évêque de Paris, Gilbert, une lettre dans laquelle il se dit victime des attaques et des manœuvres déloyales de cet homme qu'il ne nomme pas, mais qui, dit-il, est suffisamment reconnaissable, car il s'est assez fait remarquer par la mauvaise réputation de sa vie et son infidélité :

« Quelques-uns de nos disciples, dit cette lettre, sont venus nous rapporter que ce vieil ennemi de la foi catholique, dont l'hérésie détestable selon laquelle il y aurait trois dieux a été démontrée par les pères réunis au concile de Soissons [de 1093]... vomit sur moi injures et menaces à cause d'un opuscule composé par nous sur la foi à la sainte Trinité, qui a été écrit principalement contre l'hérésie dont il s'est rendu coupable. L'un de nos disciples nous a, d'autre part, fait savoir... qu'il attendait votre retour pour vous dénoncer certaines hérésies que j'aurais exposées dans cet opuscule; et ainsi, il tenterait de vous prévenir contre moi comme il s'efforce de le faire avec tout le monde. S'il en est ainsi..., nous vous demandons à vous tous, champions du Seigneur et défenseurs de la foi, que vous décidiez d'un lieu et d'un endroit convenables pour m'y convoquer en même temps que lui et, devant des personnes recommandables et catholiques, que vous aurez choisies, soit entendu ce qu'il me reproche en secret et derrière moi, et que cela soit soumis à leur jugement éclairé (de façon que l'on sache) ou bien s'il me charge à tort d'une telle accusation, ou bien si c'est moi qui suis capable d'avoir osé écrire de telles choses [18]. »

Ce qui est curieux, c'est qu'Abélard ne dit pas un mot de la démarche qu'il accomplit ici et de cette polémique avec Roscelin dans cette *Lettre à un ami* qui est en fait l'histoire de sa vie. Il déclare seulement que les autres maîtres voyaient leur auditoire se dépeupler, « ce qui excita contre moi leur envie et leur inimitié. Tous, ajoute-t-il, travaillaient à me dénigrer, mais deux surtout profitaient de mon éloignement pour établir contre moi que rien n'était plus contraire au but de la profession monastique que de s'arrêter à l'étude des livres profanes, et qu'il y avait présomption de ma part à monter dans une chaire de théologie sans le concours d'un théologien. Ce qu'ils voulaient, c'était me faire interdire l'exercice de tout enseignement et ils y poussaient incessamment les évêques, les archevêques, les abbés, en un mot toutes les personnes ayant nom dans la hiérarchie ecclésiastique [19] ». Un peu plus loin, il désigne comme les deux personnages acharnés à le perdre ses deux rivaux d'autrefois : Albéric de Reims et Lotulfe de Lombardie. De Roscelin, il n'est pas question.

Il est clair pourtant qu'en la circonstance, c'est Abélard qui ouvre le feu; et sa lettre se comprend d'autant mieux si l'on sait que le contenu de son traité attaque effectivement le nominalisme de Roscelin. On peut juger de l'objet de leurs controverses par l'argument célèbre du mur et de la maison qu'Abélard allait reprendre et développer dans ses ouvrages postérieurs : pour Roscelin, les parties d'un tout ne sont que des mots, comme les espèces. Ainsi, le mur n'est qu'un mot puisque la maison n'est autre chose elle-même que le mur, le toit et les fondations. Abélard le réfute en démontrant que « si l'on dit que la maison est mur, toit et fondations, cela ne signifie pas qu'elle est chacune de ces parties prises à part, mais toutes trois unies et prises ensemble... Ainsi chaque partie existe avant de former le tout où elle sera comprise. » Et de développer son système original à lui, Abélard, auquel on a donné plus tard le nom de conceptualisme et qui fait de l'espèce et du genre une notion collective que la raison est capable de former par comparaison et par abstraction; l'humanité, par exemple, l'espèce humaine, est une collection d'individus semblables entre eux : « Toute cette collection, quoique essentiellement multiple, les autorités l'appellent une espèce, un universel, une nature, de même qu'un peuple, quoique composé de plusieurs personnes, est appelé un... L'humanité, recueillie dans les natures des différents individus, se résume en une seule et même conception, en une seule et même nature[20]. » Autrement dit, par son pouvoir d'abstraction, l'esprit peut dégager ce qu'il y a de général dans le particulier. Cette doctrine, Abélard l'a forgée notamment au cours de ses discussions avec Guillaume de Champeaux et l'a exposée au cours de ses œuvres successives, d'abord le *Traité de l'Unité et de la Trinité divine* alors mis en question, puis les œuvres dans lesquelles le contenu de ce traité a été repris et poussé plus à fond, notamment l'*Introduction à la théologie* et la *Théologie chrétienne* ainsi que dans la *Dialectique* qu'il écrivit et remania plusieurs fois à l'usage de ses neveux, les fils de son frère Dagobert[21].

En cette année 1121, on peut, semble-t-il, reconstituer ainsi les faits : Abélard se sait l'objet d'attaques qui lui viennent de plusieurs côtés, tant à cause du succès de son enseignement que des thèses soutenues dans son ouvrage. Ces thèses, du fait même qu'elles préconisent une solution originale au problème des universaux, éveillent la méfiance des autorités ecclésiastiques sensibilisées à un problème qui fait l'objet, on l'a vu, de querelles déjà anciennes, et qui soulève surtout la fureur des tenants de chacune des écoles en présence, celle des réalistes, disciples de Guillaume de Champeaux, et celle des nominalistes, en particulier du vieux Roscelin, lequel n'est sans doute pas loin de considérer comme une trahison de la part de son ancien élève cette manière de réfuter une pensée dont il l'a nourri. On peut croire que, de tous ceux qui l'attaquent ainsi, Roscelin est le plus fielleux. En tout cas, c'est contre lui qu'Abélard croit devoir se défendre, et il juge habile, pour se défendre, de prendre les devants, d'ouvrir l'offensive, en assignant lui-même Roscelin devant l'évêque de Paris.

On reconnaît là le jeune stratège qui érigeait son camp sur la montagne Sainte-Geneviève comme sur une hauteur d'où il pouvait surveiller l'ennemi. Il y a du reste, chez Abélard, une sorte d'agressivité latente que la *Lettre à un ami*, notamment, nous révèle ; et aussi, un goût du calcul : qu'il s'agisse d'ouvrir une école ou de pénétrer dans l'intimité de Fulbert, il procède à la manière du joueur d'échecs disposant ses pions de façon à amener l'adversaire au faux pas qui lui permettra d'en triompher. Sa lettre à l'évêque de Paris représente très probablement une manœuvre de ce genre. Abélard, se sentant suspect aux yeux de l'autorité ecclésiastique, prend les devants, et, pour ce faire, il est habile de sa part de s'attaquer à un individu aussi suspect que Roscelin, dont la philosophie, notoirement hérétique, a été condamnée comme telle, et qui est entaché de mauvaise réputation. Il ne manque pas, du reste, de mettre le doigt sur les faiblesses de son ancien maître : « Cet homme a osé écrire une lettre diffamatoire contre l'éminent héraut du Christ, Robert d'Arbrissel, et il se rendit à ce point odieux contre le magnifique docteur de l'Eglise, Anselme, archevêque de Cantorbéry, que, réfugié auprès du roi d'Angleterre, l'impudent s'est fait expulser honteusement de ce pays ; c'est tout juste s'il n'y perdit la vie. Ce qu'il veut, c'est avoir un compagnon d'infamie, pour que sa propre infamie se console en voyant celle des gens de bien. »

La réponse ne se fit pas attendre. Elle allait être accablante; non seulement Abélard n'obtint pas la confrontation souhaitée, mais, à sa lettre, Roscelin répondit par une longue épître dont il suffira de citer quelques passages pour en donner le ton : « ... Tu as envoyé des lettres remplies d'attaques contre moi et comme fétides des ordures dont elles sont remplies, dans lesquelles tu dépeins ma personne comme entachée de multiples infamies, semblables aux taches de la peau d'un lépreux... Rien d'étonnant si tu te répands en paroles honteuses contre l'Eglise, toi qui t'es si évidemment révélé adversaire de l'Eglise par ton genre de vie. Et il est vrai, nous avons décidé de pardonner à ta présomption, car tu agis non en être réfléchi, mais sous l'immensité de ta douleur; comme le dommage fait à ton corps pour lequel tu souffres tant est irréparable, ainsi la douleur par laquelle tu t'opposes à moi est inconsolable. » Suit un passage impossible à citer, comportant d'horribles jeux de mots et comparaisons obscènes avec le dard de l'abeille et la langue du serpent. Roscelin passe ensuite à la discussion de chacun des points de la lettre d'Abélard. Il se défend — non sans quelque embarras, visiblement — d'avoir jadis attaqué Robert d'Arbrissel et Anselme de Cantorbéry, et proteste violemment contre une accusation d'hérésie dont il se dit lavé depuis longtemps : « Jamais je n'ai défendu ma propre erreur ou celle d'un autre; bien au contraire, il est hors de doute que je n'ai jamais été hérétique; puisque tu as proféré, dans ton immonde esprit et comme en vomissant ta parole contre moi, que j'étais infâme et condamné en concile, je prouverai que c'est faux par le témoignage de ces églises auprès desquelles et sous lesquelles je suis né et j'ai été élevé et instruit; et, du moment que tu sembles être moine de

Saint-Denis, bien que tu en sois parti, je viendrai m'y mesurer avec toi, et n'aie pas peur, tu seras mis au courant de mon arrivée, car, en vérité, c'est par ton abbé que je m'annoncerai à toi et je t'attendrai là autant que tu le voudras. Et si tu te montres désobéissant envers ton abbé, ce que tu ne manqueras pas de faire, partout où tu te cacheras sur terre, je saurai te chercher et te trouver. Et comment peut-il se faire que tu aies dit que j'ai été expulsé du monde entier, alors que Rome, la tête du monde, me reçoit volontiers, m'écoute plus volontiers encore et, m'ayant écouté, suit mes avis très volontiers ? Et l'église de Tours, et celle de Loches où toi, le moindre de mes disciples, tu t'es assis à mes pieds comme à ceux de ton maître, et l'église de Besançon dans laquelle je suis chanoine, sont-elles situées hors du monde, elles qui toutes me vénèrent et me reçoivent et acceptent avec joie ce que je dis, dans leur désir d'apprendre ?... » Un long passage de la lettre est ensuite consacré à démontrer que sa doctrine sur la Trinité n'est aucunement hérétique, que le soupçon d'hérésie ne reposait que sur des confusions de termes. Après quoi, l'acharné vieillard revient, avec plus de fureur encore, à l'histoire d'Abélard, histoire connue, dit-il, « depuis Dan jusqu'à Bersabée », mais dont il ne rappelle pas moins infatigablement les pires détails pour mettre en doute la validité de sa conversion et de son entrée au monastère. « J'affirme, pour l'avoir entendu de la part de ceux qui sont moines avec toi, que, lorsque le soir tu reviens au monastère, l'argent que tu as réuni de tous côtés au prix des faussetés que tu enseignes, tu t'empresses de l'apporter, foulant aux pieds toute pudeur, à ta prostituée, et tu rémunères ainsi impudemment le stupre du passé. » La conclusion, enfin, est digne d'une telle missive : « Puisqu'en toi a été élevé ce qui fait l'homme, il faut t'appeler non Pierre, mais Pierre-Incomplet. Et cela témoigne bien de l'ignominie de l'homme incomplet, le sceau dont tu as toi-même scellé tes lettres fétides, portant en image deux têtes, l'une d'un homme, l'autre d'une femme.

Comment douter qu'il ne reste pénétré d'amour, celui qui n'a pas craint de charger sa lettre de ces deux têtes réunies ? J'aurais pu, ajoute-t-il, en dicter beaucoup encore pour ta honte, qui sont choses vraies et manifestes, mais, puisque je m'en prends à un homme incomplet, je laisserai aussi incomplète l'œuvre que j'avais commencée[22]. »

La lettre se termine ainsi ; à la réflexion, on comprend qu'Abélard ait préféré n'en pas parler : devant certaines abjections, le silence s'impose. Cette lettre est la seule œuvre de Roscelin que nous possédions intégralement ; de ses autres ouvrages nous n'avons que des extraits conservés par la réfutation qu'en a faite Anselme de Cantorbéry ; si bien que le seul document qui nous en soit directement parvenu nous livre l'image de ce vieillard à la bouche ordurière. Il est probable, du reste, que Roscelin mourut peu après. Comment expliquer sans cela qu'il ne se soit pas manifesté au concile de Soissons ? Et c'était une raison de plus, pour Abélard, de passer décidément sous silence cette laide missive qu'il avait imprudemment provoquée.

*

Ceux qui écrivent des livres, qu'ils redoutent un juge
                                              [*multiple,*
Car c'est la multitude qui les menace comme juge[23].

La lettre de Roscelin fait figure de préface aux diverses calamités qui allaient marquer pour Abélard l'année 1121.

Nous n'avons pas d'autre source pour connaître les détails de sa condamnation au concile de Soissons cette année-là que le récit même d'Abélard dans la *Lettre à un ami*. Peut-être partial, ce récit est néanmoins suffisamment dramatique pour qu'à le lire, on puisse revivre les diverses phases de ce concile sans être trop gêné par le caractère assez ardu des discussions qu'il nous rapporte et qui nous font souvent l'effet d'arguties, tant leur objet nous paraît éloigné de nos préoccupations actuelles.

Abélard attribue uniquement à la jalousie de ses anciens condisciples Albéric et Lotulfe la responsabilité du concile réuni contre lui : « Depuis la mort de nos maîtres communs, Guillaume et Anselme, ils avaient la prétention de régner et de se porter leurs seuls héritiers. Ils tenaient tous deux école à Reims. Par leurs suggestions réitérées, ils déterminèrent leur archevêque, Raoul, à appeler Conon, évêque de Préneste, qui remplissait alors en France la mission de légat, à réunir une sorte d'assemblée sous le nom de concile dans la ville de Soissons et à m'inviter à leur apporter ce fameux ouvrage que j'avais composé sur la Trinité. »

Abélard se rend donc à Soissons avec l'ouvrage litigieux. Accueil hostile : sur son passage, la foule crie des injures et lui jette des pierres; les gens de Soissons avaient été prévenus contre sa personne et sa doctrine; tout le monde pensait qu'il s'agissait d'un dangereux hérétique, soutenant, dans ses écrits et ses paroles, qu'il y avait trois dieux. Cette violence à l'égard de l'hérétique paraît outrancière à notre époque de liberté religieuse, mais on peut assez facilement, semble-t-il, comprendre ou du moins reconstituer ces réflexes populaires en les transposant sur des terrains plus familiers à la vie contemporaine. Pour le peuple de ce temps, la croyance en la Trinité est quelque chose d'aussi essentiel que, par exemple, l'adhésion aux doctrines marxistes dans les pays situés au-delà du rideau de fer. Et n'a-t-on pas vu, en notre XXe siècle, ces doctrines s'imposer assez fortement à une nation entière pour mettre en échec jusqu'aux données scientifiques ? Ainsi les théories de Lissenko ont-elles été, en U.R.S.S., imposées dans le domaine de la génétique par le pouvoir politique, de préférence aux théories mendéliennes; or, cela s'est passé au XXe siècle, donc en un temps d'extraordinaire progrès scientifique, en un temps aussi où la science, pour beaucoup, tient lieu de ce que furent autrefois religion, morale, recherche philosophique, etc. Imaginons un tenant des théories mendéliennes ou un déviationniste quelconque se présentant dans un kolkhoze ou une ville d'U.R.S.S. il y a une trentaine d'années, et nous comprendrons mieux qu'Abélard ait pu être accueilli à coups de pierres parce qu'on l'accusait d'avoir soutenu qu'il y avait trois dieux.

Dès son arrivée, Abélard apporte son ouvrage au légat du pape, Conon d'Urrach, évêque de Préneste. Il se déclare prêt « soit à amender sa doctrine, soit à faire réparation » s'il s'y trouve quelque proposition hérétique. Le légat, probablement un peu embarrassé, lui demande de soumettre aussi son œuvre à l'archevêque de Reims, Raoul le Vert, ainsi qu'à ses deux accusateurs; ce qu'Abélard rapporte non sans amertume : « Nos ennemis sont nos juges », soupire-t-il, citant l'Écriture.

Pourtant, contrairement à ce qu'il aurait pu croire, le concile se déroule sans qu'il soit question de son œuvre. « (Albéric et Lotulfe), après avoir feuilleté et scruté le livre en tous sens, ne trouvant rien qu'ils osassent produire contre moi à l'audience, ajournèrent à la fin du concile cette condamnation à laquelle ils aspiraient[24]. » Dans l'intervalle, faisant front à l'orage, Abélard parle en public, soit dans les églises, soit peut-être même sur les places publiques comme il est courant de le faire à l'époque, et s'emploie, dit-il, « à établir les bases de la foi catholique dans le sens de ses écrits » — donc à commenter le dogme en mettant au service de sa foi son pouvoir d'argumentation. Si bien que, peu à peu, l'opinion se retourne en sa faveur : non seulement il ne s'agit pas d'un hérétique, mais il apporte des preuves nouvelles touchant le mystère de la Trinité. Le peuple — qui alors participe étroitement, on le voit, aux événements religieux — et les clercs en viennent à se demander quel est ce singulier hérétique qui prêche une doctrine irréprochable et comment il se fait que le concile se déroule sans que son cas ait été examiné. « Est-ce que les juges auraient reconnu que l'erreur est plutôt de leur côté que du sien ? » Albéric tente vainement de le prendre en défaut au cours de conversations privées, sans parvenir à le confondre.

« Le dernier jour du concile, avant l'ouverture de la séance, le légat et l'archevêque eurent avec mes rivaux et quelques autres personnes un long entretien pour savoir ce qu'on déciderait de moi et de mes livres qui avaient été l'objet principal de la convocation[25]. » Sur quoi, l'un des prélats siégeant au concile prend la parole. Il s'agit de Geoffroy de Lèves, l'évêque de Chartres; c'est l'une des très hautes figures de l'époque. Il occupe alors depuis cinq ans ce siège de Chartres qui sera le sien prendant trente années puisqu'il ne mourra qu'en 1148, laissant une grande réputation de sagesse et de sainteté. Pour Abélard, il est l'ami fidèle, celui qui se trouvera toujours à ses côtés et toujours tentera de le défendre contre lui-même, de lui épargner les difficultés que lui attire son imprudence. Ne serait-ce pas à lui que pense Abélard lorsqu'il évoque le personnage de l' « Ami » ? Il a eu, pour faire l'éloge de l'amitié, de fortes expressions :

Un ami véritable dépasse tous les dons de Dieu.
Il faut le préférer à toutes les richesses.
Nul n'est pauvre, muni d'un tel trésor,
D'autant plus précieux parce qu'il est plus rare[26].

Et une longue suite de distiques célèbre ainsi l'amitié. Or, en dehors de « l'ami » hypothétique auquel s'adresserait la *Lettre* dans laquelle il raconte ses malheurs, on ne voit guère à qui il peut faire allusion.

Un érudit a supposé que l'un des très beaux *planctus*[27] d'Abélard, écrit sur la fin de sa vie et célébrant l'Ami en la personne de David, aurait fait allusion à cette amitié assidue, à cette protection constante que lui apportait l'évêque de Chartres.

113

Abélard nous rapporte son discours en style direct, discours plein d'équité et de sympathie pour l'accusé : « Vous savez tous, seigneurs ici présents, que le savoir universel de cet homme et sa supériorité dans toutes les études auxquelles il s'est attaché lui ont fait de nombreux et fidèles partisans, qu'il a fait pâlir la renommée de ses maîtres et des nôtres, et sa vigne, si je puis m'exprimer ainsi, a étendu ses rameaux d'une mer à l'autre. Si vous faites peser sur lui le poids d'une condamnation sans l'avoir entendu, ce que je ne pense pas, sa condamnation, fût-elle juste, blessera bien des gens et il s'en trouvera plus d'un qui voudra prendre sa défense, alors surtout que nous ne voyons, dans l'écrit incriminé, rien qui ressemble à une attaque ouverte. On dira, selon le mot de saint Jérôme, que la force qui se montre attire les jaloux et que, suivant le poète, les hautes cimes appellent la foudre... Mais si vous voulez procéder régulièrement, que l'enseignement de cet homme ou que son livre soit produit en pleine assemblée, qu'on l'interroge, qu'il soit mis en demeure de répondre et qu'ainsi confondu, il en vienne à confesser sa faute ou bien soit réduit au silence... »

Mais les adversaires d'Abélard se récrient : engager la discussion avec lui, c'est courir à un échec. « Ses arguments et ses sophismes triompheraient du monde entier. » Sans doute Albéric gardait-il le souvenir de ses conversations privées au cours desquelles il n'avait pu triompher des arguments d'Abélard. Geoffroy alors propose une autre solution de sagesse : ils sont trop peu nombreux (ce premier concile de Soissons n'a réuni, vraisemblablement, qu'une vingtaine de clercs tout au plus) pour pouvoir, en des matières aussi graves, décider d'une condamnation. Que l'on ramène donc Abélard à Saint-Denis, que là soit convoqué un concile véritable, une réunion de docteurs éclairés sur la question, et qu'ils procèdent à un examen approfondi de son œuvre. Le légat, qui, visiblement, se trouvait assez embarrassé en la circonstance, s'empresse d'approuver, et chacun se lève pour aller entendre la messe par laquelle débute la séance du concile.

Mais ce n'était pas ce qu'attendaient les rivaux d'Abélard. « Réfléchissant que tout était perdu si l'affaire se passait hors de leur diocèse; c'est-à-dire en un lieu où ils n'auraient plus droit de siéger, et peu confiants dans la justice, (ils) persuadèrent l'archevêque que ce serait pour lui une grande honte que la cause fût déférée à un autre tribunal. » Puis, s'en allant trouver le légat, ils insistent pour obtenir une condamnation immédiate.

Conon d'Urrach n'était pas théologien et évaluait mal la portée du débat.

En son for intérieur, l'Allemand qu'il était commençait à juger que le clergé français se composait, pour une part, de dangereux raisonneurs et, pour l'autre, de dangereux excités. Mieux valait s'en remettre à celui qui possédait l'autorité plénière dans la province ecclésiastique : l'archevêque de Reims; mais l'archevêque, lui, était manœuvré par Albéric et Lotulfe. Geoffroy de Lèves comprit que la partie était perdue.

« Pressentant le résultat de ces intrigues, il m'avertit et m'engagea vivement à ne répondre à une violence évidente que par un redoublement de douceur. Cette violence si manifeste, disait-il, ne pouvait que leur nuire et tourner à mon avantage... C'est ainsi que, mêlant ses larmes aux miennes, il me consola de son mieux. »

Abélard, une fois la séance ouverte, fut donc convoqué au concile. « Là, sans discussion, sans examen, on me força à jeter de ma propre main le livre au feu. » L'assemblée restait muette. L'un des adversaires d'Abélard, probablement pressé par le besoin de justifier sa conduite, prit la parole pour énoncer une proposition hérétique qu'il aurait trouvée dans l'ouvrage condamné. Il n'en fallut pas davantage pour faire éclater une discussion parmi les membres du concile. L'un d'entre eux, qu'Abélard appelle « un certain Thierry », prit avec feu sa défense et s'écria, empruntant les paroles que l'Ecriture sainte place dans la bouche du jeune Daniel défendant la chaste Suzanne : « Ainsi, fils insensés d'Israël, sans avoir vérifié la vérité, vous avez condamné un fils d'Israël!... » L'archevêque intervint alors et voulut enfin donner la parole à Abélard : « Il serait bon que notre frère exposât sa foi publiquement afin qu'on pût, selon qu'il conviendra, ou l'approuver ou la désapprouver ou la redresser. » C'était donner enfin satisfaction au philosophe et permettre ce que ses ennemis redoutaient. « Comme je me levais pour confesser et exposer ma foi avec l'intention d'en développer l'expression à ma manière, mes adversaires dirent que je n'avais pas besoin d'autre chose que de réciter le symbole d'Athanase. » Il s'agit, on le sait, d'une profession de foi énonçant notamment la doctrine trinitaire de l'Eglise et que la tradition attribuait communément au grand évêque d'Alexandrie; ce symbole d'Athanase, encore inclus dans l'office monastique, faisait alors partie des textes familiers au chrétien moyen. « Le premier enfant venu aurait pu le réciter aussi bien que moi », remarque Abélard, et il considère comme un surcroît d'humiliation le fait que ses adversaires lui apportent le texte écrit comme si la teneur ne lui en était pas familière. « Je lus à travers les sanglots, les soupirs et les larmes, comme je pus. »

Le concile fut aussitôt dissous. Il avait été décidé qu'Abélard, en manière de pénitence, serait enfermé au monastère tout proche de Saint-Médard dont l'abbé avait été présent à l'assemblée. Sans doute ne partageait-il pas le sentiment des meneurs, car Abélard lui-même déclare : « L'abbé et les moines de ce monastère, persuadés que j'allais leur rester, me reçurent avec des transports de joie et me prodiguèrent toutes sortes d'attentions, essayant vainement de me consoler. » Sa blessure était trop profonde. C'est en termes poignants qu'Abélard décrit sa souffrance :

« Fièvre de la douleur, confusion de la honte, trouble du désespoir, tout ce que j'éprouvais alors, je ne saurais l'exprimer aujourd'hui. Je rapprochais le supplice infligé à mon corps des tortures de mon âme et je m'estimais le plus malheureux des hommes. Comparée à l'outrage présent, la trahison d'autrefois me paraissait peu de chose et je déplorais moins la mutilation de mon corps que la flétrissure de mon nom. »

Ce serait une erreur de n'entendre ici que la plainte d'un orgueil blessé. Abélard est atteint au plus vif de lui-même parce que, ayant consacré toutes les forces de son esprit au service de sa foi, il n'a pu parvenir à se faire comprendre, à dissiper un malentendu né de l'évidente mauvaise volonté de ses adversaires, et il s'est vu frappé par l'injustice en ce qui lui tenait le plus au cœur. « La persécution qui m'accablait aujourd'hui n'avait d'autres causes que l'intention droite et l'attachement à la foi qui m'avaient poussé à écrire. » Il a accepté le châtiment barbare qui l'avait frappé parce que c'était un châtiment, parce qu'il punissait en lui une faute. Ici, il y avait le châtiment sans la faute et cela en un domaine auquel sa vie tout entière était vouée. Capable à l'occasion de cynisme, Abélard n'en était pas moins un homme de sentiment, et le cri de cette sensibilité blessée s'exprime en un pathétique dialogue :

« Dieu qui juges en équité, avec quel fiel dans l'âme, avec quelle amertume d'esprit j'osai me révolter et T'accuser dans mon délire, répétant souvent cette plainte du bienheureux Antoine : « *Jesu bone, ubi eras ?* O bon Jésus, où étais-tu ?*[28] »

C'est avec le recul du temps que cette plainte aimante prend toute sa profondeur, car, au moment où il l'écrit, Abélard ne sait pas qu'elle n'est encore, cette plainte, que le prélude de la tragédie sur laquelle s'achèvera sa vie.

*

Quelqu'un pourtant semble en avoir eu prescience. Dans la campagne bourguignonne, sous les tours de la grande abbatiale de Cluny, un homme médite. Il y a quelques semaines encore, Pierre de Montboissier était simple prieur du prieuré de Domène en Dauphiné. Ayant appris la mort de l'abbé de Cluny, Hugues II, il s'est rendu, comme tous les prieurs de l'ordre, vers l'abbaye mère. Or, si l'on en croit une chronique contemporaine, à peine a-t-il pénétré dans la salle capitulaire où ils se sont rassemblés que « tous les moines se lèvent, se précipitent sur lui, l'enlèvent de sa place, et, comme le veut la Règle, le conduisent au siège abbatial et lui font obédience[29] ». Pierre, qu'on ne tardera pas à surnommer « le Vénérable », est désormais abbé de Cluny; il n'a pas trente ans. Il règne sur plus de mille cinq cents monastères, églises ou prieurés; car, ainsi qu'il l'a lui-même écrit : « L'immense foule des moines... a couvert presque toutes les campagnes de France. » Et cela, en grande partie, sous l'influence de Cluny, point de départ du réveil religieux qui avait marqué le XIe siècle et s'affirme au XIIe. Celui qui pendant plus de trente ans va régir cette population monastique est un homme effacé, de santé fragile, que rien ne semble désigner à l'attention, sinon son extraordinaire pouvoir de sympathie : « Il paraissait aimable à tous, écrit celui qui fut son compagnon de toute une vie, le moine Raoul de Cluny; par sa propre bonté, il était devenu le bien commun de tous. »

Pierre le Vénérable a eu vent du concile de Soissons; il a appris la condamnation d'Abélard. Et cet homme, que sa charge nouvelle pourrait accabler, ou tout au moins accaparer, adresse au philosophe l'une des premières lettres de son abbatiat. L'histoire d'Abélard, il la connaît comme tous la connaissent, plus que beaucoup d'autres, il lui a prêté attention, car, tout jeune encore, il avait entendu parler d'Héloïse, s'était intéressé à elle, et avait sans nul doute été bouleversé par le drame de ces deux existences. Il a deviné la détresse d'Abélard, l'incompréhension à laquelle il se heurte, la solitude dans laquelle, peu à peu, il risque d'être enfermé :

« Pourquoi, cher ami, errer ainsi d'école en école? Pourquoi devenir tour à tour disciple et professeur? Pourquoi chercher, à travers tant de paroles et au prix de tant de fatigues, ce que vous pouvez trouver, si vous voulez, d'un seul mot et sans peine? » Et puisqu'il s'adresse à un philosophe désireux de s'appuyer sur la sagesse antique, il va en raccourci dresser le tableau des conquêtes de ces sages, transcendées soudain par l'avènement de la Sagesse : « Les sages de l'Antiquité se sont épuisés à la recherche du bonheur; ils ont tenté à grand-peine de tirer des entrailles de la terre le secret qui se dérobait à leurs efforts. De là l'invention des arts, de là les arguments ambigus, de là toutes ces sectes, infinies en nombre et perpétuellement aux prises les unes avec les autres : les unes plaçant le bonheur dans le plaisir des sens, les autres dans les vertus de l'âme, d'autres le cherchant au-desssus de l'homme, d'autres encore réfutant ces théories, en inventant de nouvelles. Tandis qu'ils s'égaraient ainsi en demandant à l'esprit humain une lumière que Dieu seul pouvait leur donner, la Vérité les regardait du haut du ciel; elle prit en pitié leur misère; elle parut sur la terre. Pour se rendre visible à tous, elle revêtit une chair semblable à celle des hommes pécheurs, partagea leurs souffrances et leur dit : « Venez à moi, vous tous qui êtes dans la peine, et je vous soulagerai... » Ainsi donc, sans le secours des méditations platoniciennes, des disputes de l'Académie, des arguties d'Aristote, des opinions des philosophes, voici que nous sont révélés à la fois le siège et la voie de la béatitude... » Et son exhortation se fait plus pressante : « Pourquoi perdre votre temps à vous mettre en scène comme un comédien, à déclamer comme un tragédien, à jouer comme les courtisanes?... Courez, mon fils, où vous appelle le divin Maître... Entrez dans la voie de la pauvreté spirituelle... Vous serez alors un vrai philosophe du Christ... Je vous accueillerai comme un fils... Le secours d'en haut ne nous manquera pas, nous vaincrons l'ennemi : l'ayant vaincu, nous serons couronnés, et, vrais philosophes, nous atteindrons au but de la philosophie, c'est-à-dire à la bienheureuse éternité. »

Pierre le Vénérable ouvrait à Pierre Abélard les portes de Cluny.

Mais son affectueuse invite demeura sans réponse.

Pierre écrivit une seconde lettre, plus courte, plus pressante. En vain. La blessure avait été trop vive. Et sans doute le philosophe n'était-il pas prêt encore à prononcer ce « oui » qui signifie le renoncement à soi-même, à son choix propre, à ses ambitions personnelles. Ce qu'il lui fallait, à tout prix, c'était une victoire. Philosophe du Christ, mais selon la voie qu'il s'était lui-même choisie. Et cette voie n'était pas celle du renoncement. Du moins, pas encore.

*

Geoffroy de Lèves avait eu raison de conseiller la douceur et la soumission. Le séjour d'Abélard à Saint-Médard de Soissons fait figure dans sa vie d'un havre de grâce. Les auteurs de sa condamnation ne tardent pas à s'en renvoyer mutuellement la responsabilité. Quant au légat, Conon d'Urrach, il comprenait peu à peu qu'il avait été amené à commettre une injustice, et il se répandait en critiques acerbes sur le clergé français, toujours prêt à s'entre-déchirer pour des raisons décidément obscures. Au bout de quelque temps, il levait publiquement la condamnation et autorisait Abélard à regagner l'abbaye de Saint-Denis. Lorsqu'il raconte la pathétique histoire de ce concile de Soissons, le philosophe en attribue l'unique responsabilité à ses anciens condisciples de Laon : Albéric et Lotulfe. A l'entendre, seule leur jalousie a déclenché toute l'affaire ; ce sont eux qui, poussés par des questions de rivalité personnelle, ont voulu et ont finalement obtenu sa condamnation. Rien de plus tenace et de plus virulent que la jalousie d'anciens compagnons d'études : c'est là un fait d'expérience, vérifiable chaque jour. Cependant, à y bien regarder et comme il ne s'agit pas d'un fait isolé dans la vie d'Abélard, l'épisode révèle plus qu'une simple rivalité personnelle; il met au jour le malentendu même sur lequel toute une vie va être jouée; et pour nous qui bénéficions du recul de l'histoire, le malentendu dépasse Abélard lui-même; à travers le drame d'une vie d'homme, c'est toute une évolution historique qui se dessine. Et c'est bien ce qui fait d'Abélard un personnage passionnant : héros d'un roman d'amour sans égal, il est aussi, dans le domaine de la pensée, porteur d'un germe qui va mettre plus d'un siècle à parvenir à maturité et dont l'importance ne pouvait guère être évaluée en toute sérénité avant notre propre époque.

Abélard s'est situé lui-même avec toute la clarté désirable lorsqu'il déclare qu'au concile de Soissons, il s'était levé « pour confesser et exposer sa foi avec l'intention d'en développer l'expression *à sa manière* ». Sa foi n'est pas en cause; il le prouvera en maintes occasions. Il a pu formuler ici et là, au cours de ses ouvrages, des propositions qui fleuraient l'hérésie; leur discussion, qui intéresse uniquement l'histoire des doctrines religieuses[30], ne saurait trouver place dans cet ouvrage; et d'ailleurs Abélard n'a jamais hésité à soumettre ses œuvres au jugement de l'Eglise ni à accepter ce jugement; rien en lui de l'hérétique obstiné. Et un examen approfondi, fait en notre temps par divers historiens de la philosophie[31], a permis de redresser maintes conclusions sommaires, émises tantôt pour le blâmer et tantôt pour le glorifier, suivant les tendances de leurs auteurs. Il semble cependant que, dès son époque, un contemporain, Otton de Freisingen, ait donné la note juste en déclarant qu'il mêla *non caute,* « sans prudence », théologie et dialectique[32].

La « manière propre » d'Abélard, celle à laquelle il fait allusion en racontant le concile de Soissons, c'est de se servir du raisonnement logique dans l'approche des vérités de foi. Pour le croyant, à l'époque d'Abélard comme à la nôtre, la distance est incommensurable — au sens propre : sans commune mesure — entre le domaine de la logique et celui de la foi; ce qui ne signifie évidemment pas que l'homme doive s'interdire l'usage de la raison et celui de la logique pour élucider les vérités de foi : c'est ce qu'ont fait tous les docteurs de l'Eglise depuis les temps apostoliques. A l'époque d'Abélard, l'opinion religieuse — c'est-à-dire, en ce temps, l'opinion générale — est particulièrement sensibilisée sur cette question des rapports de la raison et de la foi. Une trentaine d'années auparavant, le philosophe de grande envergure que fut Anselme de Cantorbéry a présenté une forte synthèse de ces rapports de la raison et de la foi, considérées alors comme deux sources de connaissance également valables et mises à la disposition de l'homme; on connaît sa formule célèbre renouvelée de saint Augustin : « Je ne cherche pas à comprendre pour croire, mais je crois pour comprendre »; si, pour lui, la foi est première, si elle s'appuie sur un donné révélé, il n'est pas moins nécessaire de s'efforcer de comprendre rationnellement ce que l'on croit. « Qui n'aura pas cru, dit-il, n'expérimentera point, et qui n'aura point expérimenté ne comprendra pas, car autant l'expérience d'une chose dépasse le fait d'en entendre parler, autant la science de celui qui expérimente l'emporte sur la connaissance de celui qui entend. » Autrement dit, la foi est pour lui essentielle parce qu'elle est expérience intérieure et que rien ne peut suppléer ce mode de connaissance; mais, d'autre part, ajoute-t-il, « à travers la dialectique (entendons : le raisonnement logique), l'esprit s'élève au point de pressentir la joie du Seigneur [33] ».

C'est précisément parce qu'Abélard est par nature un dialecticien qu'avec lui un pas nouveau est fait dans cette étude rationnelle des vérités de foi. Toute son œuvre est consacrée à mettre ainsi le raisonnement logique au service de la doctrine. Car, bien entendu, le concile de Soissons n'a pas arrêté son activité de penseur et d'enseignant. Son ouvrage *De l'Unité et de la Trinité divine* avait été jeté au feu, mais il s'empresse d'en reprendre et d'en approfondir les idées dans l'ouvrage suivant : *Introduction à la théologie chrétienne* [34]. Et comme il n'a rien perdu de son esprit combatif, il s'en prend tour à tour aux divers maîtres qui enseignent les « sciences sacrées », sans les nommer expressément, mais en les désignant par leur pays d'origine sous des traits qui étaient parfaitement clairs pour les contemporains. Ainsi parle-t-il d'un maître qui se trouve au pays de Bourges : et c'est le futur évêque de Poitiers, Gilbert de la Porrée, lequel, à l'opposé de Roscelin, professait un réalisme intégral; un autre, au pays d'Anjou, est un certain maître Ulger dont le renom était grand à l'époque; un autre en Bourgogne, sans doute Gilbert l'Universel; et il devient véhément pour déclarer : « et il y en a un autre en France »; ici, c'est d'Albéric de Reims qu'il s'agit : « Il se prétend unique maître en la science divine et discute violemment sur ce qu'il a trouvé chez les autres..., il en est venu à déclarer, comme je le lui ai moi-même entendu dire, que Dieu s'est engendré lui-même, puisque le Fils a été engendré par le Père. Et cet être, rempli plus que tout autre d'arrogance, appelle hérétiques tous ceux qui ne professent pas ainsi [35]... »

Dans un autre ouvrage qu'il intitule *Théologie chrétienne*, Abélard met l'accent sur ce qui est, dit-il, son intention profonde : se servir de la dialectique, donc d'argumentation rationnelle — la dialectique étant « maîtresse de tout raisonnement » — pour établir la vérité religieuse aux yeux des incroyants. « Et parce que c'est surtout par des raisons philosophiques qu'ils nous livrent assaut, nous avons, nous aussi, principalement utilisé celles-ci que personne, je crois, ne peut pleinement comprendre si ce n'est celui qui s'est longtemps penché sur les études de philosophie et surtout de dialectique. Il était nécessaire, en effet, de résister à nos adversaires par les arguments mêmes qu'ils admettent eux aussi, car personne ne peut être convaincu ou réfuté si ce n'est par (les arguments) qu'il admet [36]. » Dans ce dernier ouvrage, Abélard s'en prenait notamment aux deux frères de Chartres, Bernard et Thierry, lesquels étaient de fervents platoniciens. Lui-même représente la pensée aristotélicienne, et ce duel entre deux systèmes philosophiques renouvelés de l'Antiquité est émouvant si l'on se replace dans les circonstances historiques au milieu desquelles il a lieu. Deux tendances s'affrontent, deux tentatives de synthèse conciliant la révélation chrétienne et les maîtres de la pensée antique, l'école de Chartres s'appuyant sur Platon (« la divinité est la forme essentielle de toutes choses... l'Esprit saint correspond à ce que Platon nommait l'âme du monde... »), Abélard, lui, s'appuyant sur la logique d'Aristote. Or, il en redécouvre les bases en un temps où l'on ne possède encore en Occident qu'une petite partie de l'œuvre aristotélicienne. Ses essais de synthèse font l'effet d'une esquisse, avant la lettre, de l'œuvre qui s'accomplira au siècle suivant : la synthèse magistrale d'un Albert le Grand ou d'un Thomas d'Aquin; mais, entre-temps, un fait d'importance capitale dans l'histoire de la pensée occidentale se sera produit : la rentrée en scène d'Aristote par l'intermédiaire de la pensée arabe. Averroës ou, si l'on préfère, Ibn Rochd naît en 1126, c'est-à-dire au moment où Abélard compose l'essentiel de son œuvre. A cette époque, on ne connaît encore, en Occident, que des fragments de l'œuvre aristotélicienne, l'*Organon*, ou encore les citations qu'en font le philosophe Porphyre et Boëce après lui. Ce n'est que plus tard, peu à peu, à travers les traductions, que seront connues les autres œuvres de celui qu'on considérera comme le Philosophe par excellence. La pensée d'Abélard précède donc en quelque sorte la redécouverte progressive des autres œuvres d'Aristote. Elle est une esquisse des grandes Sommes à travers lesquelles va s'organiser la philosophie scolastique. Déjà, l'*Introduction à la théologie* est une Somme; ce n'est plus un commentaire de l'Ecriture sainte, mais un traité distribué en trois parties qui seront désormais classiques : la Foi, les Sacrements, la Charité. L'élaboration de la méthode s'affirme avec un autre ouvrage d'Abélard, celui qui eut probablement le plus d'importance dans son temps, et qu'il intitule le *Sic et non*, « Oui et non. »

Le *Sic et non* est peut-être, de tous les ouvrages d'Abélard, celui qui a éveillé le plus d'inquiétude chez ses contemporains. C'est aussi celui qui, aux yeux de la postérité, l'a fait passer pour un sceptique; il est d'ailleurs caractéristique des procédés de raisonnement propres à son auteur. Le titre indique bien la nature de ce traité : le oui et le non, le pour et le contre; à propos d'un certain nombre de questions — cent cinquante-huit exactement — intéressant la foi ou le dogme, Abélard dresse un catalogue méthodique des contradictions que l'on peut relever dans l'Ecriture sainte et chez ses commentateurs les plus qualifiés, les Pères et docteurs de l'Eglise — tous ceux que l'on désigne alors sous le nom d'« autorités » parce que, effectivement, ils font autorité en matière de foi. Le *Sic et non,* c'est la raison confrontant les autorités : position d'une hardiesse indéniable. On comprend qu'Abélard ait soulevé l'enthousiasme chez ses élèves : rien en lui du commentateur médiocre mettant son habileté à éviter les situations embarrassantes; lorsqu'il s'agit d'élucider une question, il ne laisse rien dans l'ombre, il ne fuit aucune contradiction. Or, si parmi les questions soulevées il en est d'assez banales, la plupart sont ce qu'on appellerait des questions brûlantes; elles portent sur la foi et demeurent valables pour le croyant de tous les temps; ou encore sur des préoccupations majeures dans l'Eglise au XIIe siècle. Il suffira de citer la première et la plus significative de ces questions : « Que la foi doive être fondée sur des raisons humaines — et le contraire. » Suit une liste de citations : celles qui établissent que le fondement de la foi échappe aux preuves rationnelles, et celles qui, en revanche, montrent que le fidèle peut et doit se servir de sa raison dans la démonstration des vérités révélées.

L'ouvrage ainsi compris pourrait effectivement être l'œuvre d'un sceptique, s'amusant à échafauder tour à tour des arguments « pour » et des arguments « contre » sans autre but que de les annuler les uns par les autres. L'intention d'Abélard est très différente. Il s'en est largement expliqué dans le prologue du *Sic et non* : son œuvre est celle d'un chercheur qui fait usage de la dialectique pour parvenir à une vérité positive; il veut montrer que, sur une même question, les divers textes sont contraires, mais non contradictoires : au lieu de s'annuler, ils dégagent divers aspects, et l'effort du logicien consistera à analyser ce qui les oppose pour triompher de cette opposition : « Comme, dans une telle multitude de textes, certaines paroles des saints paraissent non seulement diverger l'une de l'autre, mais même s'opposer l'une à l'autre..., il nous faut croire, eu égard à notre faiblesse, que la grâce nous manque pour les comprendre plutôt qu'elle ne leur a manqué, à eux, pour les écrire. » Et d'ébaucher toute une méthode qui ouvre la voie à la critique des textes telle qu'on la comprend de nos jours : les différences peuvent être superficielles, elles peuvent provenir des divers sens que revêt un même terme, elles peuvent être l'effet d'une simple faute de copiste, d'un manuscrit altéré par négligence ou par ignorance; mais leur cause peut être aussi plus profonde : ainsi, il arrive — et ce fut le cas pour saint Augustin — que, d'un ouvrage à l'autre, l'auteur ait précisé et développé sa pensée, au point que deux textes différents représentent, en réalité, deux étapes dans sa progression vers la vérité. Ou encore, les divergences viennent de ce que, à propos d'une même question, tel texte fait allusion à la règle, tel autre à l'exception. Lorsque les oppositions semblent irréductibles, il faut établir une hiérarchie entre les textes de façon à retenir de préférence celui qui se présente avec la plus haute autorité. Pour finir, Abélard proclame qu'un seul texte est totalement exempt d'erreur : la Bible : « Là, si quelque chose paraît absurde, il n'est pas permis de dire : l'auteur de ce livre n'a pas connu la vérité; mais c'est que, ou bien le manuscrit est fautif, ou bien le traducteur s'est trompé, ou bien c'est toi-même qui ne comprends pas. »

Un tel ouvrage représente, dans l'histoire de la pensée critique, une étape capitale. Il témoigne d'une pensée exigeante et dédaigneuse de la facilité, d'un grand souci de rigueur dans l'analyse, d'une infatigable ardeur aussi : « La première clef de la sagesse, dit-il, c'est l'interrogation assidue et fréquente... c'est en doutant que nous en venons à la recherche, en cherchant que nous percevons la vérité[37]. » Un tel programme est bien fait pour passionner une jeunesse exigeante dans sa quête de vérité et dédaigneuse des fausses prudences, celles qui, de crainte de mettre en péril une vérité reconnue, s'accommodent de rapprochements artificiels ou de commentaires évasifs.

Le *Sic et non* posait les bases d'une méthode qui sera celle de toute la philosophie scolastique; Abélard n'a pas créé cette méthode, mais il lui a donné son assise rationnelle; il a, comme on l'a fait remarquer, « posé la loi technique de toute la spéculation médiévale en philosophie et en théologie[38]. » Les divers traités de Thomas d'Aquin aligneront de même, symétriquement, les opinions divergentes sur un même sujet pour tirer, d'apparentes contradictions, une conclusion positive. Tout l'appareil scolaire est désormais fondé : la lecture, l'étude qui aboutit à dégager le sens profond d'un texte — ce que l'on appelle alors la sentence, *sententia* — cela grâce à la discussion, *disputatio,* qui analyse, compare, met en question afin de dégager ce sens dans sa plénitude. On mesure l'influence profonde qu'exerce notre philosophe lorsqu'on voit certaines des questions qu'il a ainsi posées passer à peu près sans modifications dans des livres qui seront autant de manuels classiques de l'étudiant médiéval, par exemple, le livre des *Sentences* de Pierre Lombard; ainsi sa question 2, laquelle touchait une matière d'importance capitale pour le croyant puisqu'il s'agit de la définition même de la foi : « Que la foi s'applique seulement aux choses non apparentes — et le contraire[39]. » Abélard accumule les textes qui établissent le domaine de la foi : *fides est de non visis,* la foi s'applique aux choses invisibles; et sa démonstration, reprise ensuite chez tous les scolastiques, aboutit à reconnaître qu'en ce qui concerne les phénomènes tombant sous le sens, ou les vérités pouvant être atteintes par la seule force de la raison, il n'est pas question de foi, mais simplement de connaissance rationnelle; la foi, elle, traite précisément de ce qui échappe aux sens et de ce que la raison, laissée à elle-même, n'aurait pu percevoir : « Autre chose est de comprendre ou croire, autre de connaître ou de percevoir de façon manifeste; la foi est une acceptation de choses non apparentes, la connaissance une expérience des choses en elles-mêmes du fait qu'elles nous sont présentes[40]. »

Mais Abélard, dans son ouvrage, ne concluait pas. Il posait les termes contraires sans établir de synthèse. Son œuvre ne devait être parachevée et porter ses fruits que, nous l'avons vu, bien après lui. Aussi le *Sic et non* pouvait-il le faire passer pour suspect aux yeux de ses contemporains. En ce qui nous concerne, c'est sans doute, de tous ses ouvrages, celui qui nous permet le mieux d'apprécier cette pensée toujours en mouvement, cette attitude d'interrogation assidue qui était la sienne; maître toujours en recherche, il devait être fascinant pour la jeunesse qui l'écoutait et qu'il entraînait à cette méthode qu'il appelle l'inquisition permanente. Inquisition : le terme est chargé pour nous d'un trop lourd passif pour ne pas nous faire sursauter; mais il faut éliminer son sens juridique, celui qui évoque une institution née au XIIIe siècle, en 1233, dans des circonstances historiques bien déterminées, pour retrouver chez Abélard le sens originel du terme, celui qui est familier aux esprits pendant toute la période féodale : enquête, interrogation, recherche.

Considérée sous cet angle et à travers les développements auxquels elle donnera lieu au cours des siècles, la pensée d'Abélard, telle qu'on la dégage de ses diverses œuvres, apparaît dans toute son importance; il est bien l'un des pères de la scolastique, et, par conséquent, de ces méthodes de connaissance rationnelle qui marqueront si fortement l'évolution de la pensée occidentale, au point d'être exclusives de toute autre forme de connaissance; c'est toujours dans cette même ligne, celle de la pensée aristotélicienne, que Descartes donnera une nouvelle impulsion à cette évolution en plaçant, au départ de sa méthode, non plus même la recherche ou l'interrogation, mais le doute, et en ramenant la vérité à l'évidence (ce qui se voit de l'extérieur). Mouvement de pensée d'une prodigieuse fécondité; il était réservé à notre xxᵉ siècle d'en déceler les failles et les limites, d'une part grâce aux découvertes de la psychologie des profondeurs, laquelle menace de façon inquiétante l'entière confiance accordée jadis à la raison raisonnante, et, d'autre part, à cause du développement scientifique lui-même, lequel conduit à reconnaître que l'usage de l'imagination, par exemple, peut être utile même à l'homme de science, puisque les instruments d'investigation dont il dispose, et qui dépassent tout ce qui a été connu jusqu'à présent dans l'histoire du monde, lui font pressentir des domaines qui se situent encore au-delà de ses capacités d'analyse et d'observation.

*

Abélard, une fois levée la condamnation qui pesait sur lui, avait donc, après un court séjour à Saint-Médard de Soissons, regagné son abbaye de Saint-Denis. Sans plaisir aucun, il faut bien le dire. « J'y retrouvais, dans presque tous les frères, d'anciens ennemis[41]. » Il est hors de doute que la plupart d'entre eux menaient une vie peu conforme à la règle, hors de doute aussi qu'Abélard n'était pas fait pour la vie commune. Tôt ou tard, un conflit devait éclater; c'est ce qui arriva au bout de quelques mois à peine. L'occasion nous en paraît bien anodine. « Un jour, dans une lecture, je tombai sur un passage de l'*Exposition des Actes des Apôtres* de Bède où cet auteur prétend que Denys l'Aréopagite était évêque de Corinthe, non d'Athènes. Cette opinion contrariait vivement les moines de Saint-Denis qui se flattent que le fondateur de leur ordre, Denys, soit précisément l'Aréopagite. » Avec cet instinct très sûr qu'il possédait pour se faire des ennemis, Abélard avait mis le doigt sur une vieille plaie mal fermée dont l'origine remontait aux temps carolingiens. Trois siècles auparavant, en effet, l'abbé Hilduin, chapelain de Louis le Pieux, qui avait gouverné l'abbaye pendant plus de quarante ans (814-855), s'était employé à prouver l'identité de trois personnages : ce Denys, membre de l'Aréopage, qui avait été, selon les *Actes des Apôtres*, converti par saint Paul; le premier évangélisateur de la région parisienne dont les restes reposaient sous le maître-autel de l'abbaye, enfin l'auteur des *Hiérarchies célestes* — personnage passablement mystérieux qu'aujourd'hui encore on appelle, faute de mieux, le pseudo-Denys; le plus ancien manuscrit de son œuvre parvenu en Occident avait été déposé à l'abbaye et c'est cet abbé Hilduin qui l'avait traduit du grec en latin. Mais ses capacités d'historien étaient évidemment au-dessous de sa science de linguiste. La tentative qui consistait à assimiler les trois personnages avait été contestée de son vivant. Les moines de Saint-Denis n'en étaient que plus acharnés à la défendre. C'est une époque où l'on éprouve très fortement la fierté de ses origines, et le trait est d'ailleurs commun à tous les temps, le nôtre n'étant pas excepté : il suffit de constater la place que tiennent les recherches généalogiques dans les services d'archives, entreprises ou sollicitées par des gens animés du désir, au demeurant très légitime, de connaître leur lignée. A l'époque d'Abélard, ce même souci est fortement vécu tant par les particuliers que par les divers groupes ou institutions, et il se traduit de façons très diverses : par le soin avec lequel les abbayes tiennent leurs annales, mais aussi par l'insistance avec laquelle les orfèvres déclarent devoir leurs statuts à saint Eloi lui-même, et les cordonniers à saint Crépin; ne verra-t-on pas certains monastères aller jusqu'à fabriquer de fausses chartes pour prouver qu'ils tiennent leurs privilèges de Charlemagne, voire de Clovis ?

Mettre en question Denys l'Aréopagite dans l'abbaye

de Saint-Denis, c'était chercher la tempête. Elle se déchaîna aussitôt :

« Je communiquai à quelques frères qui m'entouraient le passage de Bède qui nous était opposé. Aussitôt, transportés d'indignation, ils s'écrièrent que Bède était un imposteur, qu'ils tenaient pour plus digne de foi le témoignage d'Hilduin, leur abbé, qui avait longtemps parcouru la Grèce entière pour vérifier le fait et qui, après en avoir reconnu l'exactitude, avait péremptoirement levé les doutes dans son histoire de Denys l'Aréopagite. » Sommé de dire qui avait, à son avis, plus d'autorité en la matière, de Bède ou d'Hilduin, Abélard aggrave son cas en se déclarant pour Bède! Ce fut un beau tumulte dans le monastère : « Enflammés de fureur, ils commencèrent à crier que je venais de prouver manifestement que j'avais toujours été le fléau du monastère et que j'étais traître au pays tout entier auquel je voulais enlever une gloire qui lui était particulièrement chère en niant que l'Aréopagite fût leur patron. » On s'empressa d'en instruire l'abbé, qui prit fort mal la querelle : « Devant tous les frères assemblés, il me fit de sévères menaces, déclarant qu'il allait immédiatement m'envoyer au roi pour qu'il me punît comme un homme qui avait attenté à la gloire du royaume et porté la main sur sa couronne. Puis il recommanda de me surveiller jusqu'à ce qu'il m'ait remis entre les mains du roi. »

A la lettre, une affaire d'Etat : Abélard avait mis en doute ce qu'en notre temps nous nommerions une gloire nationale. On n'en serait pas moins surpris de voir le roi intervenir sur une aussi mince affaire si l'on ne savait ce qu'est la royauté au temps d'Abélard. Louis VI n'exerce un pouvoir réel que sur l'étendue de son domaine, lequel s'étire péniblement entre Orléans et Senlis, avec Paris où il ne possède que le Palais; sur le reste du royaume, il ne détient guère qu'une suzeraineté toute morale sur des seigneurs féodaux dont la plupart jouissent de droits et de revenus bien supérieurs aux siens; mais, en contrepartie, ce roi prend personnellement part à tout ce qui concerne son fief, et Saint-Denis fait partie de ce fief. C'est même, entre toutes les abbayes qui s'élèvent sur le domaine royal, celle qui jouit de sa sollicitude — la perle de sa couronne. Il y a passé la plus grande partie de son enfance et déclare à qui veut l'entendre que c'est là qu'il souhaite mourir. Aussi l'abbé n'aura-t-il pas de peine, vraisemblablement, à le convaincre de sévir contre Abélard : un homme dont la vie scandaleuse a déjà défrayé la chronique, qui s'est fait condamner pour hérésie et qui, à présent, porte ombrage à la réputation de l'abbaye royale, ce qui est presque un crime de lèse-majesté.

Abélard jugea préférable de ne pas attendre le verdict royal. Avec l'aide de quelques frères émus de pitié, il s'évada la nuit suivante et vint se réfugier sur les terres du comte Thibaud de Champagne. C'était là qu'il avait enseigné auparavant, en ce prieuré de Maisoncelles-en-Brie qu'il n'avait dû quitter qu'en raison de sa condamnation au concile de Soissons. Il y reçut un accueil favorable. « Le comte lui-même m'était un peu connu. Il n'ignorait pas mes malheurs et il y compatissait. » Abélard séjourna d'abord au château même de Provins, dans cet ancien palais des comtes de Champagne dont il reste aujourd'hui encore quelques vestiges proches de l'église Saint-Quiriace (une salle aujourd'hui souterraine avec une partie de la chapelle romane), et que dominait déjà le donjon auquel la fantaisie des temps classiques, qui transforma en « murs romains » tant de nos murailles médiévales, a donné le nom de « Tour de César ».

A supposer que le roi Louis VI eût réellement gardé rancune au philosophe d'avoir porté ombrage à la gloire de Saint-Denis, Thibaud de Champagne ne courait guère de risque en lui donnant asile. N'était-il pas l'un de ces vassaux beaucoup plus riches et plus puissants que le roi, leur suzerain? Par le jeu compliqué des héritages et des alliances, les territoires qu'il allait peu à peu recueillir enserreraient littéralement le chétif domaine royal. Il contrôlait non seulement la Champagne, c'est-à-dire les comtés de Troyes et de Meaux, allant des bords de l'Aisne jusqu'à l'Armançon, mais aussi les comtés de Blois et de Chartres, dont sa mère venait précisément, l'an 1122, de se dessaisir en prenant le voile à l'abbaye de Marcigny; c'était la fameuse comtesse Adèle de Blois, la propre fille de Guillaume le Conquérant, l'une de ces énergiques personnalités féminines comme on en rencontre tant à l'époque. Chantée par la plupart des poètes de son temps : Baudry de Bourgueil, Geoffroy de Reims, Hildebert de Lavardin, elle avait assumé à peu près seule l'administration de son domaine durant les deux absences successives de son époux, Etienne, parti pour la croisade avec Godefroy de Bouillon et retourné une seconde fois en Terre sainte où il était mort. Thibaud, au moment où il recueillait cette succession, demeurait sous le choc d'un événement qui avait assombri toute sa famille — c'est-à-dire à la fois la cour d'Angleterre et celle de Champagne et Blois : le naufrage, en 1120, de la *Blanche-Nef*, auquel il avait assisté impuissant au côté de son oncle, le roi d'Angleterre Henri Ier. Toute la fleur de la jeune noblesse anglo-normande y avait péri par suite d'une erreur de manœuvre, le navire ayant heurté un récif; entre autres, la sœur de Thibaud, Mathilde, mariée au comte Richard de Chester, et ses deux cousins, Guillaume et Richard, héritiers présomptifs du trône d'Angleterre. Cette tragédie avait produit sur lui un tel effet que, quelque temps, il avait résolu de quitter le monde et suivre l'exemple de sa mère en entrant au couvent. Le chanoine Norbert, fondateur de Prémontré, auquel il s'ouvrit de son intention, l'en dissuada : il devait rester dans le siècle et donner l'exemple de ce que peut faire, à la tête d'un domaine seigneurial, un baron épris de justice et de piété. Effectivement, Thibaud devait donner, durant les trente années pendant lesquelles il administra son vaste domaine, l'exemple d'un prince pieux, bienfaisant, attentif aux miséreux qu'il visitait, dit-on, personnellement. On raconte qu'il allait chaque jour laver les pieds d'un lépreux qui vivait dans une cabane en face de son château, quand il y résidait; un jour, revenu après une longue absence, il alla visiter le pauvre hère et lui rendit le service accoutumé. Or, quand on le vit sortir de la cabane, les voisins s'étonnèrent, car le lépreux était mort depuis longtemps. Thibaud apprit ainsi qu'il avait lavé les pieds de de Notre-Seigneur Lui-Même, lequel avait pris la place du miséreux. Ces anecdotes, et beaucoup d'autres du même genre, circulèrent sur son compte après sa mort.

Au moment où Abélard lui demanda asile, Thibaud se trouvait donc lui-même en pleine crise religieuse. Il s'empressa de lui offrir l'hospitalité, et il devait intervenir quelques semaines plus tard personnellement auprès de l'abbé Adam de Saint-Denis. Entre-temps, Abélard avait été reçu au prieuré de Saint-Ayoul qui dépendait de la chartreuse de Moutiers-la-Celle, près de Troyes. Le prieur, qui avait été autrefois en relation avec lui, lui témoignait beaucoup d'amitié, mais il fallait régler de façon définitive la retraite du philosophe. Abélard comptait sur l'intervention du comte de Champagne pour obtenir l'autorisation de se retirer dans telle retraite qui lui conviendrait. Mais le comte comme le prieur se heurtèrent à une aveugle obstination de la part de l'abbé Adam et des moines qui l'accompagnaient. « Ils se dirent que mon intention était de passer dans une autre abbaye, ce qui serait pour eux un affront immense. En effet, ils considéraient comme un titre de gloire que j'eusse choisi leur couvent de préférence à tous les autres et ils disaient que ce serait pour eux un très grand déshonneur que je les abandonne pour passer chez d'autres. » Situation compliquée, comme on le voit. Abélard est un titre de gloire dont ils n'entendent pas se passer, mais aussi un gêneur qu'ils ne peuvent supporter. Sans écouter prières ni raisonnement, l'abbé menaça de l'excommunier s'il ne réintégrait son abbaye et agita la même menace à l'endroit du prieur de Saint-Ayoul s'il persistait à lui donner asile.

Chacun se trouvait donc dans la plus grande perplexité quand très opportunément cet abbé Adam, revenu à Saint-Denis, mourut quelques jours plus tard, le 11 janvier 1122; le 12 mars suivant, Suger fut élu pour le remplacer à la tête de l'abbaye. Abélard, comprenant que sa situation devait être au plus tôt réglée, s'adressa successivement à l'évêque de Meaux, puis au favori royal, Etienne de Garlande, et obtint, après l'intervention du comte de Champagne, celle du roi lui-même. Un accord fut conclu en présence de Louis VI et de ses conseillers. « On m'accorda la permission de prendre la retraite de mon choix à la condition que je ne me placerais sous la dépendance d'aucune abbaye. » Abélard demeurait moine, mais, rattaché nominalement à Saint-Denis, il était libre de se retirer où il voudrait.

La protection du comte de Champagne était trop précieuse pour qu'il songeât à s'établir ailleurs qu'en son domaine. « Je me retirai donc sur le territoire de Troyes dans une solitude qui m'était connue et, quelques personnes m'ayant fait don d'un morceau de terrain, j'élevai, avec le consentement de l'évêque du diocèse, une sorte d'oratoire de roseaux et de chaume que je plaçai sous l'invocation de la Sainte-Trinité[42]. »

*

La retraite de Maître Pierre date de 1122. Il ne s'est donc guère écoulé plus de quatre ans depuis le moment où Abélard est devenu l'amant d'Héloïse, inaugurant par là, sans le savoir, l'« histoire de ses calamités ». Du sommet de la gloire au comble de l'humiliation, tel aura été le cycle parcouru en ces quatre années. Il avait atteint le but que s'étaient proposé ses ambitions, comme enseignant en obtenant la chaire qu'il convoitait, comme homme en obtenant l'amour qu'il souhaitait; et successivement , il s'était vu réduit à la pire extrémité, contraint de « crier merci », suivant l'expression du temps, de renoncer à être un homme et de brûler lui-même ce qu'il avait enseigné.

Le terrain sur lequel il s'installe se situe à cinq ou six

kilomètres au sud de Nogent-sur-Seine. C'est une plaine quelque peu marécageuse aujourd'hui encore, sur les bords de l'Ardusson, la petite rivière qui parcourt une région à peine plus accidentée que la plaine champenoise proprement dite : un coin de campagne française assez banal, mais non sans charme avec ses peupliers, ses touffes de roseaux et quelques faibles ondulations marquant le cours indécis de la rivière.

Une phase nouvelle s'ouvre dans la vie du philosophe pourchassé : il parvient enfin à la paix, à la solitude que les tempêtes des années précédentes lui ont fait entrevoir comme la grâce suprême, à lui qui a tant désiré la gloire, les honneurs, les succès. « Là, caché avec un de mes amis, je pouvais véritablement m'écrier avec le Seigneur : Voilà que je me suis éloigné par la fuite et je me suis arrêté dans la solitude. »

La solitude. Pétrarque, qui entretint, par-delà les temps, une sorte d'amitié spirituelle avec Abélard, inscrivit en grosses lettres le mot *solitudo* dans la marge du manuscrit de la *Lettre à un ami* qui lui appartenait. On peut avec lui rêver longtemps, comme dut le faire Abélard lui-même, sur cette conquête du silence que lui facilitaient les champs, les bois déserts, les bords marécageux de l'Ardusson.

Mais non, Abélard ne pouvait demeurer longtemps solitaire. La solitude est totalement incompatible avec sa nature profonde, qui est, nous l'avons vu, celle du maître, de l'enseignant; il lui faut l'entourage, le milieu vital que constitue pour lui la foule des disciples. Souhaitait-il vraiment la solitude ? Il pouvait être excédé de ses semblables après les douloureux conflits du concile de Soissons; ou encore fuir la vie commune avec des moines sur lesquels ses exhortations n'avaient pas de prise; mais la solitude en elle-même n'avait pas de sens pour lui. Et c'est allégrement que, dans la *Lettre à un ami,* il passe sans transition à la suite du récit, qui montre la foule des étudiants envahissant le désert de l'Ardusson. « Ma retraite ne fut pas plutôt connue que les disciples affluèrent de toutes parts, abandonnant villes et châteaux pour habiter une solitude, quittant de vaste demeures pour de petites cabanes qu'ils se construisaient de leurs mains, des mets délicats pour des herbes sauvages et un pain grossier, des lits moelleux pour le chaume et la mousse, des tables pour des bancs de gazon. » A travers ces complaisantes antithèses, il faut évoquer une réalité, car, effectivement, c'est toute une petite cité qui s'élève bientôt sur les bords de l'Ardusson. Notre époque peut assez facilement s'en faire une idée puisqu'elle voit revivre aussi bien la vie de plein air sous toutes ses formes, que ces affluences de jeunes gens qui vont en groupe suivre une session, faire une retraite ou prendre part à un camp de travail auprès d'un monastère bénédictin comme auprès d'un kibboutz. On peut donc, sans trop d'effort, imaginer ce campement de cabanes de roseaux ou de pisé couvertes de chaume, dans lesquelles trouve asile toute une population de jeunes, avides d'écouter la parole de Maître Pierre. Il ne pouvait pas se priver plus longtemps d'enseigner, et, d'ailleurs, au besoin, le manque de ressources l'y eût contraint. Reprenant les termes de la parabole évangélique, il déclare : « Je n'avais pas la force de labourer la terre et je rougissais de mendier. » Il rouvre donc une école. Ses élèves, en échange de l'enseignement qu'il leur dispense, s'ingénient à lui fournir tout le nécessaire. On les voit construire, cultiver quelque bout de terrain, pourvoir en provisions la petite communauté qu'ils constituent et, bientôt, se lancer dans des constructions plus hardies, car l'oratoire qu'Abélard a construit de ses propres mains ne leur suffit plus. Ils élèvent une véritable chapelle, construite « en dur » : pierre et bois, et c'est alors, au moment où il consacre l'édifice, qu'Abélard lui donne pour nom : le Paraclet. N'y avait-il pas trouvé le refuge, la consolation, le don même de l'Esprit saint ?

En dehors du récit que nous fait Abélard lui-même, nous n'avons aucune description de l'école du Paraclet.

Seul un petit poème, d'ailleurs charmant dans sa forme, évoque pour nous la jeunesse turbulente qui se presse autour d'Abélard. C'est un étudiant anglais nommé Hilaire qui déplore, non sans humour, que le maître ait interrompu ses leçons : il a été averti par un valet que quelques-uns des écoliers se livraient à des désordres et, indigné, il a suspendu ses cours.

> *Par la faute de ce détestable lourdaud*
> *Le maître a fermé son école...*
> *Hé! qu'il nous fut cruel ce messager*
> *Disant : Frères, sortez d'ici,*
> *Allez-vous-en habiter Quingey*
> *Sinon le moine ne « lira » plus pour vous.*

Et le refrain vient, en français, scander chaque strophe : « Tort a vers nous le maître[43] » — le maître à tort envers nous. Hilaire se demande ce qu'il va faire :

> *Pourquoi hésites-tu?*
> *Pourquoi ne t'en vas-tu pas habiter en ville?*
> *Ce qui te retient, c'est que les jours sont courts,*
> *Le chemin long et ton propre poids te pèse.*

Et de se répandre en lamentations sur la source de la logique qui a cessé de couler, les étudiants altérés de savoir qui restent sur leur soif, et le spectacle désolant qu'offre l'oratoire devenu un « ploratoire ».

L'épisode fut-il sans lendemain ? Eut-il, au contraire, une influence déterminante sur la décision qu'allait prendre Abélard de quitter le Paraclet ? Ce milieu des étudiants était, alors comme aujourd'hui, un milieu agité. Les conditions dans lesquelles ils se trouvaient, au Paraclet, n'étaient pas faites pour maintenir une exacte discipline. Le premier élan passé, il dut y avoir bien des beuveries dans ces campements de fortune, bien des ébats suspects dans ces cabanes de roseaux — fruits de faciles conquêtes parmi les filles des paysans des environs. Abélard aura voulu tout au moins dégager sa responsabilité en obligeant ses étudiants à trouver au village des logements décents. Lui-même ne souffle mot de l'épisode.

On retrouve un peu plus tard l'Anglais Hilaire terminant ses études à Angers. Car l'enseignement donné au Paraclet dure peu. Pourquoi au juste? Abélard ne s'exprime qu'assez vaguement à ce sujet. A l'entendre, son succès attisait de nouveau la jalousie de ceux qu'il appelle « ses rivaux » — sans doute ses anciens condisciples Albéric et Lotulfe. « Plus l'affluence (des étudiants) était considérable, plus les privations qu'ils s'imposaient conformément aux prescriptions de mon enseignement étaient rigoureuses, plus mes rivaux y envisageaient de gloire pour moi et de honte pour eux. Après avoir tout fait pour me nuire, ils souffraient de voir la chose tourner à mon avantage... » « Tout le monde est allé après lui... nos persécutions n'ont rien fait, nous n'avons réussi qu'à augmenter sa gloire. Nous voulions éteindre l'éclat de son nom, nous l'avons fait resplendir. »

On perçoit un écho des rivalités entre l'enseignement d'Abélard et celui d'Albéric de Reims dans un poème du temps, dû à Hugues Primat, qui fut un clerc et un « goliard » fameux à l'époque; il vante l'école de Reims, laquelle ne retentit pas, comme tant d'autres, du bruit des disputes et des arguments des dialecticiens, mais est l'asile de la science sacrée; on n'y trouve :

> *...ni les sept arts de Marcien*
> *ni les volumes de Priscien,*
> *ni les vains écrits des poètes,*
> *mais les arcanes des prophètes.*
> *Là, on ne lit pas les poètes,*
> *on lit saint Jean et les prophètes.*
> *On n'y enseigne vanité,*
> *mais doctrine de vérité.*
> *Socrate n'y est invoqué,*
> *mais l'éternelle Trinité.*

Il s'attaque en revanche à Abélard; non que celui-ci soit nommé; mais il le désigne assez clairement si l'on sait que le surnom qu'il lui donne, Gnathon, est celui du parasite dans l'*Eunuque* de Térence :

> *O vous, assoiffés de doctrine*
> *qui à la source êtes venus*
> *pour entendre le Christ Jésus,*
> *écouterez-vous ce larron ?*
> *dans cette sainte réunion*
> *écouterez-vous ce Gnathon ?*
> *digne de rire et de mépris*
> *as-tu osé siéger ici ?*
> *retourne-t'en à ta cuculle*
> *reprends l'habit qui t'a vêtu...*[44]

Le ton est suffisamment vif pour qu'on ne puisse douter de la violence des attaques menées contre Abélard. Celui-ci accuse Albéric et Lotulfe d'avoir éveillé contre lui la méfiance, puis l'animosité de deux personnages qu'il ne nomme pas, mais dans lesquels il est aisé de reconnaître deux personnalités dont l'influence est alors dans tout son éclat : « L'un d'eux se vantait d'avoir fait revivre les principes des chanoines réguliers; l'autre, ceux des moines[45]. » Il s'agit, sans doute possible, de Norbert, le fondateur de Prémontré, et de Bernard de Clairvaux.

Et ici, il devient de plus en plus difficile d'accepter, tel qu'il se présente, le récit d'Abélard et d'adopter son point de vue. Si l'on peut à la rigueur, et faute de pouvoir mieux les contrôler, tenir pour valables ses opinions concernant un Anselme de Laon ou un Guillaume de Champeaux, il n'est pas possible d'en faire autant lorsqu'il résume en ces termes l'œuvre d'un Norbert ou d'un Bernard : l'un et l'autre ont, incontestablement, fait autre chose que « se vanter »; ils ont accompli les réformes que leur temps réclamait, l'un en ramenant à la vie communautaire le clergé des cathédrales et des paroisses, l'autre en faisant revivre avec une rigueur nouvelle la règle de saint Benoît. L'influence qu'ils ont exercée n'est pas à démontrer, leur sainteté non plus. Abélard se met lui même en fâcheuse posture lorsque, à leur propos, il parle de « vantardise » et qu'il ajoute : « Ces hommes, dans leurs prédications à travers le monde, me déchirant sans pudeur de toutes leurs forces, parvinrent à exciter momentanément contre moi le mépris de certaines puissances ecclésiastiques et séculières et, à force de débiter tant sur ma foi que sur ma vie des choses monstrueuses, ils réussirent à détacher de moi quelques-uns de mes principaux amis. Quant à ceux qui me conservaient quelque affection, ils n'osaient plus me la témoigner. »

Autrement dit, ses malheurs sont le résultat d'une campagne de calomnies. En quoi de tels soupçons sont-ils fondés ? Nous n'en voyons pas trace dans ce qui subsiste aujourd'hui des sermons ou des lettres tant de Norbert que de Bernard. Tout au plus a-t-on pu supposer que le traité de Bernard adressé à Hugues de Saint-Victor, intitulé *De baptismo*, relevait des erreurs attribuées à Abélard, sans que celui-ci y fût nommé. Il est vrai que l'œuvre tant de Norbert que de Bernard ne nous est certainement pas parvenue tout entière et que les biographes ont pu passer sous silence, volontairement ou non, certains épisodes de leur vie.

Mais on peut se demander aussi dans quelle mesure Abélard n'est pas victime de lui-même. Il y a sans conteste chez lui quelque instabilité — et aussi une méfiance, croissante avec l'âge, envers ses semblables. Ses malheurs lui ont donné le goût du malheur et comme il demeure, en dépit de sa convertion, fixé sur lui-même, il en vient facilement à voir dans les autres des ennemis. On suit du reste le progrès de cette sorte d'hypocondrie à travers les chapitres de la *Lettre à un ami* — car, si l'on peut suspecter ses jugements sur autrui, on est toujours frappé de l'admirable lucidité avec laquelle il s'analyse lui-même. Déjà, lorsqu'il s'enfuit de Saint-Denis, il déclare qu'il s'imaginait, dans son désespoir, « que l'univers entier conspirait contre lui[46]. » C'est ce qui lui arrive de nouveau au Paraclet : « Dieu m'en est témoin, je n'apprenais pas la convocation d'une assemblée d'ecclésiastiques sans penser qu'elle avait ma condamnation pour objet. » Le souvenir du concile de Soissons suffisait, certes, à justifier semblables soupçons, mais peut-être aussi sa propre tournure d'esprit contribuait-elle à installer en lui cette sorte de crainte qui tournait à la manie de la persécution; on peut se demander si, moins préoccupé de sa propre personne, il n'eût pas plus aisément triomphé de ses appréhensions.

Toujours est-il que, fondées ou non, ses craintes furent assez fortes pour lui faire quitter le Paraclet. Lui-même nous détaille d'une façon poignante les projets quelque peu extravagants que faisait naître chez lui l'angoisse : « Souvent, Dieu le sait, je tombais dans un tel désespoir que je songeais à quitter les pays chrétiens pour passer chez les infidèles et à acheter, au prix d'un tribut quelconque, le droit de vivre chrétiennement parmi les ennemis du Christ. Je me disais que les païens me feraient d'autant meilleur accueil que l'accusation dont j'étais l'objet les mettrait en doute sur mes sentiments chrétiens, et qu'ils en concevraient l'espérance de me convertir aisément à leur idolâtrie[47]. »

Sur ces entrefaites, une nouvelle surprenante lui parvient : les moines d'une lointaine abbaye, située en Bretagne, dans l'évêché de Vannes, l'ont élu pour abbé. Il s'agissait de Saint-Gildas-de-Rhuys, laquelle n'était pas fort éloignée du lieu même d'origine d'Abélard. Peut-être cette circonstance, s'ajoutant à la célébrité dont il jouissait, avait-elle guidé le choix des moines. Toujours est-il qu'Abélard semble avoir acquiescé à cet appel avec empressement, accablé, dit-il, par les vexations qu'on lui prodiguait. Peut-être son école lui donnait-elle plus de soucis qu'il ne veut bien le dire. Peut-être aussi n'a-t-il pas été médiocrement flatté à l'idée de régenter une abbaye : par là il devenait canoniquement l'égal de Suger à Saint-Denis ou de Bernard à Clairvaux. Hélas ! ses espoirs allaient se heurter à de dures réalités : « Une terre barbare, une langue inconnue, une population brutale et sauvage et, chez les moines, des habitudes de vie notoirement rebelles à tout frein[48]. »

Saint-Gildas est aujourd'hui, en été, un lieu de villégiature aimable où des foules d'estivants se pressent autour du très beau sanctuaire qui a conservé, de l'époque d'Abélard, son austère architecture et ses magnifiques chapiteaux, tels, probablement, qu'il les a vus. Mais, dans la solitude et les tempêtes de l'hiver, on retrouve sans peine cette impression d'éloignement, de « fin de la terre » qu'évoque la lettre d'Abélard, dans ce paysage ras, à peine boisé, où les rochers épars le long du rivage semblent témoigner d'âges millénaires et de la lente et inexorable montée de l'Océan. La Bretagne qui, de nos jours encore, tranche si fortement sur toutes les autres régions de France et garde pour nous son caractère de singularité, faisait, ou peu s'en faut, au XIIe siècle, l'effet d'une région sauvage et inaccessible. L'autorité du suzerain — ce sera bientôt le frère du roi d'Angleterre, Henri Plantagenêt, puis son fils — demeurera, sur les seigneurs locaux, plus ou moins théorique. Pourtant, les monastères y sont nombreux, et l'art roman s'y épanouit jusque dans ce granit si rebelle au ciseau du tailleur de pierre. Mais il est hors de doute que le mouvement de réforme n'a encore touché que les franges du pays breton : la région de Nantes et ses environs.

L'arrivée d'Abélard à Saint-Gildas a donné lieu à une anecdote qu'on racontait encore au siècle suivant[49]. Une fois parvenu dans la région, Abélard aurait laissé à l'étape précédente ses chevaux et son bagage personnel pour s'acheminer à pied vers le monastère, vêtu d'une pauvre chape; on l'aurait reçu sans ménagement aucun et fait coucher à l'hôtellerie au milieu des ribauds et vagabonds de passage auxquels tout monastère donnait alors asile. Le lendemain, il revint, mais cette fois en grand attirail, avec chevaux et valets; on s'empressa autour de lui et, comme il convenait à sa dignité d'abbé, il fut introduit dans la salle capitulaire où se rassemblèrent aussitôt ses moines. Et là, il commença par leur faire honte, leur disant que, si le Christ était venu à eux pauvre et pieds nus, il eût été mal reçu; leur bonne hospitalité ne s'adressait pas au personnage, mais à ses vêtements, ses chevaux et ses bagages. L'auteur qui nous a transmis ce récit, Etienne de Bourbon, vivait une centaine d'années après Abélard et il se peut que son historiette ne soit pas de pure fantaisie. Elle traduit cependant le zèle de réformateur dont Abélard était animé et qui aura suffisamment fait partie du personnage pour passer dans son folklore.

Or, rarement ce zèle aura eu meilleure occasion de s'exercer qu'à l'abbaye de Saint-Gildas-de-Rhuys. « Le seigneur du pays, qui avait un pouvoir sans limites, profitant du désordre qui régnait dans le monastère, avait depuis longtemps réduit l'abbaye sous son joug. Il s'était approprié toutes les terres domaniales et faisait peser sur les moines des exactions plus lourdes que celles mêmes dont les juifs étaient accablés. Les moines m'obsédaient pour leurs besoins journaliers, car la communauté ne possédait rien que je pusse distribuer, et chacun prenait sur son propre patrimoine pour se soutenir, lui et sa concubine et ses fils et ses filles. Non contents de me tourmenter, ils volaient et emportaient tout ce qu'ils pouvaient prendre, pour me créer des embarras et me forcer, soit à relâcher les règles de la discipline, soit à me retirer. Toute la horde de la contrée étant également sans loi ni frein, il n'était personne dont je pusse réclamer l'aide. Aucun rapport dé vie entre eux et moi. Au-dehors, le seigneur et ses gardes ne cessaient de m'écraser; au-dedans, les frères me tendaient perpétuellement des pièges. » Tableau effarant qu'Abélard dramatise peut-être, mais qui peut avoir été exact. On y voit, avec un siècle de retard, ce qui s'était passé dans bon nombre d'abbayes, de paroisses ou de chapitres avant la réforme grégorienne :

mainmise du pouvoir local sur les biens du clergé et, ce qui est plus grave, sur ce clergé lui-même, qui dépend du caprice du châtelain. L'Eglise a traversé ainsi, à la fin des temps carolingiens, une période de crise profonde, aggravée encore, au Xe siècle, par la situation catastrophique d'une papauté en pleine décadence morale, tombée entre les mains de la famille romaine des Théophylacte, qui faisaient des papes à leur fantaisie. La réforme de Cluny avait marqué un premier pas et, le réveil religieux s'accentuant, les papes du XIe siècle, stimulés par ce moine Hildebrand qui allait devenir lui-même le pape Grégoire VII, allaient peu à peu libérer l'Eglise de cette hypothèque que faisait peser sur elle le pouvoir séculier distribuant à sa guise les bénéfices ecclésiastiques, nommant le clergé des paroisses et régentant les abbayes. En Bretagne, selon toute apparence, le mouvement de réforme ne s'est pas encore répercuté au moment où Abélard prend possession de sa charge d'abbé. Les moines mènent une vie déréglée, les fantaisies du seigneur local font la loi, tout est à réformer, au spirituel comme au temporel.

Comme à Saint-Denis, Abélard, qui possède cette fois pleine autorité pour se faire entendre, va tenter d'instaurer une vie régulière un peu plus conforme à l'idéal monastique. Mais s'il a le zèle du réformateur, il n'en a pas l'étoffe. Il est surprenant de penser qu'à la même date, Suger accomplissait, dans son abbaye, la réforme qu'Abélard lui-même eût souhaitée, et cela, sur l'exhortation de Bernard de Clairvaux. Abélard, lui, n'en a pas la force. « Quelles angoisses me torturaient nuit et jour, corps et âme, quand je me représentais l'indiscipline des moines que j'avais entrepris de gouverner, personne ne l'ignore. Tenter de les ramener à la vie régulière à laquelle ils s'étaient engagés, c'était jouer mon existence, je ne me faisais aucune illusion. D'autre part, ne pas faire, en vue d'une réforme, tout ce que je pouvais, c'était appeler sur ma tête la damnation éternelle. » Il eût fallu ici un homme d'action; or, Abélard était plus doué pour parler que pour agir. Quelques passages de sa lettre font vivement sentir l'impression terrifiante qui est la sienne dans ce pays étranger, éloigné de tout ce qui a fait jusqu'alors son entourage familier de disciples et d'élèves avec lesquels on discute, on raisonne, on enseigne; et cela, dans un cadre sauvage, en complet contraste avec les paysages harmonieux d'Ile-de-France ou de Champagne : « Sur le rivage de l'Océan aux voix effrayantes, relégué aux extrémités d'une terre qui m'interdisait toute possibilité de fuir plus loin. » Fuir, c'est désormais son seul désir, et cela n'est pas fait pour calmer son instabilité naturelle. Ce n'est plus la solitude des bords de l'Ardusson, c'est l'isolement. Et l'isolement dans une nature grandiose, mais hostile, pour laquelle il n'est pas taillé, lui, l'homme des villes et des écoles.

Or une occasion de fuir allait lui être donnée.

*

Abélard résidait à Saint-Gildas depuis deux ou trois ans probablement (élu en 1125, il n'a, vraisemblablement, rejoint son abbaye qu'après quelques mois), lorsque lui parvinrent d'inquiétantes nouvelles : Héloïse et ses compagnes avaient été chassées d'Argenteuil et se trouvaient dispersées entre diverses abbayes.

Que s'était-il passé au juste ? Les historiens ont enregistré le fait sans parvenir à en élucider les causes de façon bien satisfaisante. Le monastère d'Argenteuil, lors de sa fondation au temps de Pépin le Bref, avait dépendu de l'abbaye de Saint-Denis. Sous Charlemagne, il en avait été détaché pour devenir un couvent de religieuses dont l'abbesse était la fille de l'empereur, Théodrade; il avait été spécifié qu'après la mort de celle-ci, le prieuré d'Argenteuil reviendrait à l'abbaye royale, et l'abbé Hilduin, dont il a déjà été question, avait fait confirmer cette promesse de retour par le fils de l'empereur, Louis le Débonnaire, dont il était le chapelain. Cependant, Argenteuil était demeuré aux mains de ses abbesses successives; c'était donc depuis quelque trois cents ans un monastère de femmes lorsque Suger fut élu abbé de Saint-Denis. Il a raconté lui-même comment, dans sa jeunesse, il compulsait avec ardeur les chartes du monastère et s'étonnait des irrégularités et des négligences que l'étude des documents mettait en évidence. Une fois placé à la tête de Saint-Denis, il allait déployer un zèle d'administrateur averti autant qu'avide pour faire valoir les droits et privilèges dont son abbaye avait été frustrée sous ses précécesseurs; lui-même a consigné, dans un ouvrage parvenu jusqu'à nous[50], les résultats de son activité, notant avec fierté que tel terroir qui, précédemment, rapportait 6 muids de blé, en rapporte aujourd'hui 15, qu'à Vaucresson, qui était un lieu inculte, repaire de brigands, il a fait défricher le sol à la charrue, a fait construire fermes, église et maisons, et que l'endroit abrite aujourd'hui 60 hôtes, ou familles de paysans nouvellement installées, etc. Or, constatant que le prieuré d'Argenteuil avait autrefois fait partie des biens de l'abbaye, il s'était empressé d'en faire état et d'adresser à Rome des messagers porteurs des anciennes chartes de fondation pour faire valoir ses droits auprès du pape Honorius et réclamer à ce sujet une enquête canonique.

Tout cela resterait assez simple si les termes d'une charte, datée de l'an 1129, et dressée par le légat du pape, Matthieu d'Albano, ne venaient jeter un jour trouble sur toute l'affaire. « Récemment, dit le texte, en présence du très haut seigneur roi de France, Louis, avec nos frères les évêques Renaud, archevêque de Reims, Etienne, évêque de Paris, Geoffroy, évêque de Chartres, Gozlin, évêque de Soissons et d'autres en grand nombre, nous agitions à Paris la question de la réforme de l'ordre sacré (entendons : la réforme des monastères) à travers les diverses abbayes de la Gaule dans lesquelles le zèle s'était refroidi; soudain, dans l'assemblée générale, une clameur s'éleva touchant le scandale et l'infamie d'un monastère de moniales appelé

Argenteuil dans lequel un petit nombre de religieuses se conduisait de façon infâme pour la honte de leur ordre et avait depuis longtemps souillé tout le voisinage par leur comportement impur et scandaleux. »

Bien entendu, Suger exhiba aussitôt les titres de Saint-Denis sur le prieuré, et, sur-le-champ, il fut décidé que l'abbaye royale rentrerait en sa possession, que les religieuses en seraient expulsées et qu'elles seraient remplacées par des moines. Une bulle pontificale vint plus tard ratifier cette restitution; elle précisait qu'il incomberait à l'abbé Suger de veiller à ce que les moniales chassées d'Argenteuil fussent placées dans des couvents de bonne réputation « de peur, disait le pape, que l'une d'entre elles ne s'égarât et pérît par sa faute ».

Ainsi, les religieuses d'Argenteuil étaient expulsées à la suite d'une accusation infamante, et cette accusation est d'autant plus grave, en ce qui concerne notre récit, qu'Héloïse est alors prieure d'Argenteuil et que, par conséquent, elle exerce dans le monastère la charge la plus haute après celle d'abbesse. Si donc elle n'a pas partagé les désordres dont le monastère se trouve incriminé, du moins y a-t-elle une part de responsabilité. Et certes, la coïncidence est un peu trop frappante entre cette accusation inopinée et les revendications de Suger pour qu'on puisse l'accepter sans réserve. Mais d'autre part — et la chose est troublante pour nous — on ne voit pas que cette accusation ait été contestée. Pas même par Abélard. Lui qui se révèle toujours prêt à protester contre la calomnie, qui n'a pas craint de stigmatiser ouvertement les désordres de l'abbaye royale au temps où il y vivait, ne souffle mot de ces scandales d'Argenteuil qui sont venus servir très opportunément les visées de Suger. Héloïse n'y fera pas davantage allusion, et de tels silences sur une question aussi grave sont pour nous matière à réflexion. La *Lettre à un ami* énonce simplement : « Il arriva que l'abbé de Saint-Denis, ayant réclamé et obtenu comme une annexe autrefois soumise à juridiction l'abbaye d'Argenteuil dans laquelle ma sœur en Jésus-Christ, plutôt que mon épouse, avait pris l'habit, expulsa violemment la congrégation des religieuses dont elle était prieure. »

Donc, nous ne saurons jamais sans doute le vrai et le faux de ces accusations. Tout au plus peut-on dire que la conduite d'Héloïse et les sentiments que manifeste sa correspondance la mettent, elle, au-dessus de tout soupçon.

En ce qui concerne Abélard, une seule préoccupation s'imposait : Héloïse était désormais errante, sans abri. Or, depuis qu'il se trouvait à Saint-Gildas, une pensée le tourmentait. Son oratoire du Paraclet demeurait vide et désert : « L'extrême pauvreté de l'endroit suffisait à peine à l'entretien d'un desservant. » Une solution lui était providentiellement offerte. Voyant Héloïse et ses compagnes « dispersées de tous côtés par l'exil, je compris que c'était une occasion qui m'était offerte par le Seigneur pour assurer le service de mon oratoire. J'y retournai donc, j'invitai Héloïse à venir avec les religieuses de sa communauté et, lorsqu'elles furent arrivées, je leur fis donation entière de l'oratoire et de ses dépendances, donation dont, avec l'assentiment et par l'intervention de l'évêque du diocèse, le pape Innocent II leur confirma le privilège à perpétuité pour elles et pour celles qui leur succéderaient. »

Etienne Gilson a, pour commenter ce don d'Abélard à Héloïse, des pages magnifiques : « On citerait aisément vingt moments plus tragiques dans sa douloureuse carrière, mais je ne suis pas sûr, écrit-il, que l'on puisse en trouver un qui soit plus profondément émouvant... Il n'a plus rien au monde que le misérable coin de terre qu'un bienfaiteur lui a donné, et ce pauvre oratoire et ces quelques cabanes que les disciples ont bâties pour lui. Dès qu'il sait Héloïse errante et sans abri, il accourt du fond de la Bretagne, et ce peu qu'il avait, il le lui donne en propriété absolue et d'une donation irrévocable, geste dont on ose à peine suggérer quelle richesse de sentiments, les plus beaux et cette fois les plus purs, il recèle[51]. » Il y révèle, en effet, « l'amour du prêtre pour son église », la charité de l'abbé bénédictin pour une sœur en Jésus-Christ et, aussi, la tendresse de l'époux pour l'épouse.

Et voilà que ce geste de pure générosité lui ouvre une perspective bienheureuse : va-t-il, lui, l'errant, le pourchassé, trouver enfin le « lieu de son repos » ? Pourquoi ne pas demeurer au Paraclet ? Pourquoi ne deviendrait-il pas l'abbé de ce nouveau monastère dont l'abbesse est sa femme devant Dieu ? Parvenu au tournant de la cinquantaine, Abélard voit se profiler devant lui les années de vieillesse; ses ambitions de jadis, il a dû les sacrifier, aussi brutalement que les jouissances physiques. Partout il s'est heurté à l'hostilité de ses semblables, à la persécution, à l'incompréhension :

> On attribue aux sages un esprit inhumain,
> Incapable qu'on est de savoir ce que souffre leur
> [cœur [52].

Pis encore : sa vie est un échec, « stérile pour lui comme pour les autres »; la preuve en est son incapacité à exercer la moindre influence sur ces moines de Saint-Gildas dont il est l'abbé. Mais ici, au Paraclet, dans cette fondation qui est son œuvre propre, dans cet oratoire qu'il a fait surgir parmi les roseaux, pourquoi ne pas exercer sa fonction de prêtre, d'abbé, d'enseignant ? Trouver enfin l'accueil et l'auditoire dont il a besoin, oublier les détresses passées en s'installant au milieu d'une congrégation qui lui doit de survivre ?

La complaisance avec laquelle Abélard développe ce projet dans la Lettre à un ami [53] atteste qu'il s'agit d'un rêve longuement caressé. Les bonnes raisons ne lui manquent pas : avant tout, le devoir de subvenir, matériellement, aux besoins d'une communauté qui a grand-peine à vivre dans cette solitude : « ... tous les voisins me blâmaient vivement de ne pas faire ce que je pouvais, ce que je devais, pour venir en aide à la misère du couvent, quand, par la prédication, la chose m'était si facile ». Saint Jérôme n'en avait-il pas fait autant, lorsqu'il avait installé, à Bethléem, Paule et ses compagnes ? Et les apôtres, et le Christ lui-même, n'avaient-ils pas des femmes avec eux, qui les assistaient dans leur prédication et prenaient part à leurs travaux apostoliques ? Le sexe faible ne peut se passer de l'aide du sexe fort. Et d'ailleurs, n'est-il pas, lui, Abélard, à l'abri de tout soupçon ? Eunuque, comme Origène, ne peut-il, comme lui, se consacrer à l'instruction de ces femmes qui ont trouvé refuge au Paraclet grâce à lui ? « Ne pouvant plus faire de bien parmi les moines, peut-être pourrais-je en accomplir un peu pour elles ? »

On ne sait au juste pourquoi Abélard fut contraint de regagner Saint-Gildas. Lui-même ne désigne que vaguement « les ennemis » dont « les insinuations malveillantes » l'obligèrent à renoncer à son rêve, à s'arracher à cette terre des bords de l'Ardusson, doublement chère à son cœur désormais.

« Ce que le pur esprit de charité me poussait à faire, mes ennemis, avec leur malignité accoutumée, le tournaient à mal ignominieusement. On voyait bien, disaient-ils, que j'étais encore dominé par l'attrait des plaisirs charnels, puisque je ne pouvais supporter l'absence de la femme que j'avais aimée. » On serait tenté de rappeler ici la lettre de Roscelin l'accusant d'apporter à Héloïse le « prix du stupre d'autrefois »; mais il est peu vraisemblable que Roscelin eût été encore en vie en 1131; et sa lettre est visiblement antérieure à la première condamnation d'Abélard qui eut lieu dix ans plus tôt.

Peut-être y eut-il un rappel de l'évêque de Troyes, dont dépendait le Paraclet. Ou peut-être de l'évêque de Vannes, dont dépendait Saint-Gildas. Ou peut-être, de lui-même, Abélard eut-il conscience que ses visites risquaient de nuire à la communauté naissante. Toujours est-il qu'il dut, la mort dans l'âme, reprendre le chemin de la Bretagne. Mais son œuvre, remarquons-le, allait lui survivre. Le geste de générosité qui l'avait inspirée devait même se révéler fécond au-delà de toute espérance, car l'abbaye du Paraclet ainsi fondée allait traverser les siècles et subsister jusqu'à la Révolution. Ce n'est qu'en 1792 que, les religieuses ayant été dispersées, le couvent fut vendu et sa démolition commencée par les acheteurs successifs de biens nationaux (le domestique du curé de l'endroit, puis un notaire, puis un fripier parisien). Entre-temps, l'abbaye avait suivi le sort commun des couvents aux XVIIe et XVIIIe siècles; devenue un peu le patrimoine de la famille de La Rochefoucauld qui lui fournissait traditionnellement ses abbesses depuis l'installation, en 1599, de Marie de La Rochefoucauld de Chaumont, elle connaissait la décadence à peu près totale qui est celle des couvents et, en général, de la vie monastique aux XVIIe et XVIIIe siècles. Il reste que le Paraclet, fondation d'Abélard, est, avec la *Correspondance,* sa réussite la plus sûre, la moins contestée. Ses écrits philosophiques ont été condamnés; en dépit de l'influence qu'ils exercèrent, ils demeurent peu connus; aucun d'entre eux n'a été traduit; son œuvre poétique, en partie perdue, n'est appréciée que par les rares érudits qui l'ont étudiée. Alors que, pendant six cents ans, après sa mort, les moniales se sont succédé au Paraclet, vivant, nous le verrons, la règle qu'il leur avait donnée, chantant les hymnes qu'il avait composées pour elles.

Mais, de cette réussite, Abélard ne devait voir que les prémices. Sa part à lui, c'était l'échec — l'échec inexorable, amplifié encore par son aptitude à dramatiser sa propre existence.

Il regagna Saint-Gildas. L'abbaye ne s'était pas améliorée en son absence, au contraire; les moines sont de véritables forcenés, qui ne reculent pas, s'il faut l'en croire, devant les tentatives d'assassinat :

« Combien de fois n'ont-ils pas tenté de m'empoisonner, comme on l'a fait pour saint Benoît... Comme je me tenais en garde de leurs tentatives en surveillant autant que je le pouvais ce qu'on me donnait à manger et à boire, ils essayèrent de m'empoisonner pendant le sacrifice, en jetant une substance vénéneuse dans le calice. Un autre jour, comme j'étais venu à Nantes visiter le comte malade, et que j'étais logé chez l'un de mes frères selon la chair, ils voulurent se défaire de moi à l'aide du poison par l'un des serviteurs de ma suite, comptant sans doute que j'étais moins en éveil contre cette sorte de machination; mais le ciel voulut que je ne touchasse pas aux aliments qui m'avaient été préparés. Un moine que j'avais amené de l'abbaye avec moi et qui en avait mangé par ignorance mourut sur-le-champ; le frère servant, épouvanté par le témoignage de sa conscience, non moins que par l'évidence du fait, prit la fuite. »

Pour comble de malheur, au cours d'un de ses déplacements (il raconte lui-même qu'il résidait le moins possible dans l'abbaye proprement dite, et demeurait dans des prieurés avec un petit nombre de frères qui lui étaient fidèles), Abélard tomba de cheval et se brisa les vertèbres du cou; accident dont il mit longtemps à se rétablir. Il tenta de contraindre les plus dangereux de ces moines à quitter l'abbaye. Sur ses instances, l'ami de toujours, Geoffroy de Lèves, l'évêque de Chartres, fut désigné comme légat par le pape Innocent II pour l'aider à rétablir l'ordre. Cependant, dit-il, les moines « ne se tinrent pas en repos; tout récemment, après l'expulsion de ceux dont j'ai parlé, j'étais revenu à l'abbaye, m'abandonnant aux autres qui m'inspiraient moins de défiance : je les trouvai encore pires. Ce n'était plus de poison qu'il s'agissait; c'était le fer qu'ils aiguisaient contre mon sein. J'eus grand-peine à leur échapper, sous la conduite d'un des puissants du pays ».

Ici s'arrête la *Lettre à un ami*; Abélard termine sur quelques considérations inspirées de l'Ecriture et aussi de saint Jérôme, « dont je me regarde, dit-il, comme l'héritier pour les calomnies et la haine. Le chrétien ne peut espérer vivre sans persécutions : sachons donc supporter les épreuves avec d'autant plus de confiance qu'elles sont plus injustes... il n'est rien que la souveraine bonté de Dieu laisse accomplir en dehors de l'ordre providentiel, et tout ce qui arrive contrairement à cet ordre, il se charge lui-même de le ramener à bonne fin ». Aussi exhorte-t-il l'ami en question à suivre son exemple et à dire « non seulement de bouche, mais de cœur : Que Ta volonté soit faite ».

HÉLOISE

Parce continuis
deprecor lamentis
nec, qua vincularis,
legem amoris
nimium queraris.

« Fais trêve, je t'en prie
Aux plaintes éternelles;
Cesse de regretter
Les entraves d'amour
Dont tu fus enchaîné[1]1. »

« La lettre que vous avez, mon ami, adressée à un ami pour le consoler, le hasard l'a fait venir dernièrement jusqu'à moi... Je doute que personne puisse lire ou entendre sans pleurer le récit de telles épreuves. Pour moi, il a renouvelé mes douleurs avec d'autant plus de violence que le détail en était plus exact et plus expressif. »

Ainsi s'exprime Héloïse. La *Lettre à un ami* est tombée « par hasard » entre ses mains. A l'époque, les textes circulent comme circuleront plus tard les imprimés : on en fait lecture entre amis, on en prend copie; la rapidité de leur diffusion nous surprend souvent. La *Lettre* a dû être diffusée assez vite dans les milieux lettrés, dans les écoles et les monastères. Du reste, n'était-elle pas destinée, dans l'esprit d'Abélard, à ranimer un peu l'attention sur sa personne ? On l'a suggéré et c'est vraisemblable. Il était alors retiré, peut-être dans sa famille, et préparait sa rentrée à Paris où on le verra enseigner de nouveau sur la Montagne Sainte-Geneviève, s'étant sans doute démis entre-temps du peu désirable abbatiat de Saint-Gildas.

Or, sans le savoir, en se penchant sur l'histoire de sa propre vie, il avait touché une corde qui devait longuement vibrer. Cette *Lettre à un ami* allait provoquer une réponse déroutante pour son destinataire : et c'est la première lettre d'Héloïse, début de leur correspondance.

Pour la seconde fois, dans cette histoire, on perçoit la voix d'Héloïse. La première fois, on s'en souvient, celle-ci s'était élevée, de façon complètement inattendue, contre le projet de mariage entre elle et Abélard. Cette fois, son intervention est tout autre : c'est un cri de douleur et d'indignation; c'est la revendication de la femme qui entend tenir sa place auprès de son époux, fût-ce pour partager ses souffrances, et n'admet pas de se trouver reléguée hors du circuit de sa vie et de ses préoccupations; c'est, enfin, la douleur de l'amante passionnée qui n'a pas accepté le dénouement imposé à des amours dont le souvenir, après des années, fait encore la trame même de sa vie quotidienne.

La lettre d'Abélard était un récit, celle d'Héloïse est un cri, jeté avec une violence qui, aujourd'hui encore, émeut le lecteur en dépit des siècles, des expressions d'un autre temps et des traductions approximatives. Cri de douleur d'abord devant les souffrances d'Abélard : « Les persécutions dirigées contre vous par vos maîtres, les derniers outrages lâchement infligés à votre corps, l'odieuse jalousie et l'acharnement passionné dont vos condisciples Albéric de Reims et Lotulfe de Lombardie vous ont poursuivi »; et aussi l'humiliation du concile de Soissons, les persécutions subies tant à Saint-Denis que, plus tard, au Paraclet; et enfin, pour couronner le tout, les violences de « ces méchants moines que vous appelez vos enfants ». Au récit de telles détresses, c'est tout le « petit troupeau » du Paraclet qui s'est ému et qui, désormais, tremble, s'attendant chaque jour à recevoir la nouvelle de la mort de celui qui fut leur bienfaiteur et leur père spirituel. Mais à ce sentiment de compassion se mêle une stupeur non moins douloureuse : ainsi, que soit fictif ou non l'ami inconnu auquel il a retracé la suite de ses malheurs, Abélard a fait pour lui ou pour le public ce geste qu'Héloïse eût pu légitimement attendre pour elle-même, écrire une lettre! Elle s'est sentie blessée au plus profond d'elle-même à lire une lettre d'Abélard qui ne lui était pas destinée. Et sa propre missive n'aura pas d'autre objet que de réclamer pour elle ce qu'il a fait pour d'autres : quoi qu'il lui arrive, elle entend « partager ses peines et ses joies », soit pour alléger son fardeau s'il en est accablé, soit pour apprendre que, selon son expression, « la tempête s'est calmée ».

Et la logicienne reparaît pour tenter de convaincre — car, autant qu'un cri de passion, sa lettre est un magnifique et ardent plaidoyer.

Comme on peut s'y attendre, c'est par l'Antiquité qu'elle commence : « Combien sont agréables à recevoir les lettres d'un ami absent, Sénèque nous l'enseigne par son propre exemple », et de citer la *Lettre à Lucilius*.

Or, Abélard a répondu au désir d'un ami, acquittant envers lui la dette de l'amitié : n'a-t-il pas des raisons autrement profondes de répondre au désir qu'elle exprime, elle? Et d'abord, au nom de ses compagnes : « Elle est bien plus pressante, l'obligation que vous avez contractée envers nous, car nous sommes non des amies, mais les plus dévouées des amies, non des compagnes, mais des filles; oui, c'est le nom qui nous convient, à moins qu'il s'en puisse imaginer un qui soit plus tendre et plus sacré. »

Tel est l'argument qu'elle développe, d'abord avec une prudence singulière : elle et ses compagnes occupent une fondation qui est l'œuvre propre d'Abélard. Il l'a littéralement fait surgir du sol en une « solitude jadis fréquentée seulement par des bêtes féroces et des brigands, qui n'avait jamais connu d'habitation humaine, jamais vu de maison ». Les quelques religieuses qui y vivent aujourd'hui de façon bien précaire ne doivent rien qu'à lui-même. A lui de « cultiver cette vigne » qu'il a plantée de ses mains, au lieu de gaspiller en pure perte son temps devant des moines indociles et rebelles : « Vous vous donnez à des ennemis, pensez à ce que vous devez à vos filles. »

Enfin — et ici elle se dévoile; la logicienne cède la place à l'épouse — n'a-t-il pas une dette à acquitter envers elle-même, Héloïse ? Le ton ici devient sublime, reproches et effusions mêlés — le langage même de l'amour. « Vous ne l'ignorez pas, l'obligation qui vous lie envers moi, le sacrement du mariage, nous enchaîne l'un à l'autre : nœud d'autant plus étroit pour vous que je vous ai toujours aimé à la face du ciel et de la terre d'un amour sans bornes... » « C'est vous, vous, seul sujet de mes souffrances, qui pouvez seul en être le consolateur. Unique objet de ma tristesse, il n'est que vous qui puissiez me rendre la joie ou m'apporter quelque soulagement[2]. »

Et de rappeler ici, reprenant en contrepoint la lettre d'Abélard, les circonstances de leur union. Après la version masculine, voici le même événement tel que l'a vécu une femme, et il faut bien y reconnaître une densité, une profondeur auxquelles le récit d'Abélard est loin d'atteindre. C'est qu'en cet amour il s'est recherché lui-même, alors qu'Héloïse, d'emblée, s'est dépassée elle-même; elle est « celle qui s'est donnée exclusivement à vous[3] ». La vivacité de ses impressions est telle que c'est à sa lettre plutôt qu'à celle d'Abélard qu'il nous a bien fallu emprunter le récit des événements. Il est impossible de dire mieux qu'elle ne l'a fait ce qu'a été dans sa vie l'apparition du maître, du philosophe, dont la renommée égalait celle d'un roi, dont le talent poétique et musical éclipsait celui de tous les contempo-

158

rains, dont la beauté physique et la vaste intelligence faisaient un être hors de pair et, pour les femmes, l'image même du séducteur. « De quels sentiments j'ai toujours été animée pour vous, vous qui en aviez fait l'épreuve, vous pouvez seul en juger. » Et Héloïse reprend ses premiers reproches avec une véhémence accrue, car le ton de la lettre, maintenu d'abord dans l'argumentation, atteint ici à la passion : « Dites-moi seulement, si vous le pouvez, pourquoi, après notre commune entrée en religion que vous seul avez décidée, je suis tombée en tel délaissement et en tel oubli que je n'ai ni ta présence ni ta parole pour retremper mon courage, ni lettre de toi pour consoler mon absence. Dites-le-moi, je le répète, si vous le pouvez, ou je dirai, moi, ce que je pense et ce qui est sur les lèvres de tout le monde. C'est la concupiscence plutôt que la tendresse qui vous a attaché à moi, c'est l'ardeur des sens plutôt que l'amour, et voilà pourquoi, vos désirs une fois éteints, toutes les démonstrations qu'ils inspiraient se sont évanouies avec eux. »

Et de ce reproche, le plus cruel qu'il fût possible d'adresser à Abélard en tant qu'homme, en tant que mari ou amant, elle en revient à la tendresse : « Considérez, je vous en supplie, ce que je demande, c'est si peu de chose et chose si facile; si votre présence m'est dérobée, que la tendresse de votre langage — une lettre vous coûte si peu — me rende du moins la douceur de votre image[4]. » Ce serait suprême habileté si ce n'était suprêmement féminin. Et, certes, on a quelque mal à imaginer que les lignes qui suivent émanent d'une religieuse, d'une abbesse, vouée à la chasteté perpétuelle : « (Mon cœur) ne peut être nulle part sans vous, mais faites qu'il soit bien avec vous, je vous en supplie; et il sera bien avec vous s'il vous trouve bienveillant, si vous lui rendez amour pour amour, peu pour beaucoup, des mots pour des choses[5]. »

Il semble pourtant qu'en écrivant ces mots, Héloïse

ait eu conscience de la distance que son voile, sa consécration et celle d'Abélard mettaient entre eux, car la
conclusion de sa lettre la ramène à invoquer Dieu; or,
cette invocation même sera l'occasion d'un trait d'habileté féminine : « Au nom donc de Celui auquel vous
vous êtes consacré, au nom de Dieu même, je vous en
supplie, rendez-moi votre présence autant qu'il est possible en m'envoyant quelques lignes de consolation; si
vous ne le faites à cause de moi, faites-le du moins pour
que, puisant dans votre langage des forces nouvelles, je
vaque avec plus de ferveur au service de Dieu[6]. »

Pour Abélard, le choc dut être violent. Pendant des
années, il avait poursuivi une voie solitaire, celle ou à
peu près qui avait été la sienne avant la rencontre d'Héloïse. Il avait mené la vie du penseur isolé, celle du
moine; et ce dernier terme avait repris pour lui son
sens étymologique, car, tant à Saint-Denis qu'à Saint-
Gildas, il s'était trouvé seul, incapable de s'intégrer aux
autres. La lettre d'Héloïse le replaçait en pleine « dialectique du couple ». Il avait, certes, prouvé, de la façon la
plus concrète et la plus généreuse, sa sollicitude envers
elle par le don du Paraclet. Il avait même envisagé quelque temps d'y demeurer lui-même, remplissant auprès
de celle qui avait été son épouse un rôle de père et de
prêtre — le seul qui lui fût permis désormais. Et ce
n'était pas un mince sacrifice pour lui que d'y avoir
renoncé. Mais voilà que, sans le vouloir, il avait lui-
même provoqué l'explosion d'un sentiment qu'il ne
connaissait plus pour sa part : un amour débordant,
passionné, sans limites. La lettre d'Héloïse lui révélait
brusquement un abîme de souffrances : toutes ces
années de silence vécues sous le voile de la religieuse
sans défaut, que ses compagnes avaient pu juger digne
d'être nommée prieure, puis abbesse; toutes ces entrevues au Paraclet au cours desquelles Héloïse était
demeurée muette sur ce qui était son unique préoccupation; enfin, tous ces sentiments qui l'habitaient et sur
lesquels elle s'était tue : la douleur qu'elle avait éprouvée en voyant qu'Abélard lui faisait revêtir l'habit

monastique à elle, la première, après sa mutilation, comme s'il avait douté qu'elle fût toute à lui au moment même où, en tant que femme, elle n'avait plus rien à en espérer; et surtout ce caractère total, absolu, de l'amour qu'elle lui avait voué. Une distance tout à coup se manifestait entre eux, qu'il n'avait même pas soupçonnée : dans la voie de l'amour humain, comme il se sentait dépassé! Combien cette fidélité gardée jour après jour, ce cœur demeuré intact et neuf en dépit des brisures du passé et des sécheresses du présent l'emportaient sur ses réactions à lui, Abélard, préoccupé avant tout de son propre destin, de sa gloire perdue, des humiliations reçues, des détresses physiques endurées!

La lettre d'Héloïse, cri de la passion, était aussi une pressante invite à reprendre le duo, à retrouver, sur un autre plan, l'enlacement du couple. Ce quelque chose en elle qui demeurerait à jamais insatisfait, elle en faisait volontiers le sacrifice, et de même que, dans l'excès de son amour, elle eût préféré autrefois le nom d'amante, voire de concubine, à celui d'épouse, elle exigeait aujourd'hui ce à quoi lui donnait droit ce titre d'épouse, et que, faute de pouvoir lui manifester physiquement son amour, Abélard mît du moins ses yeux dans les siens, qu'à nouveau leurs regards se rencontrent. C'était son droit à elle qu'elle revendiquait, son droit d'épouse frustrée dont elle pouvait faire état en raison même de l'obéissance totale qu'elle avait manifestée envers l'époux.

Et de fait, le duo allait reprendre, mais sur un plan tout autre que celui qu'Héloïse escomptait. Car Abélard, qui s'était montré en tant d'occasions faible et peu clairvoyant, sut cette fois faire face à une situation qu'il n'avait pas prévue.

La lettre d'Héloïse était habile autant que passionnée. La réponse d'Abélard ne lui cède en rien; plus habile encore, elle tente d'orienter la passion dont il se sait l'objet vers cette voie qui est la sienne, car si Héloïse l'a dépassé sur les chemins de l'amour humain, lui-même la précède aujourd'hui dans la voie de l'amour divin.

Surpris, Abélard avoue l'avoir été. Il ne s'était pas attendu à cette explosion de passion que rien dans la conduite d'Héloïse ne lui avait laissé prévoir, et, si sensible fût-il aux hommages, si préoccupé de l'attention que pouvait provoquer sa propre personne, si attaché enfin à Héloïse, ce n'étaient pas des hommages, une attention, un attachement de cette sorte qu'il pouvait souhaiter. A lire sa réponse, on apprécie pleinement qui est Pierre Abélard en cette époque de sa vie et combien radicale a été, chez lui, l'acceptation de la souffrance et de l'humiliation : car ce n'est pas seulement le ton de l'homme à qui le plaisir est désormais interdit, mais, beaucoup plus, celui d'un être qui s'est mis résolument au service de Dieu.

Aussi bien n'y a-t-il pas l'ombre d'un reproche dans cette réponse. Abélard — et c'est ce qui fait sa grandeur — ne se place pas au niveau de la simple morale. Il ne joue pas la vertu offensée; il a compris que, sur le plan humain, la qualité de l'amour dont fait preuve Héloïse a de soi un prix suffisant pour pouvoir, au sens propre, être quelque jour *converti,* c'est-à-dire *tourné vers* Quelqu'un d'autre. Simplement, il croyait cette conversion déjà opérée.

« Si, depuis que nous avons quitté le siècle pour Dieu, je ne vous ai pas encore adressé un mot de consolation ou d'exhortation, ce n'est point à ma négligence qu'il en faut attribuer la cause, mais à votre sagesse, en laquelle j'ai toujours eu une confiance absolue. Je n'ai point cru qu'aucun de ces secours fût nécessaire à celle à qui Dieu a départi tous les dons de sa grâce, à celle qui, par ses paroles, par ses exemples, est capable elle-même d'éclairer les esprits troublés, de soutenir les cœurs faibles, de réchauffer ceux qui s'attiédissent[7]. » Ces quelques mots d'introduction suffisent à placer la correspondance sur un tout autre registre que celui de la lettre d'Héloïse : on pourrait parler de malentendu si,

162

précisément, chaque terme n'était soigneusement pesé, et l'effet, voulu. Ici se révèle ce qui fit le succès d'Abélard en tant que professeur, car c'est bien de sens pédagogique qu'il faut parler : le maître s'adresse au bon élève et, sachant ce qu'il en peut attendre, il s'adresse à ce que l'élève possède de meilleur en lui; ce n'est pas une semonce, mais une exhortation toute positive : qu'aurait fait Héloïse des lettres ou instructions d'Abélard, alors qu'elle-même se montre si zélée et si prudente dans ses entretiens avec les religieuses confiées à sa garde? Et Abélard, d'un mot, lui rappelle aussi bien son passé de prieure que son état présent d'abbesse. Ainsi se trouvent-ils l'un et l'autre, sans la moindre allusion à l'amant et l'amante de jadis, replacés en leur état réel et présent : elle, l'abbesse d'un couvent en fondation, lui, l'abbé d'un monastère, ne pouvant rien pour elle, que lui adresser des monitions d'ordre uniquement spirituel.

Mais comme Abélard a senti vivement quelle détresse révélait la missive d'Héloïse, ce préambule n'annonce pas une fin de non-recevoir : « Toutefois, ajoute-t-il, si votre humilité en jugeait autrement et si, même dans les choses qui regardaient le ciel, vous éprouviez le besoin d'avoir notre direction et nos conseils écrits, mandez-nous sur quel sujet vous voulez que je vous éclaire; je répondrai alors selon que le Seigneur m'en donnera le moyen[8]. » La situation se trouve ici entièrement redressée : si Héloïse réclame des lettres, c'est par humilité; ces lettres ne peuvent avoir pour objet que « les choses qui regardent le ciel » et les réponses, qu'il ne refuse pas de donner, lui, Abélard, ne pourront concerner que les sujets susceptibles de les intéresser l'un et l'autre désormais : ceux qui regardent leur vie intérieure. Aucune méprise n'est désormais possible, les deux registres différents sur lesquels joue la correspondance sont nettement donnés, comme les clefs sur une portée musicale.

La suite de la lettre serait à peu près inutile après un tel préambule si Abélard ne développait, toujours en ce même registre, les thèmes, particulièrement chers à Héloïse, de leurs mutuels rapports et des dangers auxquels sa personne était alors exposée : s'il est en péril, qu'elle prie pour lui, car elles sont bienvenues auprès de Dieu, « les prières des femmes pour ceux qui leur sont chers, et des épouses pour leurs époux ». Et d'énumérer ici les exemples tirés de la Bible qui montrent la force de la prière, capable de changer le cours des choses. L'une de ses références est particulièrement importante : celle de la fille de Jephté; l'histoire va inspirer à Abélard l'un de ses plus beaux poèmes, le *planctus* — plainte ou lamentation, ce qui deviendra *planh* dans la langue des troubadours — mis précisément dans la bouche de la fille de Jephté. On sait comment ce personnage de la Bible, « après avoir fait un vœur inspiré par la folie, l'exécuta plus follement encore et sacrifia sa fille unique[9] » : vainqueur dans un combat, il avait fait vœu d'offrir en sacrifice « celui qui sortirait des portes de sa maison à sa rencontre ». Or, c'est sa fille « qui sortit à sa rencontre avec des tambourins et des danses[10] ». Pour Héloïse comme pour Abélard, cette allusion au sacrifice d'un être bien-aimé, d'un être innocent, le dernier qu'on eût été disposé à sacrifier, était transparente. Aussi bien la retrouvera-t-on développée dans ce poème où se révèlent les dons qui le rendirent célèbre en son temps.

Développant ce thème de la puissance de la prière, Abélard montre ensuite que la prière d'une femme est de celles que Dieu écoute : « Vous n'avez qu'à parcourir l'Ancien et le Nouveau Testament, vous trouverez que les plus grands miracles de résurrection ont été accomplis presque exclusivement ou particulièrement sous les yeux des femmes et pour elles ou sur elles[11]. » Et de citer la veuve de Naïm, les deux sœurs de Lazare.

Enfin, après ces considérations générales, c'est à elle qu'il s'adresse : « A vous seule... à vous dont la sainteté est certainement très puissante auprès de Dieu et qui me devez la première votre secours dans les épreuves d'une si grande adversité[12]. » Ainsi, tout l'amour d'Héloïse devra être contenu et résumé dans cette prière qu'il requiert d'elle et qui est l'unique forme d'échange qu'ils peuvent désormais avoir entre eux. Sur quoi, il clôt la lettre en lui rappelant qu'au Paraclet elles avaient pris l'habitude, lorsqu'il y séjournait, de terminer les heures canoniales par une prière avec antienne et répons pour celui qui était leur fondateur. Et de donner le texte d'une autre pièce mieux adaptée aux circonstances présentes : « Ne m'abandonne pas, Seigneur, père et maître absolu de ma vie, de peur que je ne tombe devant mes adversaires, et que mon ennemi ne se réjouisse de ma perte... Préserve, Seigneur, ton serviteur qui espère en toi... » Enfin, il lui fait part de son vœu suprême au cas où il mourrait : « Que mon corps, qu'il ait été enterré ou abandonné, soit rapporté par vos soins, je vous en supplie, dans votre cimetière, afin que la vue habituelle de mon tombeau invite nos filles, que dis-je, nos épouses en Jésus-Christ, à répandre plus souvent pour moi leurs prières devant le Seigneur[13]. » L'invite à dépasser l'amour purement humain ne pouvait être plus complète : « Ce que je vous demande alors par-dessus toutes choses, c'est de reporter sur le salut de mon âme la sollicitude trop vive où vous jettent aujourd'hui les périls de mon corps. »

Telle est à ce propos la plainte familière de notre
                                            [Héloïse
qu'elle me dit et qu'elle se redit souvent à elle-même :
« Si je ne puis être sauvée sans le regret
Du péché commis jadis, aucun espoir pour moi.
Car les joies goûtées ensemble m'ont été si douces
qu'à leur souvenir je n'éprouve que plaisance[14]. »

    Sans doute, dans l'esprit d'Abélard, le dialogue était-il clos désormais. Lettre pour lettre, demande et réponse, il avait, avec une infinie délicatesse, redressé ce qu'une missive éperdue révélait de souffrance et de passion; le cri s'achevait en prière et il possédait assez d'empire sur l'âme d'Héloïse pour la convaincre d'observer fidèlement la ligne qu'il lui traçait. D'ailleurs, n'avait-il pas montré combien était précaire la vie même de celui qu'elle aimait, et orienté vers une perspective plus conforme aux réalités terrestres et célestes l'attention qu'elle portait à sa personne ?

Mais il n'avait pas pris garde que, ce faisant, il ne donnait que trop prétexte à de nouvelles alarmes, elles-mêmes source de nouveaux épanchements. L'échange ainsi déterminé va être si pressant, si décisif qu'on ne peut plus alors lire la lettre d'Héloïse sans tenir compte de la réponse qu'elle lui vaudra d'Abélard et réciproquement, car si, volontairement, les deux registres sont restés nettement distincts dans les *Lettres I et II*, ici, Abélard devra, bon gré mal gré, rejoindre le terrain d'Héloïse et accepter le duel à son niveau.

Héloïse commence par révéler une fois de plus son adresse, suprêmement féminine, en attaquant sur un point qui peut déconcerter le partenaire; elle est ici presque femme du monde; dominant avec aisance une situation en laquelle bien d'autres se seraient trouvées en difficulté, elle attaque sur une question de style épistolaire : « Je m'étonne, ô mon bien suprême, que, dérogeant aux règles du style épistolaire et même à l'ordre naturel des choses, vous ayez pris sur vous, dans le titre et la salutation de votre lettre, de mettre mon nom avant le vôtre, c'est-à-dire la femme avant l'homme, l'épouse avant le mari, la servante avant le maître, la religieuse avant le religieux et le prêtre, la diaconesse avant l'abbé[15]. »

Il est vrai, cette adresse en dissimule une autre : dans la succession d'antithèses, Héloïse se replace inlassablement face à Abélard, et cette posture d'humilité dont elle se réclame est encore une manière de revendication; quoi qu'il arrive, ils sont mari et femme; quoi qu'il arrive, ce niveau auquel Abélard a refusé de se placer est bien le leur. Abélard, du reste, ne se fera aucune illusion sur la signification réelle de cette protestation : « Relativement à la formule de salutation dont j'ai, dites-vous, renversé l'ordre, je n'ai fait, rendez-vous-en bien compte, que me conformer à votre pensée. N'est-il pas de règle commune, en effet, et ne dites-vous pas vous-même que lorsqu'on écrit à des supérieurs leurs noms doivent être placés les premiers ? Or, sachez-le bien, vous êtes ma supérieure, vous êtes devenue ma maîtresse en devenant l'épouse de mon Maître[16]. » Et ce premier point, d'apparence anodine, Abélard y répondra longuement, développant les images de l'Ecriture sur l'épouse du Christ. « Il est vrai, écrit-il, que ces paroles sont appliquées généralement à la description de l'âme contemplative qui est spécialement nommée l'épouse du Christ. Toutefois, l'habit même que vous portez témoigne qu'elles se rapportent encore plus expressément à vous-même[17]. » Et, reprenant une image qu'on trouve assez fréquemment dans les lettres et entretiens spirituels du temps, il s'écrie : « Heureux changement de lien conjugal : épouse naguère du plus misérable des hommes, vous avez été élevée à l'honneur de partager la couche du Roi des rois, et cet honneur insigne vous a mise au-dessus non seulement de votre premier époux, mais de tous les serviteurs de ce Roi. » Les images du *Cantique des cantiques* se pressent ici sous sa plume : pendant tout le xiie siècle, l'admirable poème biblique se retrouve à la base de tous les écrits traitant de la charité, de l'amour divin.

« Une autre chose, poursuivait Héloïse, nous a étonnée et émue. Votre lettre qui aurait dû nous apporter quelque consolation n'a fait qu'accroître notre douleur; la main qui devait essuyer nos larmes en a fait jaillir la source. Qui d'entre nous en effet aurait pu sans fondre en pleurs entendre le passage de la fin de votre lettre où vous dites : « S'il arrive que le Seigneur me livre « entre les mains de mes ennemis et que mes ennemis « triomphants me donnent la mort... » Epargnez-nous de telles paroles qui mettent le comble aux malheurs de femmes déjà si malheureuses, ne nous enlevez pas avant la mort ce qui fait toute notre vie. » A quoi Abélard répond : « Pourquoi donc me reprocher de vous avoir fait participer à mes angoisses, quand c'est vous qui, par vos sollicitations pressantes, m'y avez forcé! » Toute sa lettre est ainsi empreinte d'une certaine dureté, au moins apparente, visant à rectifier dans l'éclairage de la raison des effusions demeurées au niveau sentimental.

Le thème d'Héloïse était : Tu nous parles de ta mort, comme si nous pouvions te survivre! « Que jamais Dieu n'oublie ses humbles servantes au point de les faire survivre à votre perte! Que jamais Il ne nous laisse une vie qui serait plus insupportable que tous les genres de mort!... La seule pensée de votre mort est déjà pour nous une sorte de mort. » Et la réponse d'Abélard : « Dès le moment que vous ne sauriez plus trouver place pour moi dans votre bonheur, je ne vois pas pourquoi vous me souhaiteriez la prolongation d'une vie si misérable, plutôt que la mort qui serait une félicité... Quelles peines m'attendent hors de ce monde, je ne sais, mais je sais bien celles dont je serai affranchi... Si vous m'aimez véritablement, vous ne trouverez point mauvaise cette préoccupation. Bien plus, si vous avez quelque espérance dans la miséricorde divine envers moi, vous souhaiterez me voir affranchi des épreuves de cette vie avec d'autant plus d'ardeur que vous les voyez plus intolérables. »

C'est ici le dialogue de l'homme et de la femme, de la logique et du sentiment. Abélard s'y montre ferme, désireux d'affronter la situation face à face, répondant mot pour mot à des effusions qui l'irritent : « Trêve de ces mots qui nous percent le cœur comme des glaives de mort et qui nous font une agonie plus douloureuse que la mort même [18], s'était exclamée Héloïse. — Trêve, de grâce, à ces reproches, trêve à ces plaintes qui sont si loin de sortir des entrailles de la charité... », répond Abélard [19]. Héloïse a souhaité recevoir de ses nouvelles; elle se doit d'accepter que ces nouvelles puissent être mauvaises, de prendre part à ses douleurs comme à ses joies; elle ne peut, en revanche, souhaiter voir prolonger une vie vouée à d'insupportables souffrances. C'est ici le stoïcien qui parle.

Il ne tardera pas à céder la parole au théologien. Héloïse, en effet, dans sa lettre, a évoqué en termes pathétiques les malheurs de son existence : « Si ce n'était un blasphème, n'aurais-je pas le droit de m'écrier : Grand Dieu, que vous m'êtes cruel en toutes choses ! » Est-ce parce qu'elle n'ose trop s'en prendre à Dieu que, par une réminiscence tout antique, elle lui substitue presque aussitôt la Fortune « Quelle gloire elle m'a donnée en vous ! En vous, quels coups elle m'a portés ! Comme elle a été violemment pour moi d'un excès à l'autre; dans les biens comme dans les maux, elle n'a point gardé de mesure... afin qu'aux enivrements de la volupté suprême succédât l'accablement du suprême désespoir [20]. »

Parce qu'ils sont de leur temps, Héloïse ni Abélard n'ont été amenés, par leurs épreuves, à nier Dieu. Ils auraient pu lui en vouloir, s'en prendre à lui de leurs malheurs, et, de fait, telle est bien la position d'Héloïse. Dieu, avec eux, s'est montré cruel; pis encore, avec les logiciens qu'ils sont l'un et l'autre, il s'est montré illogique : « Tous les fondements de l'équité ont été bouleversés contre nous. En effet, tandis que nous goûtions les délices d'un amour inquiet ou, pour me servir d'un terme moins honnête, mais plus expressif, tandis que nous nous livrions à la fornication, la sévérité du ciel nous a épargnés. C'est quand nous avons légitimé cet amour illégitime, quand nous avons couvert des voiles du mariage la honte de nos égarements, c'est alors que la colère du Seigneur a appesanti sa main sur nous. » Cela, Héloïse ne l'a pas admis. C'est au moment où ils avaient cessé de vivre en adultère qu'ils ont été frappés comme des coupables : « Pour des hommes surpris dans le plus coupable adultère, le supplice que vous avez subi aurait été une peine assez grande, et, ce que d'autres eussent mérité pour adultère, vous l'avez encouru, vous, par le mariage. » Dieu s'est montré injuste. Héloïse a gardé intacte sa foi en Dieu, mais non en Dieu-Amour. Elle lui en veut d'une malveillance à son endroit qu'à son avis, leur vie passée n'avait pas méritée. Car, en son temps, la révolte peut conduire au blasphème, au sacrilège, non à la négation. Dieu reste présent au moment même où l'on s'en prend à lui. Il y a toujours référence à l'absolu, fût-ce pour le maudire ; quelles que soient les extrémités où l'on se trouve réduit, l'issue peut être la haine ou l'impiété, mais non le néant. L'homme peut tenter de ruser avec Dieu, voire de le combattre : Dieu lui reste présent. C'est sans doute pourquoi, soit dit en passant, le suicide est si rare à l'époque : parce qu'au fond des pires turpitudes, en dépit des plus grandes misères, il y a une indéracinable foi en Dieu, c'est-à-dire en la vie.

Mais Abélard n'a pu supporter qu'Héloïse s'en prenne à Dieu : « Il me reste enfin à parler de cette ancienne et éternelle plainte au sujet des circonstances de notre conversion. Vous la reprochez à Dieu quand vous devriez l'en remercier [21]. » Ici, il se révèle sublime. Lui qui a supporté dans sa chair les conséquences de leurs actes, qui pourrait se dire plus durement « puni qu'Héloïse elle-même », il transforme d'un mot la situation en appelant conversion ce qu'elle persiste à appeler châtiment. Ce n'est plus ici le langage de la logique, c'est celui de la grâce. Ce seul passage suffirait à montrer l'incroyable richesse d'une évolution intérieure due à ce « oui » initial, à cette adhésion de sa volonté au coup qui l'avait frappé. Et, dans ce passage, il saura, lui qui nous a paru dur lorsqu'il blâmait les plaintes un peu sentimentales d'Héloïse, faire appel aux sentiments, de la façon à la fois la plus délicate et la plus noble : « Vous songez par-dessus tout à me plaire, dites-vous ; si vous voulez cesser de me mettre à la torture — je ne dis pas si vous voulez me plaire —, rejetez ces sentiments de votre âme. En les entretenant, vous ne sauriez ni me plaire ni parvenir avec moi à la béatitude éternelle. M'y laisserez-vous aller sans vous, vous qui vous déclarez prête à me suivre jusque dans les gouffres brûlants des enfers ? Appelez de tous vos vœux la piété dans votre âme, ne fût-ce que pour n'être pas séparée de moi, tandis que, comme vous le dites, je vais à Dieu [22]. »

Et, avec une grande douceur, s'adressant de nouveau à ce qu'il y a de meilleur en elle, il reprend : « Souvenez-vous de ce que vous avez dit, rappelez-vous ce que vous avez écrit au sujet des circonstances de notre conversion : que Dieu, bien loin de manifester des sentiments ennemis, s'était bien plutôt manifestement montré miséricordieux envers moi. Sachez du moins vous soumettre à un arrêt si heureux pour moi et qui ne le sera pas moins pour vous que pour moi du jour où votre douleur s'apaisant laissera un accès à la voie de la raison. Ne vous plaignez pas d'être la cause d'un si grand bien, d'un bien en vue duquel il est évident que Dieu vous a particulièrement créée. »

Et d'ailleurs, Dieu fut-il injuste ? Abélard n'a pas de peine à démontrer que, si châtiment il y a, il fut proportionné à la faute. Poursuivant son argumentation, il remet impitoyablement le doigt sur des circonstances qui, à leurs yeux, aggravaient sensiblement le caractère même de leurs actes. Il lui rappelle le sacrilège d'Argenteuil : « Notre impudicité ne fut pas arrêtée par le respect d'un lieu consacré à la Vierge. Fussions-nous innocents de tout autre crime, celui-là ne méritait-il pas le plus terrible des châtiments ? Rappellerai-je maintenant nos anciennes souillures et les honteux désordres qui ont précédé notre mariage, l'indigne trahison enfin dont je me suis rendu coupable envers votre oncle, moi, son hôte et son commensal, en vous séduisant si impudemment ? La trahison n'était-elle pas juste ? Qui pourrait en juger autrement de la part de celui que j'avais le premier si outrageusement trahi [23] ? » Et quant à elle-même, Héloïse : « Vous savez qu'au moment de votre grossesse, quand je vous ai fait passer dans mon pays, vous avez revêtu l'habit sacré et que, par cet irrévérencieux déguisement, vous avez outragé la profession à laquelle vous appartenez aujourd'hui. Voyez après cela si la justice, que dis-je, si la grâce divine a eu

raison de vous pousser malgré vous dans l'état monastique dont vous n'avez pas craint de vous jouer.
Elle a voulu que l'habit que vous avez profané vous
servît à expier la profanation, que la vérité fût le
remède du travestissement et en réparât la fraude
sacrilège [24]. »

Héloïse, dans sa lettre, s'était répandue en lamentations sur le sort de la femme : « Les femmes seront
donc toujours le fléau des grands hommes [25]. » Elle
avait joué le rôle d'Eve, la tentatrice; par elle, le paradis
avait été perdu, Abélard chassé des écoles Notre-Dame,
voué à l'humiliation publique, arraché à son éblouis-
sante carrière. Et d'énumérer les pages de la Bible dans
lesquelles la femme s'était trouvée cause de désordres
et de malheurs : depuis Eve et Adam jusqu'aux femmes
de Salomon qui le firent tomber dans l'idôlatrie, à la
femme de Job qui l'incitait au blasphème; elle est de
leur lignée, de leur race. On imagine ainsi toute une
série de lugubres méditations dans le cloître d'Argenteuil ou la solitude du Paraclet.

Dans sa réponse, Abélard relève ces actes d'auto-accu-
sation et prolonge les méditations bibliques d'Héloïse
de l'Ancien au Nouveau Testament, du règne de la Loi à
celui de la Grâce. Que signifie, en leur cas, cette préten-
due « malédiction » de la femme? Et de rappeler, là
encore sans ménagements, la part qu'il avait prise, lui,
Abélard, à leurs débordements : « Vous savez à quelles
turpitudes les emportements de ma passion avaient
voué nos corps. Ni le respect de la décence ni le respect
de Dieu, même dans les jours de la Passion de Notre-
Seigneur et des plus grandes solennités, ne pouvaient
m'arracher du bourbier où je roulais. » Ici, on ne peut
comprendre si l'on ne se reporte aux coutumes du
temps qui voulaient que, même entre époux, on s'inter-
dît tout rapport aux temps du Carême, de la Passion,
des Quatre-Temps et des Vigiles de fêtes, comme on
s'interdisait, en ces jours-là, les plaisirs de la gourman-
dise et tout ce qui pouvait flatter le goût dans la nourriture; d'où les règles d'abstinence. « Vous ne vouliez pas,

vous résistiez de toutes vos forces, vous me faisiez des remontrances, et, quand la faiblesse de votre sexe eût dû vous protéger, j'usais de menaces et de violences pour forcer votre consentement. Je brûlais pour vous d'une telle ardeur que, pour ces voluptés infâmes dont le nom seul me fait rougir, j'oubliais tout, Dieu, moi-même : la clémence divine pouvait-elle me sauver autrement qu'en m'interdisant à jamais ces voluptés ? Dieu s'est donc montré plein de justice et de clémence en permettant l'indigne trahison de votre oncle... Conformément à la justice, l'organe qui avait péché est celui qui a été frappé et qui a expié par la douleur le crime de ses plaisirs... Cette privation ne m'a-t-elle pas rendu d'autant plus dispos pour tous les actes honnêtes qu'elle m'a affranchi du joug accablant de la concupiscence [26] ? » Loin de se trouver accablés par le caractère fatal de leur destinée, ils doivent se réjouir l'un et l'autre, car ce qui peut paraître faiblesse et privation aux yeux du monde leur est occasion de joie et de fécondité d'une autre sorte : « Quelle déplorable perte, quel lamentable malheur si, livrée aux impuretés des plaisirs charnels, vous enfantiez dans la douleur un petit nombre d'enfants pour le monde, au lieu de cette innombrable famille que vous enfantez dans la joie pour le ciel; si vous n'étiez qu'une femme, vous qui aujourd'hui surpassez les hommes, vous qui avez transformé la malédiction d'Eve en bénédiction de Marie [27]. » C'est là, on le sait, une pensée familière à l'époque, que la transposition du nom d'Eve en celui de Marie et cette manière de considérer que l'Evangile a suprêmement ennobli celle qui, selon l'Ancien Testament, était considérée comme génératrice de souffrances et de misères, coupable d'avoir entraîné l'homme dans sa chute. Ces deux pôles de la pensée dans la manière de considérer la femme sont présents chez tous les théologiens du temps et, plus largement, caractérisent une époque dans laquelle la femme a tenu une place hautement privilégiée que traduisent tous les modes d'expression : poésie, peinture, sculpture, qu'il s'agisse de la « très haute Dame » des troubadours et des trouvères, ou de la Vierge en majesté qui trônera bientôt au tympan des cathédrales.

Et Abélard saura montrer qu'il est un véritable maître spirituel en libérant Héloïse de ce sentiment de culpabilité qui pèse si violemment sur elle. Car non seulement elle se trouve coupable (« Plaise au ciel que je fasse de ce péché une digne pénitence..., que ce que vous avez souffert un moment dans votre chair, je le souffre, moi, comme il est juste, par la contrition de mon âme pendant toute la vie [28] »), mais encore elle frôle la désespérance, le sentiment antichrétien par excellence, le péché même de Judas, dans l'idée que son repentir n'en est pas un. Sa lettre n'a rien à envier, sous ce rapport, aux confessions modernes les plus cyniques : « S'il faut, en effet, mettre à nu la faiblesse de mon misérable cœur, je ne trouve pas en moi un repentir propre à apaiser Dieu. Je ne puis me retenir d'accuser son impitoyable cruauté au sujet de l'outrage qui vous a été infligé et je ne fais que l'offenser par mes murmures rebelles à ses décrets, bien loin de chercher par la pénitence à apaiser sa colère. Peut-on dire même qu'on fait pénitence, quel que soit le traitement infligé au corps, alors que l'âme conserve l'idée du péché et brûle de ses passions d'autrefois ? Il est aisé de confesser ses fautes et de s'en accuser, il est aisé même de soumettre son corps à des macérations extérieures, mais ce qui est difficile, c'est d'arracher son âme aux désirs des plus douces voluptés [29]. »

Et voilà bien le mal qui l'habite et qu'elle met à nu dans cette lettre en un déchirant passage : « Ces voluptés de l'amour que nous avons goûtées ensemble m'ont été si douces que je ne puis m'empêcher d'en aimer le souvenir ni l'effacer de ma mémoire. De quelque côté que je me tourne, elles se présentent, elles s'imposent à mes regards avec les désirs qu'elles réveillent. Leurs illusions n'épargnent même pas mon sommeil. Il n'est pas jusqu'à la solennité de la messe, là où la prière doit être si pure, pendant laquelle les licencieuses images de ces voluptés ne s'emparent si bien de ce misérable cœur que je suis plus occupée de leur turpitude que de l'oraison. Je devrais gémir des fautes que j'ai commises et je soupire après celles que je ne puis plus commettre. » Et de conclure : « On vante ma chasteté, c'est qu'on ne voit pas mon hypocrisie [30]. » Abélard, lui, a cessé de souffrir, tandis qu'Héloïse, de tout son corps comme de tout son cœur, ressent l'insupportable privation à laquelle elle est vouée.

Et, de nouveau, Abélard se révèle ici un admirable maître spirituel, un guide pour les âmes. Autant il s'est montré sévère lorsque les plaintes d'Héloïse débordaient de sentimentalité, autant, devant ces aveux d'une conscience tourmentée, il se montre compréhensif et bon. Plus la moindre trace ici de reproches ni d'indignation, au contraire : « Quant au refus que vous opposez à la louange, je l'approuve, vous montrez par là que vous en êtes d'autant plus digne [31]. » Revenant sur le sujet, il développera plus longuement cet aspect positif de la lutte qu'elle mène : « Par le seul effet du châtiment infligé à mon corps, (le Seigneur) a d'un seul coup refroidi en moi toutes les ardeurs de la concupiscence qui me dévorait. Il m'a à jamais préservé de la chute. Pour vous, en abandonnant à elle-même votre jeunesse, en laissant votre âme en proie aux tentations des perpétuelles passions de la chair, il vous a réservée pour la couronne du martyre. Quoique vous vous refusiez à l'entendre et que vous me défendiez de le dire, c'est cependant une vérité manifeste : à celui qui combat sans relâche appartient la couronne [32]. » Et il propose à Héloïse ce mariage mystique dans lequel mérites et souffrances s'unissent : « Je ne me plains pas de voir diminuer mes mérites tandis que je m'assure que les vôtres augmentent, car nous ne faisons qu'un en Jésus-Christ; par la loi du mariage, nous ne sommes qu'un corps. » Ainsi, aux images de luxure dont Héloïse se plaignait d'être torturée, il oppose une autre image, celle d'une torture consentie pour le plus grand bien des deux époux.

Sa conclusion aussi s'oppose à celle d'Héloïse. Celle-ci terminait avec une franchise sans détours : « Dans tous les états de ma vie, Dieu le sait, jusqu'ici c'est vous plutôt que lui que j'ai toujours redouté d'offenser, c'est à vous bien plus qu'à lui-même que j'ai le désir de plaire [33]. » A quoi Abélard répond : « Dieu déjà préparait la circonstance qui devait nous ramener ensemble vers lui; en effet, si le lien du mariage ne nous eût pas précédemment unis, après ma retraite du monde, les conseils de vos parents, l'attrait des plaisirs de la chair, vous auraient retenue dans le siècle. Voyez donc à quel point Dieu a pris soin de nous [34]. »

Qu'importe ce qu'ils avaient voulu l'un et l'autre, puisque Dieu les avait conduits où ils ne voulaient pas.

Abélard ne s'en tient pas aux exhortations. Il est trop profondément de son siècle pour ne pas convier Héloïse à se projeter en une image, un visage, un exemple; lui-même se comparait volontiers à Origène et il revient, dans sa lettre, sur cette comparaison : Origène était eunuque; il aurait lui-même mutilé son corps, dit-on, prenant à la lettre la phrase de l'Evangile sur ceux qui se sont faits eunuques « en vue du royaume de Dieu ». Quant à Héloïse, il lui rappelle que son nom est l'un des noms divins : « Par une sorte de saint présage attaché à votre nom, Dieu vous a particulièrement marquée pour le ciel en vous appelant Héloïse, de son propre nom qui est Héloïm. » Il termine en réclamant instamment cette prière qu'Héloïse se dit indigne d'adresser au Ciel pour lui, et s'empresse, dit-il, d'en formuler le texte.

Elle est trop belle pour qu'on puisse se dispenser de la rapporter : « Dieu qui, dès le commencement de la création, avez, en tirant la femme d'une côte de l'homme, établi le grand sacrement du mariage, vous qui l'avez honorée et élevée si haut, soit en vous incarnant dans le sein d'une femme, soit en commençant vos miracles par celui des noces de Cana; vous qui avez jadis accordé ce remède, suivant vos vœux, à mon incontinente faiblesse, ne repoussez point les prières de votre servante. Je les verse humblement aux pieds de votre divine majesté pour mes péchés et pour ceux de mon bien-aimé. Pardonnez, ô Dieu de bonté, que dis-je ? ô Dieu qui êtes la Bonté même, pardonnez à nos crimes si grands, et que l'immensité de votre ineffable miséricorde se mesure à la multitude de nos fautes...

« Vous nous avez unis, Seigneur, et vous nous avez séparés quand et comme il vous a plu. Achevez aujourd'hui miséricordieusement ce que vous avez miséricordieusement commencé. Ceux que vous avez séparés pour un jour dans ce monde, unissez-les à vous pour l'éternité de leur ciel, ô notre espérance, notre partage, notre attente, notre consolation, Seigneur qui êtes béni dans tous les siècles, amen. »

*

C'est sur une prière que se termine donc cette explosion d'amour, car la correspondance amoureuse se clôt avec la *Lettre IV* d'Abélard. Et, après tout, cela est assez dans l'esprit du temps. Ne voit-on pas les principaux troubadours terminer leurs jours dans une abbaye? Bernard de Ventadour à l'abbaye de Dalon où vient aussi se réfugier, au terme de sa vie orageuse, Bertrand de Born; Peire d'Auvergne, à Grandmont, Folquet de Marseille au Thoronet d'où il passera sur le siège épiscopal de Toulouse — pour ne citer que les principaux.

Et c'est un autre témoignage de l'esprit du temps que nous donnent les adresses de ces lettres : à elles seules, eût-on perdu le texte même de la correspondance, elles nous en livreraient le contenu. Il y a à cette époque un art du langage. Les termes sont choisis pour être expressifs par eux-mêmes et cela implique une éducation de la parole qui se manifeste jusque dans la vie courante; par exemple, sous la forme familière du surnom; tel roi d'Angletere est appelé Beau-Clerc, tel autre Court-Mantel ou Plant-à-genêt. Le surnom caractérise la personne dans la langue parlée, comme le sceau dans l'écrit, comme le blason sur le champ du tournoi. D'ailleurs, complètement disparue aujourd'hui, cette habitude du surnom persistait encore il n'y a pas si longtemps dans nos campagnes; et ce trait de la vie médiévale aura survécu puisque le surnom d'antan est devenu pour nous le nom de famille.

Cet art du langage est favorisé, en ce qui concerne les écrits du XIIe siècle, par l'énergique concision et la valeur poétique du latin alors en usage — lequel diffère profondément, inutile de le souligner, du latin classique. D'où les raccourcis dont use Héloïse notamment, si éloquents par eux-mêmes, si chargés de signification qu'un Octave Gréard, en dépit de sa science consommée de traducteur, n'a pu les rendre que par de longs développements.

La suscription de la première lettre est une manière de chef-d'œuvre; chaque mot transmet l'écho d'un épisode de la douloureuse histoire :

« *Domino suo, imo patri; conjugi suo, imo fratri; ancilla sua, imo filia; ipsius uxor, imo soror; Abelardo Heloissa* » : « A son maître, ou plutôt à son père; à son époux, ou plutôt à son frère; sa servante, ou plutôt sa fille; son épouse, ou plutôt sa sœur; à Abélard Héloïse. » Impossible de définir avec une plus cruelle précision leurs positions respectives, du point de vue spirituel comme du point de vue le plus concret.

Mais la suscription d'Abélard n'est pas moins significative :

« *Heloisse dilectissime sorori sue in Christo, Abelardus frater ejus in ipso* » : « A Héloïse, sa très chère sœur en Jésus-Christ, Abélard, son frère en Jésus-Christ. » A un rappel, Abélard répondait par un

178

programme : il ne s'agissait plus d'avoir le regard fixé l'un sur l'autre, mais de regarder l'un et l'autre dans la même direction. Et c'était encore une définition du couple : celui qu'ils formaient désormais. Mais, parce qu'elle ne peut encore accepter semblable définition, Héloïse reprend : « *Unico suo post Christum, unica sua in Christo* »; ce qu'on peut traduire par : « A son unique après le Christ, son unique dans le Christ. » Mais pour bien entendre, il faut développer le sens de chaque terme : « A celui qui est tout pour elle après Jésus-Christ, celle qui est toute à lui en Jésus-Christ. » C'est accepter le Christ : Héloïse et Abélard croient en Dieu l'un et l'autre; ils appartiennent à une époque dans laquelle l'existence normale est ordonnée selon la foi au Christ; et faute de reconnaître cette donnée fondamentale, on passerait évidemment à côté de ce qui fait l'intérêt même de ces lettres si proches de nous et, dans l'ensemble, si profondément humaines que leurs auteurs sont devenus les types mêmes de l'Amant et de l'Amante. Mais Héloïse n'entend pas moins rappeler qu'elle doit être tout pour Abélard comme lui-même est tout pour elle. A quoi Abélard répondra : « *Sponse Christi servus ejusdem* » : « A l'épouse du Christ, le serviteur du Christ. »

Un tel échange nous rend présent et dramatique l'état de conflit qui est le donné fondamental du couple, du « deux ». On ne peut moins faire que d'évoquer ici tout un ensemble d'images familières au XIIᵉ siècle, qui illustrent ce thème du nombre *deux*, nombre « infâme » (entendons : de mauvaise renommée) qui implique l'opposition. Au deuxième jour de la Genèse apparaissent le clivage, la rupture. « Dieu fit le firmament qui sépare les ondes qui sont au-dessous du firmament d'avec les ondes qui sont au-dessus du firmament. » Ce deuxième jour, Dieu ne dit pas que son œuvre était bonne; Abélard le souligne, comme le font d'ailleurs tous les commentaires contemporains de la Genèse, dans son *Exposé sur les six jours,* qu'il compose à la demande d'Héloïse : « Il faut noter... qu'en ce jour on ne dit pas :

« Et Dieu vit que son œuvre était bonne, comme les
« autres jours [35] » Avec le clivage entre les ondes supérieures et les ondes inférieures apparaissent toutes les
scissions, toutes les oppositions, tous les « duels » à
venir. Et en chaque couple se retrouve le duel originel,
résolu momentanément lorsque les époux sont « deux
en une seule chair », et transcendé lorsque apparaît
l'enfant, celui qui oblige deux regards plongés l'un dans
l'autre à s'arracher l'un à l'autre pour s'accorder ensemble et se retrouver, unis et orientés dans une même
direction; ainsi s'établit l'harmonie du couple. Pour
Héloïse et Abélard — ce dernier l'a compris d'emblée —
l'harmonie ne pouvait s'établir qu'autant que leurs
regards se porteraient au-delà d'eux-mêmes.

Le pathétique duo pourrait s'arrêter là. Héloïse a
voulu le poursuivre, mais, résignée cette fois à donner
son adhésion au programme que lui indiquait son
époux devenu son maître spirituel, elle écrit : « *Domino
specialiter, tua singulariter »;* ce qui peut se traduire :
« A Dieu par l'espèce, à toi par l'individu. » Elle se
souvient ici de la dialectique; elle retrouve sans peine
les catégories que son maître lui a inculquées; et, pour
lui plaire, elle redevient abbesse; c'est désormais, puisqu'il l'exige, l'abbesse du Paraclet qui parlera.

« Afin que tu ne puisses en quoi que ce soit m'accuser de désobéissance, j'ai imposé à l'expression de ma
peine toujours prête à s'emporter le frein de ta défense.
En t'écrivant, du moins, je saurai arrêter ce que, dans
nos entretiens, il serait difficile, que dis-je? impossible
de prévenir. Rien, en effet, n'est moins en notre pouvoir
que notre cœur, et nous sommes forcés de lui obéir
plutôt que nous ne pouvons lui commander. Aussi, lorsque ses affections nous pressent, il n'est personne qui
puisse en contenir les assauts si soudains que facilement ils ne s'échappent en fait et s'épanchent d'autant
plus aisément en paroles que sont plus prompts ces
transports de l'âme... Je retiendrai donc ma main et ne
la laisserai écrire que ce que ma langue ne pourrait se
retenir de dire. Plût à Dieu que mon cœur affligé fût

aussi disposé que ma plume à obéir [36]. » Il y a là tout autre chose que le silence glacé ou la désobéissance : une volonté de dépassement poussée jusqu'à l'héroïsme. Délibérément, elle imposera silence aux sentiments qu'elle ne peut refouler, et, parce qu'elle se méfie d'elle-même, elle mettra un soin scrupuleux à se contrôler.

Mais ce ne sera pas sans présenter une ultime requête. Et ici, elle a conscience de ne pas dépasser ses droits : Abélard se doit de lui répondre. N'a-t-elle pas, du reste, obtenu, en fin de compte, ce qu'elle souhaitait? Car, après tout, en réagissant ainsi à la lecture de la *Lettre à un ami,* elle a souhaité obtenir un échange cœur à cœur avec celui qu'elle n'avait pas cessé d'aimer, et, bien que cet échange ne se soit pas fait dans le sens où elle l'eût vraisemblablement désiré, il a eu lieu. Abélard lui a répondu. Il a dû sortir pour elle de ce mutisme qu'elle lui reprochait avec véhémence. Elle l'a amené à évoquer le passé qui lui est si cher; à la présente lettre, il devra répondre encore, car, cette fois, Héloïse va l'interroger sur ce qui fait son présent et son avenir : « Nous toutes, servantes de Jésus-Christ et filles de Jésus-Christ, dit-elle, parlant cette fois au nom de la communauté qu'elle régit, nous supplions aujourd'hui ta paternelle bonté de nous accorder deux choses dont nous sentons l'absolue nécessité : la première, c'est de vouloir bien nous apprendre d'où l'ordre des religieuses a tiré son origine et quel est le caractère de notre profession; la seconde, c'est de nous faire une règle et de nous en adresser une formule écrite qui soit spécialement appropriée à des femmes et qui fixe d'une manière définitive l'état et le costume de notre communauté, ce dont aucun des saints Pères, que nous sachions, ne s'est jamais occupé. C'est à défaut de cette institution qu'aujourd'hui hommes et femmes sont soumis dans les couvents à la même règle et que le même joug monastique est imposé au sexe faible et au sexe fort. Jusqu'aujourd'hui, les femmes et les hommes professent également la règle de saint Benoît, bien qu'il

181

soit évident que cette règle a été faite uniquement pour les hommes et qu'elle ne peut être observée que par des hommes... »

Le silence gardé par Héloïse après la correspondance amoureuse n'est qu'un effet littéraire. En dehors de cette lettre dont le ton est si différent des précédentes, nous avons le témoignage de continuels échanges entre l'abbesse du Paraclet et Abélard, jouant cette fois le rôle de guide spirituel : il y a, après les deux lettres qui dictent la règle du couvent, les hymnes qu'Héloïse lui demande pour chanter aux divers temps liturgiques; il y a les problèmes qu'elle lui soumet; il y a les sermons qu'elle réclame pour l'édification de la communauté, il y aura aussi, nous le verrons, des échanges plus profonds lors des dernières tempêtes qui vont marquer la vie de Pierre Abélard, et encore après sa mort. Ainsi toute la vie d'Héloïse se trouve éclairée et guidée par Abélard. Ils sont désormais unis dans un commun vouloir; Héloïse a obtenu de lui cette sollicitude qu'il lui devait; Abélard a obtenu d'elle que cette sollicitude fût toute pour l'aider au service du Seigneur.

Cette suite d'échanges nous permet d'entrevoir la vie d'Héloïse au Paraclet. Ce qui subsiste à l'heure actuelle des anciens bâtiments ne permet guère d'évoquer le cadre de son existence : une sorte de maison forte avec des tourelles, postérieure au xiie siècle, marque l'emplacement, et seule, à l'intérieur de la ferme, une salle voûtée pourrait remonter à l'époque d'Héloïse; ce qui n'a pas changé, en revanche, c'est le paysage, l'atmosphère de ce coin de campagne assez austère, prés et bois où l'eau séjourne; mais les mares qui se multiplient à l'automne y reflètent l'admirable ciel de Champagne et ses couchers de soleil d'une surprenante limpidité, tout baignés de lumière rose.

Dans ce cadre d'estampe romantique, on imagine sans trop de peine le chant des moniales — ce chant qui rythme toute leur vie, par lequel commence et finit leur journée, variant avec les heures et les saisons. L'immense effort que représente la composition des hymnes témoigne assez de l'attention qu'Abélard porte à la prière chantée, et ce serait le trahir que d'oublier cette partie de son œuvre : environ cent quarante hymnes composées pour ponctuer chacune des phases de l'office liturgique, toutes nourries d'Ecriture sainte et de richesse doctrinale, avec souvent des cadences verbales d'une grande force poétique comme l'hymne fameuse *O quanta qualia* destinée aux vêpres du samedi, ou encore celle du premier nocturne de la fête de Noël. Cette œuvre poétique trouve son couronnement avec les six *planctus* dans lesquels on retrouve toujours quelque écho de son histoire et de celle d'Héloïse : six poèmes inspirés par la Bible et dont la diffusion a certainement été grande, car, on l'a fait remarquer récemment, c'est la mélodie de l'un d'entre eux (la Plainte des compagnes de la fille de Jephté dont il a été question plus haut) qui a, plus tard, servi de base à un lai devenu très populaire en ancien français : le lai des pucelles. Ainsi cette mélodie créée par Abélard se retrouvait-elle sur toutes les lèvres plus de cent ans encore après sa mort.

Rien d'étonnant si, dans la règle qu'il donne au Paraclet, celle des religieuses qui est chargée du chant se voit aussi confier l'instruction de ses plus jeunes compagnes; c'est conforme aux usages d'un temps où toute éducation commence par le chant. « Elle apprendra aux autres à chanter, à lire, à écrire et à noter la musique; elle aura aussi la garde de la bibliothèque, donnera et reprendra les livres, prendra soin des copies et des enluminures. » La règle édictée par lui est, comme l'a demandé Héloïse, l'adaptation à un couvent de femmes, selon les besoins propres aux femmes et la spiritualité qui peut leur être particulière, de la règle de saint Benoît. Les souhaits d'Héloïse en matière de règle visaient surtout à cette adaptation : qu'elles n'aient pas à faire des travaux au-dessus de leurs forces — par exemple, les travaux des champs auxquels saint Benoît soumettait ses moines — ni des prières d'une longueur accablante; ainsi jugeait-elle suffisant de répartir le psautier dans les offices de la semaine sans qu'un même psaume y revînt deux fois; et elle souhaitait aussi quelques allégements dans le régime habituel : usage de la viande, du vin, etc. Ses demandes témoignent d'un esprit de modération qui contraste avec ce que l'on sait de son caractère passionné, mais aussi de son aptitude à s'acquitter des responsabilités qu'elle endossait en devenant abbesse du Paraclet. « Plût à Dieu que notre profession nous élevât jusqu'à atteindre la hauteur de l'Evangile sans prétendre la dépasser : n'ayons pas l'ambition d'être plus que chrétiennes. »

Répondant à ce vœu, Abélard se fait sage à son tour; sa règle ne comporte rien d'excessif dans l'ascèse. Il prévoit que, sous leur robe de laine noire, les religieuses, qui portent en toutes saisons une chemise de toile, chausses et chaussons ou souliers, pourront porter aussi en hiver une « peau d'agneau » et qu'elles auront un manteau qui, la nuit, sera leur couverture; au dortoir, elles auront des lits avec matelas, traversin, oreiller, draps et courtepointe. Elles se lèvent pour chanter matines, mais les temps de veille et de sommeil sont répartis avec un équilibre suffisant. Quant à la nourriture, ses prescriptions sont pleines de bon sens : « Si nous nous abstenons de viande, est-ce un grand mérite alors que nos tables sont chargées d'une quantité superflue d'autres aliments ? Nous achetons à grands frais toutes espèces de poissons... comme si c'était la qualité et non la superfluité des aliments qui fait la faute... Ce qu'il faut, pour cette vie de passage, ce n'est pas rechercher la qualité des aliments, c'est se contenter de ceux qu'on a près de soi. » Sa règle n'offre d'ailleurs aucun trait qui la différencie fortement des règles monastiques alors en usage; tout au plus, ici et là, relève-t-on quelque trait personnel; ainsi cette remarque « Nous interdisons absolument de jamais faire prévaloir la coutume sur la raison et de rien maintenir parce que c'est la coutume, non parce que c'est la raison. Il faut se régler sur ce qui nous paraît bien, non sur ce qui est en usage. »

184

Cela dit, Abélard n'a rien de la hardiesse novatrice de son compatriote Robert d'Arbrissel. Celui-ci, en créant l'ordre de Fontevrault, avait prévu des monastères doubles — moines et moniales rigoureusement séparés les uns des autres, cela va de soi —, la haute main de l'administration du double monastère étant confiée à l'abbesse; ce n'était d'ailleurs pas la seule fondation du genre à l'époque, car ces doubles monastères d'hommes et de femmes sont nombreux, notamment dans les chrétientés celtiques, en Angleterre et en Irlande.

Abélard prévoit aussi l'existence d'un monastère d'hommes dont les moines et les convers devront rendre service au monastère de femmes, soit pour célébrer les offices, soit pour aider aux travaux manuels. Mais il ajoute : « Nous voulons que les monastères de femmes soient toujours soumis à des monastères d'hommes, en sorte que les frères prennent soin des sœurs, qu'un seul abbé préside comme un père aux besoins des deux établissements, qu'il n'y ait dans le Seigneur qu'une seule bergerie et qu'un seul pasteur. » Il est vrai qu'il rectifie plus loin cette suggestion : « Nous voulons... que l'abbé ait le gouvernement des religieuses en telle sorte qu'il reconnaisse comme ses supérieures les épouses du Christ dont il est le serviteur et qu'il mette sa joie non à les commander, mais à les servir. »

On pouvait s'attendre aussi que ce maître, habitué à régenter des écoles, mît une attention particulière à recommander aux religieuses le zèle à s'instruire. Il invoque pour cela l'exemple de saint Jérôme exigeant des femmes groupées autour de Paule à Bethléem pour y mener la vie religieuse, l'étude des lettres sacrées. « Considérant le zèle d'un si grand docteur et de ces saintes femmes dans les Ecritures divines, je vous invite et je désire que vous vous consacriez sans tarder, tandis que vous le pouvez et que vous avez une mère instruite dans ces trois langues (grec, latin, hébreu), à les étudier à la perfection, afin que tout ce qui aurait pu provoquer un doute par l'effet des diverses traductions puisse être par vous élucidé. L'inscription même de la croix du Seigneur portée en hébreu, en grec et en latin me paraît préfigurer cela non sans pertinence : pour que la connaissance de ces langues soit répandue dans l'Eglise sur toute la terre, car le texte des deux Testaments est rédigé dans ces langages. Vous pouvez, sans long voyage, sans grande dépense, vous y instruire... puisque, comme je l'ai dit, vous avez une mère possédant suffisamment cette discipline [37]. »

Les débuts du Paraclet — Abélard en témoigne — avaient été extrêmement pauvres et précaires. Les religieuses n'avaient guère dû trouver pour s'y abriter que les modestes chaumières en pisé, édifiées par les étudiants, et la chapelle; peut-être cette chapelle s'élevait-elle à l'emplacement même de celle qui aujourd'hui marque l'endroit où devaient être successivement enterrés Abélard, puis Héloïse. Le cartulaire du Paraclet, qui nous a été conservé, témoigne de l'accroissement progressif des biens de la communauté. En 1134, on voit l'évêque de Melun, Manassès, consacrer quelques-unes des dîmes qu'il lève dans son diocèse à « soulager, en partie du moins, la pénurie des pauvres servantes du Christ qui le servent dévotement au Paraclet »; plus tard encore, en 1140, on constate que le couvent est fortement endetté. En revanche, lorsque, le 1er novembre 1147, le légat du pape, au nom d'Eugène III, fait à Châlons confirmation des biens du Paraclet, la liste en est imposante; comme toujours à l'époque, il s'agit d'une vraie poussière de droits divers, perçus ici et là : l'usage des bois de Courgivaux, Pouy, Marcilly et Charmoy, tant pour y faire pâturer les troupeaux que pour y prendre les poutres nécessaires aux bâtiments, cinq sous sur le péage du pont de Baudement, deux setiers de seigle sur la terre de Gautier de Courcemain, douze deniers de cens sur le pré de Thierry Gohérel, un muid d'avoine et vingt poules que donne Marguerite, vicomtesse de Marolles, etc.; mais aussi des dons plus importants : un moulin, une maison, des arpents de vigne et de pré, des terres cultivables, lesquels composent un domaine désormais étendu.

Et leurs protecteurs sont gens puissants, car en première ligne se trouve le comte de Champagne lui-même, Thibaud, qui leur a donné un muid de froment à prendre chaque année, le produit des pêcheries près de ses moulins de Pont-sur-Seine, seize setiers de céréales au Moulin-de-l'Etang. Plusieurs petits chevaliers de la région ont contribué aussi à doter le couvent, comme Arpin, de Méry-sur-Seine, et d'autres nommés Félix ou Aimé et qualifiés l'un et l'autre de *miles* sans autre explication; beaucoup de petites gens aussi, comme la femme de Payen le sellier qui leur a donné ce qu'elle possédait : une maison à Provins et trois sous de cens à Lisines. Elles semblent aussi avoir été en grande faveur auprès du clergé : parmi les dons qu'elles ont reçus, il y a celui de l'archevêque de Sens, Henri Sanglier, qui leur a donné sa dîme de Lisines et une partie de celle de Cucharmoy; l'archevêque de Troyes, Atton, leur a fait don de la moitié de la dîme de Saint-Aubin et aussi, ce qui nous replace dans la vie du temps, de la moitié des chandelles au jour de la Purification (2 février); à leur exemple, plusieurs prêtres aussi figurent parmi les donateurs, ainsi ce Gondry de Trainel qui, dès 1138, leur a fait don d'un terrain bâti qui lui venait de son père, ou encore ce prêtre de Périgny-la-Rose, nommé Pierre, qui leur a donné maisons et vignes.

Quelques-uns de ces dons ont été provoqués par des moniales entrées en monastère. Ainsi un nommé Galon et sa femme, Adélaïde, ont donné la moitié du moulin de Crèvecœur et les vignes qu'ils possèdent au même lieu, avec un cens de quarante sous à percevoir à Provins ou à Lisines, lorsque Hermeline, sœur d'Adélaïde, a prononcé ses vœux au Paraclet; ce qui prouve que le couvent commençait à recruter dans la région dès la date de 1133 à laquelle remonte cette donation; une autre dîme, celle de Villegruis, a été concédée par le chevalier Raoul Jaillac et sa femme, Elisabeth, lors de la prise de voile d'une de leurs nièces.

L'ensemble de ces actes témoigne de l'excellente administration d'Héloïse; elle fut une abbesse vigilante, attentive à la bonne gestion de son monastère, et celui-ci, implanté dans des circonstances si peu favorables (ne s'agissait-il pas de religieuses précédemment dispersées d'un couvent qui avait eu fâcheuse réputation?), n'aura pas tardé à jouir de la faveur et de l'estime générales. Le roi lui-même, Louis VI, dès 1135, leur avait accordé des donations. Abélard ne saurait être taxé d'exagération lorsqu'il écrit, retraçant le rapide développement du Paraclet : « Le Seigneur accorda à notre chère sœur qui dirigeait la communauté de trouver grâce aux yeux de tout le monde. Les évêques la chérissaient comme leur fille, les abbés comme leur sœur, les laïcs comme leur mère; tous également admiraient sa piété, sa sagesse, l'incomparable douceur de sa patience. Moins elle se laissait voir, ajoute-t-il, plus elle se renfermait dans son oratoire pour s'absorber dans ses méditations saintes et ses prières, et plus on sollicitait avec ardeur sa présence et les instructions de ses entretiens. »

Ce qui signifie que, comme tout monastère à l'époque, le Paraclet reçoit des visites; il y a les pauvres, pèlerins ou vagabonds, que la portière a charge de recevoir — et il est spécifié que c'est elle qui leur distribue les aumônes, mais que c'est l'abbesse ou d'autres sœurs qui viennent leur laver les pieds; il y a les populations des environs; et aussi, de temps à autre, des membres du clergé ou des autorités ecclésiastiques.

L'une de ces visites, certain jour, devait mettre en émoi le monastère : Bernard de Clairvaux s'était fait annoncer au Paraclet. Il fut reçu « non comme un homme, mais comme un ange »; sans doute passa-t-il une journée au monastère pour la très grande joie des moniales empressées à recueillir sa parole et ses exhortations. Un détail pourtant devait frapper Bernard au cours de cette visite : ce n'est pas sans quelque étonnement qu'il entendit les religieuses réciter le *Pater* de façon inhabituelle; en effet, au lieu de dire, suivant l'usage commun : « Donne-nous aujourd'hui notre pain de ce jour », on disait, au Paraclet, selon une expression contenue dans le texte de l'Evangile de saint Matthieu : « Donne-nous aujourd'hui notre pain supersubstantiel. » Etonné de cette expression insolite, il interrogea l'abbesse à ce sujet et Héloïse dut sans doute lui dire que cette forme tant soit peu pédante leur venait d'Abélard. Du reste, l'étonnement passé, cette question n'eut pas d'autre suite.

Mais, quelque temps après, Abélard vint lui-même au monastère et Héloïse lui rapporta confidentiellement que l'abbé de Clairvaux avait paru surpris de cette rupture avec l'usage commun. Abélard prit aussitôt la plume. Le ton de la lettre qu'il adresse en la circonstance à Bernard de Clairvaux est singulièrement acerbe. Après un début assez déférent — « comme vous aurez cru que cet usage vient de moi, je vous parais être l'initiateur d'une certaine nouveauté; j'ai pensé que je devais vous écrire mes raisons à ce sujet, d'autant plus que je m'en voudrais d'avoir offensé votre jugement plus que tout autre » —, le ton ne tarde pas à monter. Abélard justifie les sources de cette expression et aussi le fait d'avoir introduit une nouveauté. Saint Grégoire le Grand, Grégoire VII lui-même n'avaient-ils pas dit : « Le Seigneur a dit : « Je suis la vérité », il n'a pas dit : « Je suis la coutume. » Et, s'emportant soudain, Abélard reprochait, non sans quelque véhémence, à l'abbé de Clairvaux d'être lui-même un novateur.

« Vous aussi, contre l'usage tant des clercs que des moines tenu depuis longtemps et maintenu encore aujourd'hui, vous avez institué chez les vôtres une forme d'office divin selon de nouvelles dispositions et vous ne vous en jugez pas coupable pour cela... Pour en rappeler quelques-unes, vous avez dédaigné les hymnes habituelles et en avez introduit que nous n'avions jamais entendues et qui sont inconnues d'à peu près toutes les églises... Chose étonnante : alors que vous avez consacré presque tous vos oratoires au souvenir de la Mère du Seigneur, vous n'y célébrez aucune de ses fêtes ni celles des autres saints. Vous avez exclu presque tout l'usage vénéré des processions. Non seulement vous maintenez par moments le chant de l'*Alleluia* à la Septuagésime, contrairement à l'usage commun de l'Eglise, mais vous le gardez jusque pendant le Carême... »

Et de revendiquer, lui aussi, le droit d'introduire des nouveautés : « Celui en effet qui a voulu que toutes les langues le proclament, Celui-là a tenu à être servi par divers genres de cultes... Je ne cherche à persuader personne de me suivre en cela... En ce qui me concerne, je conserverai invariablement ces paroles et leur sens autant que je le pourrai. »

On ne voit pas que Bernard ait répondu à cette épître, laquelle ne fait pas non plus allusion à d'autres polémiques entre les deux hommes; elle doit se placer quelque temps après leur première rencontre lorsque Bernard et Abélard, l'un et l'autre en tant qu'abbés des deux abbayes de Clairvaux et de Saint-Gildas-de-Rhuys, avaient assisté ensemble, le 20 janvier 1131, à la consécration du maître-autel de Morigny par le pape Innocent II.

Mais, considérée dans l'ensemble de la vie et de l'œuvre d'Abélard, cette lettre demeurée sans réponse, dans laquelle il ouvrait le feu, non sans quelque exagération, sur un incident assez minime, fait figure de prélude à une polémique d'une autre importance.

« L'HOMME QUI VOUS APPARTIENT... »

O ros! o vanitas! cur sic extolleris?
Ignoras etiam utrum cras vixeris.
Hec carnis gloria que magni penditur
In sacris litteris flos feni dicitur
Ut breve folium quod vento rapitur.

Vaine rosée qui t'estimes si haut!
Tu ne sais seulement si tu vivras demain.
Cette gloire de chair que tu recherches tant
Dans la Sainte-Ecriture est dite fleur de foin
Comme un fétu léger que disperse le vent.
                        (Poème attribué à Abélard.)

« O ma sœur Héloïse, qui me fus chère dans le siècle et m'es aujourd'hui très chère en Jésus-Christ, c'est la logique qui m'a rendu odieux au monde[1]. »

Cette constatation, sur laquelle s'ouvre la profession de foi d'Abélard, composée, nous le verrons, dans des circonstances dramatiques, témoigne de l'entière lucidité avec laquelle il juge son œuvre et les réactions qu'elle a provoquées.

Pendant plusieurs années cependant, Abélard aura pu reprendre son enseignement sur la Montagne Sainte-Geneviève en toute tranquillité. Dès 1133 peut-être, certainement en 1136, il a retrouvé l'habituel auditoire et, comme autrefois, soulève l'enthousiasme des étudiants. On en a un témoignage exactement daté grâce à l'un de ceux-ci, l'Anglais Jean de Salisbury, lequel a suivi ses cours et déclare que son départ lui parut trop prompt.

C'est peut-être à cette époque qu'Abélard compose

deux opuscules touchant la morale : le *Scito te ipsum* et le *Commentaire de l'Epître aux Romains.* Sans entrer dans le détail de ces œuvres, on doit mentionner qu'elles ne pouvaient, en son temps, entraîner l'adhésion. Abélard n'avançait-il pas que, seule, l'intention fait la faute ? Cela revenait à nier, dans le péché, l'aspect de scandale, et cette position trop marquée n'était pas faite pour attirer la sympathie en un temps où l'on ne considère pas qu'une faute puisse être exclusivement individuelle, où les relations de la personne et du groupe sont si étroites que toute communauté se sent entachée par la faute de l'un de ses membres; où, par conséquent, le scandale apparaît, à certains égards, aussi grave que la faute elle-même. Ce caractère individualiste de la morale d'Abélard a d'ailleurs été longuement discuté dans les traités de morale, ainsi que l'importance qu'il accorde à la pénitence[2].

Et il se pourrait aussi qu'Abélard ait composé à cette époque une œuvre qu'il devait laisser inachevée : « le Dialogue entre le Philosophe, le Juif et le Chrétien », *Dialogus inter philosophum, judeum et christianum.* L'ouvrage est très caractéristique de l'état d'esprit d'Abélard. Une nuit, raconte-t-il, il eut une vision. Trois hommes venaient à lui, chacun d'un sentier différent, et se présentèrent : « Tous nous professons pareillement reconnaître un seul Dieu; ce qui diffère en nous, c'est la foi dans laquelle nous le servons et la vie que nous menons. L'un d'entre nous est païen, de ceux qu'on appelle philosophes, et qui se contentent de la loi naturelle; les deux autres ont reçu les Ecritures : l'un est juif, l'autre chrétien. Longtemps nous avons conféré et discuté entre nous des divers aspects de notre foi. Pour finir, nous en venons à ton jugement. » Abélard donnera d'abord la parole au philosophe; c'est lui qui a l'initiative de toute démarche intérieure, « car tel est le bien suprême des philosophes : rechercher la vérité par le raisonnement et suivre en toutes choses, comme guide, non l'opinion des hommes, mais la raison ». Ce philosophe, ayant décidé d'adopter la foi qui lui paraîtrait le plus conforme à la raison, a étudié successivement celle des juifs et celle des chrétiens. Il s'en remet à présent, chacun ayant dûment préparé ses arguments, à l'arbitrage d'Abélard. Avec cette complaisance naïve envers lui-même qui ne l'a jamais quitté, ce dernier en profite pour placer son propre éloge dans la bouche de son interlocuteur : « Dans la même mesure où tu es renommé pour exceller tant par l'acuité de ton esprit que par la science de l'une et de l'autre Ecriture, tu pourras, c'est certain, te montrer à la hauteur de ce jugement... Chacun sait en effet ce qu'est la subtilité de ton intelligence, combien le trésor de ta mémoire est riche de sentences tant philosophiques que divines, bien au-delà de ce qu'on étudie généralement dans les écoles; et il est certain que tu t'es élevé au-dessus de tous les autres maîtres dans les études tant profanes que sacrées... Ce qui en fait pour nous la preuve, c'est cette œuvre admirable de théologie que l'envie n'a pu supporter, qu'elle n'a pas été capable de détruire et qu'elle a rendue plus glorieuse en la poursuivant[3]. »

Il ne fait pas de doute que Pierre Abélard s'estimait mieux placé qu'aucun autre penseur chrétien pour juger et décider de tout ce qui touche des rapports mutuels de la raison et de la foi.

Or, certains, tout au moins, de ses contemporains étaient loin de partager semblable opinion.

*

« Je suis confus, moi, le dernier des hommes, d'être contraint de vous interpeller, vous, mes seigneurs et pères. Votre devoir est de parler et vous gardez le silence sur une affaire des plus graves qui intéresse le bien commun des fidèles. Puis-je me taire à la vue des dangers que court, sans que personne s'y oppose, la foi de notre commune espérance, cette foi que Jésus-Christ a scellée de son sang, pour la défense de laquelle les apôtres et les martyrs ont versé le leur, que les veilles et les travaux des docteurs nous ont transmise pure et sans tache au siècle malheureux où nous vivons ? Oui, je sèche de douleur au-dedans de moi et le saisissement de mon cœur est tel que, pour le soulager, il faut que j'élève la voix en faveur d'une cause dont je m'estimerais heureux d'être la victime s'il était nécessaire et si l'occasion s'en présentait.

« Ne vous imaginez pas qu'il soit question de bagatelles. C'est la foi en la Sainte-Trinité, la personne du médiateur, celle du Saint-Esprit, la grâce de Dieu et le sacrement de notre rédemption qui sont en cause. Pierre Abélard, en effet, se remet à enseigner et à écrire des nouveautés. Ses livres passent les mers, ils vont au-delà des Alpes, ils volent de province en province, de royaume en royaume. Partout, ils sont vantés avec enthousiasme et défendus impunément. On dit même qu'ils sont en crédit auprès de la curie romaine... Je vous le dis à vous et à toute l'Eglise, votre silence est périlleux... Ne sachant à qui me confier, je vous ai choisis, c'est vers vous que je me tourne, c'est vous que j'appelle à la défense de Dieu et de toute l'Eglise. Cet homme vous craint, il vous redoute. Si vous fermez les yeux, qui donc craindra-t-il encore ? A l'heure critique où la mort vient de ravir à l'Eglise presque tous ses maîtres et docteurs, cet ennemi domestique se jette sur le corps désert de l'Eglise et s'empare du magistère. Il traite la divine Ecriture comme il traitait jadis la dialectique... »

Cette lettre était adressée simultanément à Bernard de Clairvaux et à Geoffroy de Lèves, l'évêque de Chartres, depuis toujours ami et défenseur d'Abélard. Elle n'était pas exempte d'une certaine sympathie pour ce dernier :

« Moi aussi, j'ai aimé Pierre Abélard et je voudrais l'aimer encore, Dieu m'en est témoin; mais, dans une pareille affaire, je ne puis tenir compte ni de prochain ni d'ami. Il est trop tard pour remédier au mal par des conseils ou des admonestations privés; l'erreur est publique, l'erreur fait tache d'huile. C'est une condamnation solennelle et publique qui s'impose[4]. »

Ainsi s'exprimait le moine cistercien Guillaume, précédemment abbé de Saint-Thierry. C'est en 1139 vraisemblablement, alors qu'il composait son commentaire sur le *Cantique des cantiques*, que lui étaient venus entre les mains les deux ouvrages d'Abélard : *Introduction à la théologie* et la *Théologie chrétienne*. Guillaume était alors retiré à l'abbaye de Signy, dans les Ardennes, où l'avait mené une évolution intérieure qui le poussait sans cesse vers une règle de vie plus exigeante, vers un dépouillement plus total; en effet, né à Lièges, à peu près contemporain d'Abélard lui-même, il avait d'abord revêtu l'habit monastique dans l'abbaye Saint-Nicaise de Reims; vers 1119 ou 1120, on l'avait élu abbé de Saint-Thierry aux proches environs de cette ville; mais, une quinzaine d'années plus tard, il s'était démis de son abbatiat pour passer de l'ordre des moines noirs à celui des moines blancs et embrasser la réforme qui se développait sous l'ardente impulsion de Bernard de Clairvaux. Aussi, vers 1135, avait-il adopté la règle cistercienne à l'abbaye de Signy; peut-être avait-il été tenté par une vie plus austère et plus solitaire encore, celle des chartreux, car il avait fait un séjour à la chartreuse du Mont-Dieu.

Guillaume de Saint-Thierry est un lettré; il a passé par les écoles, celles de Laon probablement; c'est un penseur qui tient une place importante dans l'évolution philosophique du XIIᵉ siècle; comme tous ceux de son temps, il s'est intéressé au problème de l'amour, c'est-à-dire, conformément à la vision de l'époque, au problème de la Trinité qui fait l'objet de ses œuvres principales : *De la nature et de la dignité de l'amour, De la contemplation de Dieu, le Miroir de la foi.*

A la suite de cette épître véhémente, Guillaume de Saint-Thierry adressait à ses correspondants une étude sur les erreurs qu'il avait pu relever dans les ouvrages de Pierre Abélard : les ayant lus la plume à la main, il avait noté au passage les expressions qui lui avaient paru peu orthodoxes; il en avait ramené le contenu à treize propositions qui toutes s'écartaient de la sainte doctrine.

Ainsi était amorcé un conflit d'une extrême importance, non seulement pour les personnalités mêmes qui s'y affrontèrent, mais pour l'évolution de la pensée et de l'Eglise : les commentaires auxquels ce conflit devait donner lieu ont été si nombreux à travers les siècles que ce nombre seul suffit à souligner quel genre de partie se jouait, et que de son issue dépendait, pour une part, le développement de la vie religieuse au XIIᵉ siècle et plus tard encore.

Guillaume de Saint-Thierry s'était adressé à Geoffroy de Lèves comme à l'un des évêques les plus éminents de son temps : l'évêque n'est-il pas, par sa fonction, le pasteur du troupeau, le gardien de la doctrine ? Il s'était adressé aussi à Bernard de Clairvaux comme au maître de cet ordre cistercien dont il dépendait et aussi au représentant, à l'incarnation même de la réforme religieuse en son temps. Bernard est « le chien de garde de la chrétienté[5] », celui qui se dresse, infatigable, devant toutes les erreurs, toutes les faiblesses de son siècle. Cet homme, voué au silence et à la solitude dans sa cellule de Clairvaux, en avait été arraché une première fois : c'était pour trancher un conflit entre l'archevêque de Sens, l'évêque de Paris et le roi lui-même, Louis VI. Depuis lors, il n'a plus cessé d'être appelé partout où l'on sent le besoin d'un arbitrage supérieur. Lorsque l'unité de l'Eglise s'est trouvée menacée par l'ancien moine clunisien Pierre de Léon qui, dans des conditions irrégulières, s'est fait nommer pape sous le nom d'Anaclet, c'est à Bernard qu'on a fait appel; c'est son autorité qui, devant les évêques réunis à Etampes, a levé les hésitations et les a fait se prononcer pour le pape légitime Innocent II.

Cette position de Bernard de Clairvaux dans la chrétienté du XIIᵉ siècle est pour nous surprenante, car elle s'exerce en dehors de toute fonction déterminée au sein de l'Eglise. Bernard n'est ni évêque ni cardinal; il est abbé, mais son autorité n'est valable que dans les limites de son abbaye. Si l'on fait spontanément appel à lui pour trancher les litiges et éclairer les causes obscures, c'est donc uniquement en raison de son prestige personnel, et ce prestige est l'hommage rendu par les hommes de ce temps à une sainteté transparente dont la réputation a franchi les murs de sa cellule monacale. Imaginons, si l'on veut un équivalent dans le monde moderne, le pape faisant appel au père de Foucauld dans son ermitage de Tamanrasset pour lui demander conseil. Bernard incarne, aux yeux du monde, cette réforme dont on considère alors qu'elle est l'état normal de l'Eglise; c'est pourquoi on se tourne vers lui comme d'instinct toutes les fois que l'on constate quelque chose à réformer. Et c'est pourquoi ce moine, qui n'a cherché que le silence et l'ensevelissement du cloître, a eu vocation de pèlerin; c'est pourquoi cet homme, de santé fragile, sans cesse au bord de l'épuisement et qui se compare lui-même à un « oiseau déplumé », a parcouru l'Europe et a adressé ses semonces non seulement aux évêques et abbés de monastères, mais au pape, au roi de France, aux rois d'Angleterre ou de Sicile, à l'empereur d'Allemagne, etc.

On ne peut donc guère s'étonner que Guillaume de Saint-Thierry se soit tourné vers Bernard de Clairvaux pour lui faire part des appréhensions qu'avait soulevées en lui la lecture des ouvrages de Pierre Abélard. Quelques années auparavant, les deux hommes ont déjà eu, entre eux, une correspondance demeurée célèbre, lorsqu'ils ont échangé leurs points de vue sur la question toujours actuelle du luxe dans l'Eglise; à cette occasion, Bernard a écrit la fameuse *Apologie à Guillaume de Saint-Thierry* dans laquelle il stigmatisait avec violence la richesse sous toutes ses formes : « Dites-moi donc, pauvres moines — si toutefois vous êtes pauvres —, dans le lieu saint que vient faire l'or ? »

Il reçut l'épître de Guillaume pendant le carême de l'an 1139. « Votre émotion, lui répondit-il, me paraît avoir été légitime et nécessaire... Ce n'est pas que j'aie encore lu (votre écrit) avec autant d'attention que vous l'exigez; mais, d'après ce que j'ai pu voir en le parcourant, il me plaît, je l'avoue, et je le crois capable de renverser cette doctrine impie. Mais comme je n'ai pas l'habitude, surtout en des matières aussi graves, de me fier beaucoup à mon propre jugement..., je crois qu'il sera utile... que nous nous rencontrions ensemble quelque part et que nous puissions conférer de tout cela. Je ne pense pas toutefois que cela puisse se faire avant Pâques pour ne pas arrêter l'esprit de prière qu'exige le temps où nous sommes[6]... »

La rencontre souhaitée eut donc lieu après Pâques. Bernard prit connaissance, de façon plus approfondie, du traité rédigé par Guillaume à son intention. Il fut décidé que lui-même aurait en privé une entrevue avec Abélard afin de l'amener par la discussion à justifier ou à corriger les propositions extraites de ses ouvrages[7]. Les erreurs incriminées concernent pour la plupart ce dogme de la Trinité auquel Abélard a consacré l'essentiel de son œuvre; et nous avons vu la place qu'il tient dans la pensée et la foi du temps. Autant dire que la partie qui s'engage va être d'importance décisive. Aucun des deux hommes n'est disposé à minimiser ce qui fera l'objet de leurs entretiens. Chacun défendra ses positions avec l'ardeur qu'on peut mettre à défendre une cause vitale.

La position d'Abélard, nous la connaissons. Nous avons vu comment il entend aborder les aspects essentiels de la foi par la voie du raisonnement dialectique. Ce n'est pas qu'il songe à nier que la foi repose sur une révélation, mais sa nature le porte à faire confiance à l'élément intellectuel, tout au moins dans « les préliminaires de la foi[8] » La vérité étant révélée, il croit possible de la démontrer[9]. Et tout son enseignement illustre cette possibilité.

Quant à Bernard, il se situe aussi loin que possible de tout intellectualisme : « La raison d'aimer Dieu, c'est Dieu même. La mesure de cet amour, c'est de l'aimer sans mesure. » Ainsi débute son *Traité de l'Amour de Dieu*. Pour lui, l'amour est premier, non le raisonnement. « L'amour est le seul de tous les mouvements, affections et sentiments de l'âme, par lequel la créature puisse traiter avec son Créateur, sinon de pair, du moins en lui offrant quelque chose de semblable à ce qu'il donne... Lorsque Dieu aime, il ne veut qu'être aimé, il n'aime que pour être aimé, sachant que l'amour rendra heureux tous ceux qui l'aimeront [10]. »

Pour Bernard, rien ne compte en dehors de cette primauté de l'amour; c'est l'amour qui fonde la foi : « Personne ne te peut chercher qui ne t'ait déjà trouvé, c'est donc que tu veux être trouvé pour être cherché, cherché pour être trouvé [11]. » La parole divine elle-même demeurera fermée à qui l'aborde sans amour : « Partout, dans le *Cantique des cantiques*, écrit-il, l'amour parle; si on veut comprendre ce qu'on y lit, il faut aimer. Ce serait vainement que l'on lirait ou que l'on écouterait le chant de l'amour si l'on n'aime pas; un cœur froid ne peut comprendre une parole de feu [12]... »

On conçoit qu'à un tel homme les méthodes d'Abélard, lequel s'est flatté d'approcher par la raison le domaine de la foi, aient pu faire horreur. N'est-ce pas le propre de la foi que de transcender la raison ? de ne pouvoir être soumise à des démonstrations ?

Si l'on tente de résumer d'un mot leurs positions respectives, on pourrait dire que la tendance d'Abélard consistait à appeler « problème » ce qui, pour Bernard, était un « mystère »; or rien ne pouvait hérisser celui-ci davantage que d'entendre traiter le mystère de la Sainte-Trinité comme on traiterait un problème. Comme l'écrit à son propos un contemporain, Otton de Freisingen, « il abhorrait ces maîtres qui, se fiant à une sagesse toute profane, prenaient trop fortement appui sur les raisonnements humains; et si l'on venait lui dire que sur quelque point ils s'écartaient de la foi chrétienne, il y prêtait facilement l'oreille [13]. ».

Ce que furent au juste les entrevues — car il y en eut plusieurs, deux au moins — de Pierre Abélard et de Bernard de Clairvaux, nous n'en savons rien, mais on peut douter qu'il y ait eu réellement « dialogue » entre les deux hommes. Leurs positions étaient trop divergentes. Il est d'ailleurs probable que Bernard s'y révéla très inférieur dans l'art de la discussion : n'avait-il pas affaire au plus grand « disputeur » du siècle ? Formé dès sa plus tendre jeunesse à l'art de la dialectique auquel il avait lui-même formé, par la suite, des générations de jeunes gens, Abélard pouvait considérer avec une pitié méprisante l'adversaire qui s'offrait à lui. Bernard n'est pas un intellectuel : « Tu trouveras davantage dans notre désert que dans tes livres, écrit-il dans sa lettre fameuse à Henri Murdach. Les arbres et les pierres t'enseigneront ce qu'aucun maître n'a pu faire[14]. » Ce n'est pas qu'il méprise l'étude ; lettré lui-même, il demande et au besoin exige des clercs « qu'ils soient instruits dans les lettres[15] ». Lorsqu'il blâmera le goût du savoir en soi, ou pour en faire étalage devant d'autres, ce sera en citant lui-même un vers de Perse, le satirique antique : « Ce n'est rien pour toi de savoir quelque chose, si quelqu'un d'autre ne sait que tu le sais. » Mais il a dû se trouver désarmé devant l'appareil de la dialectique qu'Abélard aura déployé pour soutenir ses thèses.

Ce qui apparaît, en tout cas, c'est que les entretiens privés ont renforcé l'antipathie entre les deux hommes. Plus encore que par ses thèses, Bernard a été scandalisé de l'attitude arrogante d'Abélard : « De toutes les choses du ciel et de la terre, il n'y en a qu'une qu'il juge digne de lui d'ignorer : le verbe j'ignore[16]. » Ce n'est pas la première fois que Pierre Abélard se sera suscité des ennemis par son attitude provocante et son agressive vanité.

Mais l'ennemi qu'il s'est fait en la circonstance ne va plus lâcher prise. Bernard est désormais convaincu que Pierre Abélard professe une doctrine déviée ; ses connaissances théologiques sont profondes, mais infectées d'une philosophie tout humaine : « Cet homme sue tant qu'il peut pour faire de Platon un chrétien, prouvant par là que lui-même n'est qu'un païen[17]. » Dans sa suffisance, il s'imagine pouvoir fonder sur la raison le domaine de la foi : « Ainsi l'esprit humain s'attribue tout et ne réserve rien à la foi. Il aspire à ce qui est plus haut que lui, il scrute ce qui est plus fort que lui, il se précipite sur les mystères divins, il profane les choses saintes plutôt qu'il ne les explique; il n'ouvre pas ce qui est clos et scellé, il le déchire; et tout ce qu'il ne trouve pas clair pour lui, il le considère comme nul et dédaigne de le croire[18]. » Or cet homme est un enseignant; il exerce sur ses élèves une profonde influence. Il est donc urgent de couper court au mal.

C'est très probablement dans les semaines qui suivirent ses entretiens avec Abélard que Bernard de Clairvaux se mit à rédiger la réfutation en forme qu'il intitule : *Traité contre quelques chapitres des erreurs d'Abélard*[19]. Peut-être a-t-il médité ce travail dès ses entretiens avec Guillaume de Saint-Thierry. Sans doute aussi a-t-il jugé nécessaire d'établir clairement, face à l'argumentation du maître, la transcendance de la foi, reposant sur la révélation : « C'est dans la vertu de Dieu qu'est enracinée notre foi, non dans les élucubrations de notre raison[20]. » Et quelque chose de l'exaspération qu'il a éprouvée à entendre Abélard déployer les ressources de sa logique passe lorsqu'il ironise à son sujet. « Ecoutez notre théologien : « A quoi bon ensei-« gner[21], si l'objet de notre enseignement ne peut être « exposé de telle façon qu'on le comprenne ? » Laissant ainsi miroiter devant ses auditeurs l'intelligence de ce que la sainte foi recèle, dans les profondeurs de son sein, de plus sublime et sacré, il établit des degrés dans la Trinité, des mesures dans la majesté, des chiffres dans l'éternité[22]. »

Bien que la chronologie soit ici un peu incertaine, il est probable que c'est en réponse à ce traité qu'Abélard, à son tour, aura composé sa première *Apologie*. L'œuvre[23] ne nous a malheureusement pas été conservée. Nous ne la connaissons qu'à travers le résumé, fait à l'intention d'un évêque par l'abbé d'un monastère demeuré anonyme, intitulé *Disputatio anonymi abbatis*. Autant qu'on en puisse juger, son ouvrage reprenait chapitre par chapitre le traité de Bernard de Clairvaux pour se justifier des accusations contenues contre sa doctrine; le ton était violent : il traitait Bernard de « démon travesti en ange de lumière ». La rancune latente, qui est perceptible dans la lettre d'Abélard à propos de la visite de Bernard aux moniales du Paraclet, devait ici se déchaîner. Aussi l'œuvre fit-elle scandale dans les milieux scolaires. La *Disputatio* par laquelle on la connaît en porte trace :

« L'*Apologie* (d'Abélard), écrivait l'abbé anonyme, aggrave sa théologie. Il ajoute les erreurs nouvelles aux anciennes, il les défend avec une ténacité captieuse, il sombre dans l'hérésie. » Désormais, la querelle s'étalait au grand jour.

On imagine combien, dans la foule des étudiants qui se pressaient tant au cloître Notre-Dame que sur la montagne Sainte-Geneviève, les esprits devaient s'échauffer. Et, comme toujours à l'époque, les conversations eurent tôt fait de gagner des régions très éloignées du lieu même de la dispute : on en a le témoignage par la lettre d'un chanoine de Toul, Hugues Métel, bel esprit, passablement touche-à-tout, qui consacrait une partie de son existence à tenter d'attirer l'attention sur sa personne en écrivant aux uns et aux autres des lettres d'un style fleuri. L'occasion était bonne pour lui de se mêler de ce qui ne le regardait pas : il n'eut garde d'y manquer. Déjà, il avait écrit à Héloïse deux lettres successives adressées à « l'abbesse d'un immense renom, nourrie au sein des muses », désireux qu'il était d'entretenir avec elle une correspondance; mais ce désir ne semble pas avoir été partagé, et la correspondance en resta là. Toujours est-il qu'en 1140, Hugues Métel intervient inopportunément dans le débat pour accabler Abélard, fils, dit-il, « d'un Egyptien et d'une Juive », ce qui, selon le mode de pensée du temps, signifie qu'Abélard est fidèle au sens littéral de l'Ecriture comme peut l'être le fils d'une Juive, mais infidèle à son sens spirituel comme peut l'être le fils d'un Egyptien, l'Egypte étant alors le symbole même de l'esprit païen; il lui oppose Bernard, ce véritable Israélite de père et de mère, par la lettre et par l'esprit. Son épître n'aurait aucune importance si elle ne révélait combien le bruit de la controverse s'était répandu dans tout l'Occident.

Un autre facteur vient également embrouiller la situation : on ne tarde pas à rencontrer, auprès d'Abélard, se disant ses amis et ses élèves, des personnages hautement suspects : Arnaud de Brescia entre autres. Ce passionné de réforme religieuse était de ceux qui confondent le zèle avec la violence et se muent facilement en agitateurs politiques; le peuple de Brescia, soulevé par lui, avait chassé son évêque. Arnaud s'était vu exilé d'Italie en 1139 sur l'ordre du pape Innocent II et était venu à Paris où il avait repris contact avec Abélard, son ancien maître, qui avait formé sa jeunesse.

Il fallait que la question fût tranchée; elle ne pouvait désormais l'être qu'en cour de Rome. C'est alors que Bernard entreprend d'attirer l'attention d'Innocent II sur celui que, désormais, il traite en hérétique. Son *Traité* lui était dédié, mais il ne semble pas avoir attiré l'attention du pontife. Abélard se flattait d'avoir auprès de celui-ci des amis et de puissantes protections. Bernard entreprend donc une série de missives, l'une destinée à l'ensemble de la curie, les autres à divers cardinaux; l'un d'entre eux, Guy de Castello (il dèvait être élu pape en 1143 sous le nom de Célestin II), est un ancien élève d'Abélard demeuré son ami : « Je vous ferais injure, lui écrit Bernard, si je voyais que vous aimez quelqu'un au point d'aimer aussi ses erreurs; car, aimer de cette façon, c'est ne point savoir encore comment il faut aimer... » Et d'affirmer, en terminant : « Il est bon, pour l'Eglise du Christ, bon même pour cet homme qu'on lui impose silence[24]. » Un autre destinataire est, lui, ancien moine de Clairvaux : Etienne de Châlons; avec lui, le ton se fait plus acerbe : « (Abélard) se glorifie d'avoir infecté la cour de Rome du venin de sa nouveauté, d'avoir mis ses lèvres dans les mains, ses doctrines dans le cœur des Romains; et il choisit pour protéger son erreur ceux qui doivent le juger et le condamner[25]. » De la même encre sont écrites deux autres épîtres adressées à d'anciens chanoines de Saint-Victor de Paris : « Maître Pierre Abélard, moine sans règle, prélat sans charge, n'observe aucune loi et n'est retenu par aucun ordre... Hérode au-dedans, Jean-Baptiste au-dehors... il a été condamné à Soissons... mais sa nouvelle erreur est pire que la première[26] », écrit-il à Yves de Saint-Victor et à son ami Gérard Caccianemici, qui sera plus tard le pape Lucius II. Il rapproche Abélard de cet ancien ennemi de l'Eglise, Pierre de Léon, l'antipape Anaclet : « Après Pierre le Lion, voici Pierre le Dragon. »

Toutes ces lettres ont été visiblement rédigées d'un seul jet, vers la même époque; le style, les images y sont identiques. Elles auront été expédiées par des messagers, aux environs de Pâques de l'an 1140, dans l'intention de clore une controverse déjà trop longue au gré de Bernard de Clairvaux. Trois autres lettres, en revanche, portent la marque de cette même rédaction, mais n'ont pas été expédiées sur-le-champ. L'une, adressée au pape lui-même, reprend l'image du lion et du dragon et, non sans habileté, met l'accent sur l'amitié qui lie Pierre Abélard avec Arnaud de Brescia : « Maître Pierre et cet Arnaud, peste dont vous avez purgé l'Italie, ont fait alliance et ils se dressent contre le Seigneur et contre son Christ[27]. » Les deux autres sont adressées, la première au chancelier Haimeric de Castres, la seconde à un abbé dont le nom n'est pas précisé[28]. Ces trois épîtres sont demeurées inachevées, car, entre-temps, un fait nouveau est survenu, qui a bouleversé les plans de Bernard de Clairvaux.

Au 2 juin, jour octave de la Pentecôte cette année-là, devait avoir lieu à Sens une ostension de reliques très solennelle. Ce genre de cérémonie réunissait un vaste concours de peuple et aussi de prélats et de seigneurs.

En la circonstance, le jeune roi de France lui-même, Louis VII, avait fait dire qu'il serait présent; autour de l'archevêque de Sens, métropolitain de toute la province, allaient se réunir les évêques suffragants sans compter les abbés des monastères et les pasteurs des diocèses voisins. Impossible d'imaginer plus prestigieux auditoire. Cette vaste assemblée, Abélard a eu soudain l'idée de la transformer en tribune publique; ceux qui la composent seront spectateurs et témoins de la plus importante joute théologique du siècle. Pierre Abélard y exposera ses thèses, et, au vu de tous, défiera Bernard de les réfuter. En hâte, il écrit à l'archevêque, Henri Sanglier, pour lui demander la permission de prendre la parole en cette occasion. Et déjà, il rêve d'une victoire décisive, d'une éclatante revanche sur les perfides manigances de Soissons vingt ans plus tôt, d'un débat éblouissant dans lequel lui, Abélard, démontrera la pureté de sa doctrine et l'excellence de ses méthodes. Il compte bien pulvériser l'adversaire : n'a-t-il pas éprouvé, lors des précédentes discussions, sa propre supériorité dans le domaine de la dialectique ? Les marques de confiance, voire d'enthousiasme que lui prodiguent ses élèves, depuis quatre ans qu'il a repris son enseignement parisien, lui ont rendu toute sa hardiesse. A la face du monde — tout au moins du monde qui compte pour lui, celui des clercs et des écoles, sans parler de ce jeune roi qui est lettré lui-même — , il fera reconnaître sa propre orthodoxie et démasquera les manœuvres de Bernard qui, vainement, tente de le desservir en cour de Rome.

Henri Sanglier a accepté sans trop y réfléchir, semble-t-il, l'offre quelque peu inattendue du maître parisien, mais il en prévient Bernard de Clairvaux. Celui-ci semble avoir été un peu déconcerté : la manœuvre prévient celle que lui-même avait entreprise pour remettre au pape le jugement de toute l'affaire. La mise en scène de cette joute théologique n'est pas faite pour lui plaire, et il redoute, personnellement, de s'affronter en public avec un « disputeur » de la taille de Pierre Abélard. Ses hésitations sont nettement exposées dans la lettre que, par la suite, il écrira à Innocent II pour lui raconter toute l'affaire.

« Sur sa demande (d'Abélard), l'archevêque de Sens m'a écrit et m'a indiqué le jour où nous pourrions nous rencontrer afin qu'Abélard défendît les propositions que j'avais incriminées dans ses écrits. Je voulais tout d'abord me récuser, soit parce qu'il est un disputeur depuis son enfance de même que Goliath avait été guerrier, tandis que moi je n'étais qu'un enfant auprès de lui, et aussi parce qu'il me paraissait malséant que la cause de la foi, qui a cependant une base si inébranlable, fût défendue par les faibles arguments d'un homme. Je disais que ses écrits suffisaient pour qu'on le mît en accusation, que ce procès ne me regardait pas et concernait bien plutôt les évêques dont la mission est de juger les questions de doctrine. Mais Abélard s'obstina d'autant plus dans sa demande, réunit ses amis, écrivit contre moi à ses disciples et fit savoir partout qu'il me répondrait au jour indiqué. Tout cela attira d'abord très peu mon attention, mais ensuite je finis par céder sur le conseil de mes amis, qui me représentaient qu'en ne paraissant pas je scandaliserais les fidèles et que mon adversaire n'en aurait que plus de jactance[29]. »

C'est dire que Bernard, une fois vaincues ses premières appréhensions, est entré dans le jeu de son adversaire. Mais ce serait mal le connaître que de penser qu'il va s'y lancer sans préparation. Laissant là sa correspondance commencée, il adresse aussitôt aux évêques et prélats de la région une pressante invitation à se rendre à Sens et à s'y montrer disciples fidèles de l'Eglise et ennemis résolus de l'hérésie : « Il s'est répandu de tous côtés une nouvelle qui a dû parvenir jusqu'à vous : c'est que nous sommes appelé à Sens pour l'octave de la Pentecôte et que nous sommes provoqué à un débat pour la défense de la foi, quoiqu'il ne convienne pas à un serviteur de Dieu de contester, mais plutôt d'être patient envers tout le monde. S'il s'agissait de sa propre cause, peut-être votre serviteur pourrait-il, non sans raison, se flatter d'être sous la protection de votre sainteté; mais comme cette cause est la vôtre, qu'elle est même plus que la vôtre, je vous conseille hardiment, je vous supplie instamment de vous montrer de vrais amis dans le besoin... Ne vous étonnez pas que nous vous invitions si subitement et pour un délai si court; car l'adversaire, avec sa ruse et son adresse habituelles, a tout disposé pour nous surprendre à l'improviste et pour nous contraindre à combattre désarmé[30]. »

Abélard a voulu se produire devant une assemblée solennelle; elle sera plus solennelle encore qu'il ne l'a prévu; car c'est une véritable convocation personnelle que Bernard lance par sa missive aux évêques de France, et, de tous côtés, clercs et laïcs, moines et prélats font leurs préparatifs pour se rendre vers la vieille métropole où, depuis une dizaine d'années déjà, Henri Sanglier a fait jeter les bases d'un nouvel édifice destiné à remplacer sa cathédrale devenue trop petite. Là, comme à Saint-Denis, va commencer à s'affirmer cet art nouveau qui introduit la logique dans l'architecture, qui assigne aux poussées de la construction des supports exactement prévus pour les compenser, qui dresse une ossature vive – la croisée d'ogives – destinée à maintenir l'ensemble; en bref, c'est l'art gothique qui s'annonce et, avec lui, le début d'une architecture raisonnée.

Abélard ne paraît guère avoir été sensible au développement architectural de son temps. On ne relève dans sa correspondance aucune notation trahissant la moindre curiosité d'esprit à ce sujet. Il n'aura pourtant pas été le dernier à gagner Sens, à se mêler à toute cette foule qui est venue vénérer des reliques. En voyant affluer, qui à cheval, et qui à pied, cette cohue dans laquelle les seigneurs de haut rang voisinent avec le petit peuple, il aura sans doute souri de satisfaction, songeant que jamais philosophe n'avait pu espérer semblable auditoire.

*

Imposant auditoire, en effet. On voit réunis à Sens, ce 2 juin 1140, autour de l'archevêque Henri Sanglier, ses principaux suffragants. Le premier de tous, Geoffroy de Lèves, évêque de Chartres, l'élève d'Abélard demeuré son ami à travers heurs et malheurs : il l'a jadis soutenu au concile de Soissons autant qu'il l'a pu. Peut-être a-t-il été ébranlé comme Bernard par la lettre de Guillaume de Saint-Thierry, mais on peut penser qu'il garde sa confiance à son ancien maître; à ses côtés, l'évêque Hugues d'Auxerre est, lui, ami intime de Bernard de Clairvaux. Trois autres évêques de la province sont présents : Elie d'Orléans, Atton de Troyes, Manassès de Meaux. L'archevêque de Reims, Samson des Prés, est accompagné de trois de ses suffragants, Alvise d'Arras, Geoffroy de Châlons, Jocelyn de Soissons. Une anecdote, vraisemblablement forgée après coup, montre aussi parmi les assistants le futur évêque de Poitiers, Gilbert de la Porrée, auquel Abélard, l'avisant au passage, aurait murmuré le vers fameux : « Prends garde à ta maison quand le mur voisin brûle. » Effectivement, Gilbert verra ses thèses condamnées sept ans plus tard. Le jeune roi est présent. Peut-être a-t-il à ses côtés le comte Thibaud de Champagne avec qui il va bientôt entrer en conflit sous l'influence de la reine Aliénor, et certainement — les textes le nomment — le comte Guillaume de Nevers, pieux personnage, qui terminera ses jours sous l'habit du chartreux. Mais, plus qu'aucun de ces illustres personnages, la personne de Bernard de Clairvaux et celle de Pierre Abélard devaient attirer l'attention. Ce dernier était là « avec ses partisans », disent les textes : sans doute Arnaud de Brescia, sûrement Hyacinthe Bobo, diacre romain (il sera, beaucoup plus tard, le pape Célestin III) qui est l'un des plus ardents défenseurs du philosophe et le montrera au cours des journées qui vont suivre.

Toute la journée du dimanche de juin fut consacrée

aux cérémonies religieuses : ostension des reliques et offices de la liturgie avec, sans doute, de ces vastes processions qui, pour l'époque, symbolisent la marche du chrétien vers Dieu dans sa vie terrestre.

Mais, dès le soir, Bernard de Clairvaux réunissait les prélats en séance privée. A son invite, ils allaient examiner les propositions extraites par Guillaume de Saint-Thierry de l'œuvre d'Abélard, les revoir, discuter de leur degré d'orthodoxie. Finalement, au cours de cette soirée, la liste des propositions hérétiques s'allonge, puisque ce sont dix-neuf articles que la commission ainsi réunie énumère et déclare condamnables. Avant de se séparer, les prélats décident que le lendemain Pierre Abélard sera invité à s'en expliquer en public, à soutenir ou réfuter ses propositions. La tribune s'est transformée en tribunal.

« Le lendemain, une foule nombreuse se réunit en la cathédrale; le serviteur de Dieu (Bernard) y présenta les écrits de maître Pierre et en dénonça les propositions erronées; faculté fut concédée au philosophe soit de nier que celles-ci se trouvaient dans ses ouvrages, soit de les amender en esprit d'humilité, soit enfin de répondre, s'il le pouvait, aux réfutations qui en étaient données autant qu'au témoignage des Pères de l'Eglise. Mais Pierre refusa de plier : impuissant à combattre efficacement contre la sagesse et l'esprit de son accusateur, il en appela au siège apostolique. Pressé... de répondre en toute liberté et sans rien craindre... il refusa obstinément de prendre la parole[31]. »

Coup de théâtre, qui laissa l'assemblée stupéfaite : Pierre Abélard refusait le débat qu'il avait lui-même sollicité. Il est vrai qu'il n'avait pas entendu comparaître en accusé : averti de ce que la controverse envisagée tournait à une mise en accusation, il a refusé de s'y prêter.

Il reste que les contemporains se sont mal expliqué cette dérobade. Geoffroy d'Auxerre poursuit en faisant allusion à une défaillance physique d'Abélard[32] : « Il déclara plus tard à ses amis — du moins est-ce ce qu'ils racontent — qu'à ce moment la mémoire lui avait presque complètement fait défaut. Sa raison s'était enténébrée, son sens intérieur l'avait fui. » L'hypothèse a été reprise en notre temps et, rapprochée d'autres circonstances de la vie d'Abélard dans lesquelles s'est révélée son émotivité, elle a fait l'objet d'explications médicales qui paraissent satisfaisantes. On peut penser néanmoins que la défaillance physique n'est pas seule en cause ici. Averti par ses amis — peut-être par le diacre Hyacinthe Bobo — de ce qui s'était passé durant la séance de la veille, il aura refusé cette déviation d'une assemblée devant laquelle il comptait exposer ses thèses et non se justifier d'un crime d'hérésie.

Quels que soient les commentaires auxquels la foule ait pu se livrer, force était aux prélats de donner tant bien que mal un dénouement à l'affaire. Abélard avait quitté la cathédrale après avoir prononcé son appel au pape; les évêques reprirent leur discussion de la veille; les dix-neuf articles furent à nouveau remaniés, réduits à quatorze, et l'on décida de les adresser tels quels à l'arbitrage de Rome.

« Quoique cette appellation ne soit pas parfaitement canonique, par la raison qu'il n'est pas permis d'en appeler d'un tribunal qu'on a choisi volontairement, écrit Henri Sanglier à Innocent II, nous n'avons pas voulu, par respect pour le Saint-Siège, prononcer une sentence sur la personne d'Abélard. Quant à ses faux principes qui avaient été exposés à plusieurs reprises dans des séances publiques et que l'abbé de Clairvaux, s'appuyant sur des preuves de raison, sur des passages de saint Augustin et d'autres Pères, avait démontré être faux et même hérétiques, nous les avions déjà condamnés la veille du jour de cette appellation [33]. »

Semblable lettre trahit aussi bien l'étonnement des prélats devant la volte-face d'Abélard que leur embarras à transmettre au Saint-Siège une cause qu'en fait ils avaient déjà condamnée.

L'attitude de Bernard de Clairvaux, elle, ne reflète

pas la moindre hésitation. Abélard, à Sens, avait refusé le combat; la cause allait se jouer à Rome; il fallait donc reprendre les correspondances engagées et, par elles, agir à Rome. Il reprend la plume et rédige, à l'intention d'Innocent II, un compte rendu de toute l'affaire dans lequel il donne libre cours à cette verve redoutable qu'il déploie lorsque, à son sens, l'Eglise ou la Vérité sont en danger : « C'est Goliath qui s'avance, altier, ceint de son noble appareil de guerre, précédé de son écuyer Arnaud de Brescia. L'écaille s'unit à l'écaille, nul souffle ne les traverse plus. L'abeille de France a sifflé l'abeille d'Italie. Ensemble, ils ont marché tous deux contre Dieu et contre son Christ... Il insulte les docteurs de l'Eglise et couvre au contraire d'éloges les philosophes; leurs inventions, leurs nouveautés, il les préfère à la doctrine des Pères, à la foi. Tous s'enfuient devant sa face et c'est alors moi, de tous le plus infime, qu'il provoque en combat singulier !... C'est à toi, le successeur de l'Apôtre, qu'il appartient de juger. Vois s'il devra trouver refuge auprès du siège de Pierre, celui qui assaille la foi de Pierre[34]... » Et l'on perçoit, à travers le dernier paragraphe de cette épître, un écho des discussions qui, vraisemblablement, avaient eu lieu dans l'assemblée : « Hyacinthe, ajoute Bernard de Clairvaux, nous a manifesté bien des mauvais sentiments; moins toutefois qu'il ne l'eût souhaité : il n'en a pas eu le loisir. Il m'est apparu cependant que je devais le souffrir avec résignation, car, en cette assemblée, il n'a ménagé ni votre personne ni votre curie[35]. »

Les lettres demeurées en souffrance furent expédiées avec un semblable appendice relatant le zèle de Hyacinthe à défendre Abélard : c'était prendre les devants contre les manœuvres possibles de ce dernier en cour de Rome. Bernard allait ajouter trois lettres encore à trois cardinaux romains[36] pour prévenir l'appel du philosophe : il fallait qu'à Rome la cause fût jugée comme à Sens.

La foule rassemblée à Sens s'égaillait, chacun regagnant son foyer, son monastère, son diocèse, et colportant le récit de l'événement dont il avait été le témoin. Le duel n'avait pas eu lieu. La grande « dispute » tant attendue entre deux hommes également renommés pour le pouvoir de leur éloquence ne s'était pas produite. En cette époque, où l'on est si friand de joutes oratoires, plus d'un assistant avait dû se sentir frustré : tout était préparé pour le tournoi, les adversaires entraient en lice, quand l'un d'eux avait refusé le combat. Si Abélard était le philosophe le plus réputé de l'époque, Bernard de Clairvaux, lui, en était le prédicateur le plus écouté; ses sermons soulevaient les foules et, aujourd'hui encore, à leur lecture, quelque chose passe de ce souffle qui les enthousiasmait. On ne possède plus, malheureusement, le texte des exhortations enflammées dont allaient retentir les collines autour de Vézelay quatre ans plus tard, mais on sait qu'elles furent assez fortes pour décider la plupart des auditeurs à prendre la croix pour aller secourir les Lieux saints de nouveau en péril.

Pour les amateurs de beau langage, le concile de Sens était une déception. Mais cet affrontement, quoique avorté, entre deux hommes tels que Pierre Abélard et Bernard de Clairvaux marque une époque. On a déjà fait remarquer combien Abélard, père de la scolastique, annonce le triomphe de l'architecture gothique. « Les différents aspects de sa pensée se soutiennent, a-t-on écrit, comme ces arcs de voûte qu'il voyait construire d'après un principe nouveau[37]. » Pour comprendre Bernard, c'est l'architecture cistercienne qu'il faut contempler, et cette capacité de renouvellement qu'elle tire de sa pauvreté même. C'est au Thoronet, à Sénanque, à Pontigny, à Fontenay, qu'on peut pénétrer, dans sa profondeur et dans sa violence, la réforme apportée par Bernard de Clairvaux. Parce qu'il refusait toute concession au luxe, à l'ornement, à ce qui peut flatter l'œil et assoupir l'âme, cet homme a rendu à l'art roman son énergie première; les églises nées sur son passage ne sont pas le fruit d'une réflexion raisonnée : elles s'imposent comme la transcendance même de la foi; leurs chapiteaux nus, leurs voûtes sans complaisance traduisent mieux qu'aucun commentaire l'élan tout intérieur dont elles procèdent. Bernard de Clairvaux est celui qui sacrifia tout, à commencer par lui-même, à la pureté de cet élan. On peut trouver dure sa conduite avec Abélard, se scandaliser de l'ardeur implacable avec laquelle il mène le combat contre lui : la violence qu'il déploie en cette occasion est la même qu'il a mise à bannir de ses édifices tout ornement superflu, à imposer dans ses monastères la règle dans toute sa rigueur, à maintenir toujours, envers et contre tous, l'intégrité de la foi.

Il reste que l'attitude de Bernard a été jugée de façons très diverses en son temps comme elle devait l'être par la suite. Le concile de Sens se prolongeait ici et là dans les écoles en polémiques passionnées, chacun prenant fait et cause pour l'un ou l'autre partenaire. On en trouve un écho dans la lettre d'un élève d'Abélard, Bérenger de Poitiers; il n'avait pas assisté au concile de Sens, mais n'en traçait pas moins une peinture des événements en traits vigoureux tout en s'attaquant avec violence à Bernard de Clairvaux : « Nous espérions, écrit-il, trouver dans l'arbitrage de ta bouche la clémence même du ciel, la sérénité de l'air, la fécondité de la terre, la bénédiction des fruits. Ta tête semblait toucher les nuages, et, selon le proverbe courant, l'ombre de tes rameaux dépassait celle des montagnes... A présent, ô douleur ! est apparu ce qui demeurait caché et tu as sorti les pointes venimeuses du serpent endormi... Tu as désigné Pierre Abélard comme la cible pour ta flèche. Tu as vomi sur lui le venin de ta méchanceté... Devant les évêques rassemblés de toutes parts au concile de Sens, tu l'as déclaré hérétique... Tu avais proclamé devant le peuple que l'on adressât une prière à Dieu pour lui et, intérieurement, tu te disposais à le proscrire du monde chrétien. Que faisait le peuple ou pour qui le peuple priait-il, alors qu'il ne savait pourquoi il était en train de prier ? » Et de décrire, dans les termes les plus outrés, une scène à laquelle il n'a évidemment pas assisté, la réunion des prélats, tenue dans la soirée du 2 juin. Après le repas réunissant évêques et abbés, Bernard aurait fait apporter les ouvrages de maître Pierre et, au milieu d'une véritable scène d'orgie, aurait facilement obtenu leur condamnation après lecture de quelques passages habilement choisis. « On aurait pu voir ces pontifes insulter, frapper du pied, rire et plaisanter, si bien que n'importe qui aurait pu en conclure facilement qu'ils devaient leurs vœux non au Christ, mais à Bacchus. Au milieu de tout cela, les bouteilles circulent, on fait honneur aux coupes, on apprécie les vins et l'on arrose la gorge des pontifes. » Et de décrire les uns à moitié envahis par le sommeil, d'autres la tête branlante, les paupières closes, d'autres répétant d'une voix pâteuse : « Condamnons, damnons[38]. » Le pamphlet tout entier est écrit de la même encre et, publié au lendemain de la condamnation d'Abélard, il ne pouvait guère contribuer, de toute façon, à disposer favorablement les esprits envers lui !

Quelques années plus tard, Bérenger de Poitiers désavouera cet écrit, composé, dira-t-il, alors que la barbe lui poussait à peine au menton. Pour nous, il possède le mérite de nous avoir transmis, avec un écho de l'indignation des contemporains, un texte précieux entre tous : l'*Apologie* d'Abélard adressée à Héloïse.

En effet, au soir du concile de Sens, Abélard avait décidé de se rendre aussitôt à Rome afin d'y présenter lui-même sa cause. Mais un devoir restait à accomplir. Pouvait-il oublier que, dans sa chère fondation du Paraclet, quelqu'un se consumait d'angoisse à son sujet ? Héloïse et les moniales qui l'entouraient étaient évidemment au courant de ce qui s'était passé à Sens. Une étape d'une journée à peine séparait leur monastère de la métropole; c'est dire que, le lendemain au plus tard de cette pathétique journée du 3 juin, Héloïse, qui avait dû attendre comme tout le monde et avec plus d'impatience que personne la controverse annoncée, aura su à la fois qu'Abélard s'était dérobé et qu'il avait été condamné par le concile. Au terme de controverses et de discussions qu'elle avait dû suivre anxieusement, allait-elle demeurer dans l'indécision ? Devrait-elle considérer comme hérétique celui dont elle tenait son monastère, sa règle, et dont la pensée faisait comme la trame de sa propre réflexion ? Abélard savait qu'au besoin Héloïse eût été prête à se déclarer hérétique avec lui. Et pour elle, il rédige ce que Bernard de Clairvaux n'a pu obtenir de lui : une profession de foi aussi claire, aussi nette qu'eût pu la souhaiter le censeur le plus exigeant :

« Héloïse, ma sœur, jadis si chère dans le siècle, aujourd'hui plus chère encore en Jésus-Christ, la logique m'a valu la haine du monde. Ils disent, en effet, ces pervertisseurs pervers dont la sagesse est perdition, que je suis un grand logicien, mais que je ne me fourvoie pas médiocrement dans saint Paul. Reconnaissant la pénétration de mon génie, ils me refusent la pureté de la foi chrétienne, en quoi, ce me semble, ils jugent en gens égarés par l'opinion plutôt qu'instruits par l'expérience.

« Je ne veux pas être philosophe s'il faut pour cela me révolter contre Paul. Je ne veux pas être Aristote s'il faut pour cela me séparer du Christ, car il n'y a pas sous le ciel d'autre nom que le sien en qui je doive trouver mon salut. J'adore le Christ régnant à la droite du Père, je l'étreins des bras de la foi lorsqu'il opère divinement des œuvres glorieuses dans une chair virginale née du Paraclet. Et pour que toute inquiète sollicitude, pour que toute hésitation soient bannies du cœur qui bat dans ton sein, je veux que tu le tiennes de moi : j'ai fondé ma conscience sur cette pierre sur laquelle le Christ a édifié son Eglise. Voici, en peu de mots, l'inscription qu'elle porte :

« Je crois au Père, au Fils et au Saint-Esprit, Dieu Un par nature, le vrai Dieu en qui la Trinité des personnes ne porte aucune atteinte à l'Unité de substance. Je crois que le Fils est égal au Père en tout, en éternité, en puissance, en volonté et en opération... J'atteste que le Saint-Esprit est égal et consubstantiel en tout au Père et au Fils, car c'est Lui que je désigne souvent dans mes livres du nom de Bonté... Je crois aussi que le Fils de Dieu est devenu le Fils de l'homme de sorte qu'une seule personne consiste et subsiste en deux natures, Lui qui, ayant satisfait à toutes les exigences de l'humaine condition qu'il avait assumée et jusqu'à la mort même, est ressuscité et monté au ciel d'où Il viendra juger les vivants et les morts. J'affirme enfin que tous les péchés sont remis dans le baptême, que nous avons besoin de la Grâce pour commencer le bien comme pour l'accomplir, et que ceux qui ont failli sont réformés par la pénitence. Quant à la résurrection de la chair, est-il besoin d'en parler? Je me flatterais en vain d'être chrétien si je ne croyais que je dois ressusciter un jour.

« Voilà la foi où je demeure et dont mon espérance tire sa force. Dans ce lieu de salut, je ne crains pas les aboiements de Scylla, je ris du gouffre de Charybde, je ne redoute pas les chants mortels des sirènes. Vienne la tempête, je n'en serai pas ébranlé, les vents pourront souffler sans que je m'émeuve, je suis fondé sur la pierre ferme. »

Cette bouleversante confession était propre à dissiper toute espèce de doute dans l'âme d'Héloïse. Et, pour nous, elle manifeste aussi ce qu'Héloïse et Abélard sont devenus l'un pour l'autre en un temps où déjà l'existence de ce dernier est proche de son terme; au lendemain du concile de Soissons, il n'avait pas éprouvé le besoin de confier ainsi sa pensée profonde à Héloïse; pourtant, leur aventure amoureuse était beaucoup plus proche; Héloïse n'en avait pas moins disparu de son existence; il était redevenu le philosophe, l'intellectuel, le solitaire. En l'obligeant à se souvenir d'elle, en exigeant de lui un échange, des lettres de direction, des sermons à écouter, des hymnes à chanter, Héloïse a obtenu qu'Abélard donnât le meilleur de lui-même, qu'il renonçât au raisonnement logique pour crier sa foi : « Je ne veux pas être philosophe s'il faut pour cela me révolter contre Paul; je ne veux pas être Aristote s'il faut pour cela me séparer du Christ. » Jamais sans doute n'eût jailli semblable cri, excluant à tout jamais les équivoques et les malentendus, sans la présence d'Héloïse et sa volonté de n'être pas oubliée.

Vere Jerusalem est illa civitas
Cujus pax jugis est, summa jucunditas,
Ubi non prevenit rem desiderium
Nec desiderio minus est premium.
...

Nostrum est interim mentem erigere
Et totis patriam votis appetere
Et ad Jerusalem a Babylonia
Post longa regredi tandem exsilia.

Illic molestiis finitis omnibus
Securi cantica Sion cantabimus
Et juges gratias de donis gratie
Beata referet plebs tibi, Domine.

« Vraiment Jérusalem est la sainte cité
Où règne toute paix, toute félicité,
Où le désir n'a pas à prévenir le don,
Où l'on reçoit non moins que l'on a désiré.
...

« Il nous faut à présent élever nos esprits,
Tendre de tous nos vœux à voir cette patrie,
Et vers Jérusalem, du fond de Babylone,
En revenir enfin après de longs exils.

« Là, finies à jamais nos tribulations,
En paix nous chanterons les hymnes de Sion
Et grâces te rendra pour les dons de la Grâce
Pour toujours, ô Seigneur, ton peuple bienheureux. »
                    (ABÉLARD, *O quanta qualia.*)

Pierre Abélard a pris, au lendemain du concile de Sens, la route de Rome. Il ira lui-même présenter au pape ses ouvrages; il fera reconnaître leur orthodoxie; mieux encore : il démontrera devant la curie l'importance de ses méthodes et l'intérêt de cette assise rationnelle qu'elles fournissent à la doctrine. Il est sûr de sa cause, tendu dans sa volonté d'aboutir. Les évêques de France ont pu se laisser circonvenir par Bernard de Clairvaux; à Rome, il s'expliquera librement; il sait, par le diacre Hyacinthe, qu'il y possède des partisans.

Et le vieillard chevauche par vaux et par chemins, dans la chaleur de l'été qui s'annonce : la vallée de l'Yonne et de la Cure, les monts du Morvan et leurs collines orageuses, tandis qu'ici et là une éclaircie laisse apercevoir, très loin, la plaine de la Saône; les étapes s'allongent comme les longues journées du mois de juin jusqu'à ce qu'enfin apparaissent, dans la lumière dorée du soir, au creux de la vallée de la Grosne, les sept tours de Cluny couronnant l'abbatiale, cœur et centre d'un vaste ensemble : bâtiments conventuels, moulins, tours de clôture, maisonnettes et jardins, ateliers et chapelles, qui manifestent la prospérité de cette ville monastique. Deux siècles plus tôt, au pire temps de la décomposition carolingienne, quand sévissaient partout les déprédations normandes et que la Méditerranée se trouvait livrée à la « terreur sarrasine », Cluny, à un monde qui ne connaissait plus que la force, a imposé sa loi : une loi de paix. A travers ses monastères rénovés, dans les campagnes qu'elle faisait revivre, sur les routes de pèlerinage, Cluny a fait surgir ces institutions de paix qui, inlassablement, corrodent le pouvoir de l'homme de guerre, réduisent à quelques jours par semaine le temps consacré à la guerre, soustraient les petites gens, les pauvres, les populations civiles à l'emprise guerrière; surtout, Cluny a fait triompher le droit d'asile. L'un de ses abbés n'en a-t-il pas donné le plus saisissant exemple en ouvrant lui-même les portes de son monastère aux meurtriers de son père et de son frère poursuivis pour leur crime ?

Avec beaucoup d'autres — la foule des pèlerins, des voyageurs, des vagabonds de tous ordres que la route attire en été —, Pierre Abélard s'est présenté à l'hôtellerie. Il s'est nommé, et son nom a provoqué aussitôt des va-et-vient précipités dans l'intérieur du monastère. Va-t-on le traiter en condamné que l'Eglise rejette ? Ce serait mal connaître l'hospitalité clunisienne. Simplement, au nom de l'auguste visiteur, on a jugé utile de prévenir de sa présence l'abbé lui-même, Pierre le Vénérable.

Celui-ci, que les affaires de son ordre appelaient souvent à l'extérieur, résidait alors à l'abbaye mère. Le nom du visiteur qu'on lui annonçait n'évoquait pas seulement à ses oreilles celui du philosophe célèbre, ou du théologien jugé hérétique par ses pairs : pour lui, c'était la réponse à deux lettres envoyées vingt ans plus tôt, au lendemain du concile de Soissons. L'heure attendue avec « une ardente patience[39] » avait enfin sonné : « Je vous accueillerai comme un fils », avait-il écrit. Le moment était venu de tenir une promesse jamais reniée.

C'est ce qu'il allait faire, avec un tact infini. Sa conduite reste, en la circonstance, très lisible à travers les lettres qu'il écrivit et les événements dont Cluny est désormais le cadre. Pas un mot pour évoquer le passé, pas une ligne qui sente la réprobation ou la défiance. « Maître Pierre... est récemment passé par Cluny, venant de France ; nous lui demandâmes où il allait. Il nous répondit qu'excédé des vexations de gens qui, ce dont il avait horreur, voulaient le faire passer pour hérétique, il avait fait appel à la majesté apostolique et désirait se réfugier auprès d'elle. Nous louâmes son intention et lui conseillâmes de courir au refuge commun que nous connaissons tous[40]. » Accueillir, écouter, encourager : telle est son attitude. Ce n'est pas un hasard si Pierre le Vénérable, aux yeux des contemporains, incarne la bienveillance. Sans aucun doute, il a été mis au courant des événements de Sens; peut-être même y avait-il été convoqué. Mais d'un coup d'œil il a mesuré la solitude, l'état de délabrement physique et moral du vieillard qui est venu frapper à sa porte. Celui qui n'a pu se faire entendre a d'abord besoin qu'on l'écoute : l'abbé de Cluny l'écoute, l'approuve, l'encourage dans son dessein. Il y ajoute un conseil : que Pierre Abélard prenne ici, à Cluny, quelques jours de repos, tandis que lui-même enverra au pape des messagers pour le mettre au courant de son séjour dans l'abbaye.

Abélard s'est laissé convaincre et voilà que soudain s'abat sur lui le poids de la fatigue, de la tension des semaines précédentes, des émotions passées, de toute une vie remplie d'épreuves épuisantes; voilà que se dénoue cette énergie obstinée qui le maintenait sur sa monture, cet entêtement trompeur qui lui voilait la dure vérité : la longueur d'une route que ses forces ne sont plus capables de supporter, l'inanité de son appel à Rome que le pape va rejeter.

Pierre le Vénérable a introduit dans la liturgie d'Occident la fête de la Transfiguration que l'Eglise d'Orient célébrait déjà depuis des siècles avec une grande solennité, chaque année, le 6 août; c'est lui qui en a composé l'office, d'une grande beauté. Et il est impossible de mieux définir l'homme que par ce pouvoir qu'il possède de transfigurer ceux qui l'approchent. Il s'est jadis affronté lui-même, durement, à Bernard de Clairvaux. La polémique qu'ils ont eue, entre clunisiens et cisterciens, est demeurée célèbre. Mais il n'en a pas moins écouté l'appel du réformateur et introduit lui-même, à Cluny, des statuts nouveaux inspirés de la règle cistercienne. Constatant les rivalités qui persistent entre les deux ordres, il a suggéré la solution efficace : mieux se connaître et, pour cela, faire des séjours prolongés les uns chez les autres; désormais, à son appel, les prieurs de l'ordre de Cluny passent chaque année quelque temps dans les abbayes cisterciennes et réciproquement.

Mais c'est sans doute l'histoire d'Abélard qui témoigne le mieux de ce pouvoir de transfigurer. Par sa bienveillance, Pierre le Vénérable va obtenir ce que nul avant lui n'avait obtenu : un complet renoncement, une totale conversion. Rien ne subsistera désormais de la superbe assurance dont Abélard a fait preuve dans ses écrits comme dans ses actes. A Cluny, pour la première fois de son existence, son agressivité va fondre comme cire à la flamme. Et cette existence chaotique, ayant enfin trouvé le milieu qui lui est propice, s'achèvera sous l'habit d'un moine comme les autres, assidu aux offices, fervent dans la prière.

Dans ce rétablissement extraordinaire d'une situation qui paraissait sans issue, vouée à la révolte et à l'isolement, on retrouve partout Pierre le Vénérable. « Sur ces entrefaites, écrit-il au pape, est arrivé le sire abbé de Cîteaux qui s'est entretenu avec nous et avec lui de faire la paix entre lui et le sire abbé de Clairvaux, au sujet de qui, précisément, il avait fait appel. Nous nous employâmes, nous aussi, à le remettre en paix et l'engeâmes à se rendre vers lui avec le sire abbé de Cîteaux. Nous ajoutâmes même à nos conseils que, s'il avait écrit ou prononcé des paroles offensantes pour des oreilles catholiques, il consentît, sur l'invitation du sire abbé de Cîteaux ou d'autres personnes de sagesse et de bien, à s'en abstenir désormais dans son langage et à les effacer de ses écrits. Ainsi fut fait. Il y alla ; il en revint, et nous rapporta en retour que, grâce au sire abbé de Cîteaux, il avait renoncé à ses protestations passées et fait sa paix avec le sire abbé de Clairvaux[41]. » C'était la première démarche à obtenir d'Abélard : qu'il fît sa paix avec Bernard de Clairvaux. De qui au juste vint l'initiative ? L'abbé de Cîteaux, Renaud de Bar-sur-Seine, semble bien s'être présenté à Cluny sans y avoir été expressément appelé. Aurait-il été envoyé par Bernard lui-même, mis au courant du séjour d'Abélard ? Ce ne serait pas impossible. Quelques années plus tard, on constatera une démarche identique de la part de l'abbé de Clairvaux, lorsque, ayant fait condamner Gilbert de la Porrée, en 1148, il chargera Jean de Salisbury de lui ménager une entrevue avec lui. Gilbert devait refuser avec hauteur. Abélard, lui, accepte. Il se peut que, dans l'un comme dans l'autre cas, Bernard de Clairvaux ait souhaité une rencontre pacifique, d'homme à homme, après la mesure violente qu'il avait lui-même déclenchée parce que le bien de l'Eglise lui paraissait alors en cause[42].

Toujours est-il que la réconciliation était faite entre les deux hommes. Mieux encore, Abélard consent à faire une profession de foi complète sur les articles condamnés à Sens. Et c'est la dernière de ses apologies, adressée « à tous les fils de la sainte Eglise, Pierre Abélard, l'un d'entre eux, mais le moindre parmi eux ». Patiemment, reprenant l'un après l'autre les chapitres selon la liste la plus longue — celle qui contenait dix-neuf propositions telles que les avait analysées Guillaume de Saint-Thierry et développées les pères du concile de Sens —, il proclame sur chacun d'eux son adhésion complète à la foi de l'Eglise — redressant au besoin les erreurs d'interprétation sans aucune trace de rancœur : « Que votre charité fraternelle me reconnaisse comme un fils de l'Eglise, désirant recevoir intégralement tout ce qu'elle a reçu, rejeter tout ce qu'elle a rejeté, et n'ayant jamais eu l'intention de se séparer de l'union de la foi bien qu'inégal aux autres par la qualité de mes mœurs[43]. »

La nouvelle de sa condamnation pouvait à présent lui parvenir. Elle avait eu lieu dès le mois de juillet 1140, quelques semaines après le concile de Sens.

Innocent II, au vu des lettres contenant l'énoncé des propositions extraites des œuvres d'Abélard, écrivait en effet : « Ayant pris conseil de nos frères, les évêques et les cardinaux, nous condamnons, en vertu de l'autorité des saints canons, les articles recueillis par vos soins et tous les dogmes pervers de Pierre (Abélard) ainsi que l'auteur lui-même, et nous lui imposons, à lui, comme hérétique, un perpétuel silence[44]. »

Dans une seconde lettre rédigée le même jour, le pape ordonnait « de faire enfermer séparément dans les maisons religieuses qui paraîtront le plus convenables Pierre Abélard et Arnaud de Brescia, fabricateurs de dogmes pervers et agresseurs de la foi catholique, et de faire brûler leurs livres partout où on les trouvera ». Les ouvrages d'Abélard avaient été brûlés symboliquement sur son ordre dans l'église Saint-Pierre de Rome.

Mais la lettre de Pierre le Vénérable avait prévenu la décision pontificale. Avec le tact qu'on lui connaît, il avait su délicatement, en informant Innocent II du séjour d'Abélard à Cluny, lui inspirer les sentiments que la circonstance lui paraissait imposer. « Nous lui avons conseillé, écrivait-il, de courir au refuge commun que nous connaissons tous. La justice apostolique, lui avons-nous dit, ne s'est jamais refusée à personne, fût-il un étranger ou un pèlerin; elle ne vous fera pas défaut. Nous lui avons même promis qu'il trouverait aussi la miséricorde s'il en était besoin... » Et de même suggérait-il la solution :

« Sur notre conseil, poursuivait-il, mais plutôt, croyons-nous, par quelque inspiration divine, (Abélard) décida de renoncer au tumulte des écoles et des études pour fixer à jamais sa demeure dans votre Cluny. Cette décision nous parut convenable à sa vieillesse, à sa faiblesse, à sa profession religieuse et, dans la pensée que sa science, qui ne vous est pas tout à fait inconnue, pourrait profiter à la foule de nos frères, nous accédâmes à son désir. Sous réserve qu'ainsi plaise à votre bienveillance, nous l'avons donc, volontiers et de grand cœur, autorisé à demeurer avec nous qui, vous le savez, sommes tout à vous.

« Je vous en supplie donc, moi qui, quel que je sois, suis du moins vôtre; ce couvent de Cluny qui vous est tout dévoué vous en supplie, Pierre lui-même (Abélard) vous en supplie, par lui, par nous, par les porteurs des présentes, qui sont vos fils, par cette lettre qu'il nous a demandé de vous écrire — daignez prescrire qu'il finisse les derniers jours de sa vie et de sa vieillesse, qui ne sont peut-être plus nombreux, dans votre maison de Cluny, et que, de la demeure où ce passereau errant est si heureux d'avoir trouvé un nid, nulle instance ne puisse le chasser ni le faire sortir. Pour l'honneur dont vous entourez tous les gens de bien et pour l'amour dont vous l'avez aimé lui-même, daigne votre protection apostolique le couvrir de son bouclier[45]. »

Ainsi la condamnation s'accomplissait, mais dans les conditions mêmes que Pierre le Vénérable avait préparées, c'est-à-dire qu'Abélard trouvait asile à Cluny. Désormais, la vie du « passereau errant », enfin réconcilié avec Dieu et avec les hommes, trouvait un dénouement que rien n'aurait pu faire prévoir. Pierre le Vénérable obtint sans peine, par la suite, la levée des sanctions canoniques, ce qui rendait à Abélard le droit d'enseigner; il savait qu'un auditoire était pour lui un besoin vital, et il se félicitait que ses moines puissent recueillir les leçons d'un tel maître.

*

On montre à Cluny un tilleul plusieurs fois centenaire dont le tronc puissant termine l'allée qui s'ouvre face au farinier, l'un des rares vestiges de l'abbaye fameuse, détruite au début du XIXe siècle (1798-1823) par les marchands de biens qui l'avaient achetée sous la Révolution pour en vendre les pierres. La tradition veut qu'Abélard se soit souvent reposé sous son ombre, « le visage tourné vers le Paraclet ». Des siècles plus tard, Lamartine devait y rêver longuement en méditant l'ouvrage que lui-même allait consacrer à Pierre Abélard. Et de fait, ce lieu si riche d'histoire, avant de devenir victime de la stupidité mercantile d'une civilisation bourgeoise à son apogée, invite à la méditation. Qu'une atmosphère aussi paisible ait pu devenir le cadre dernier d'une existence aussi tourmentée que celle d'Abélard serait incroyable si nous ne possédions le témoignage formel de Pierre le Vénérable.

« Sur la vie édifiante, pleine d'humilité et de dévotion, qu'il a menée parmi nous, il n'est à Cluny personne, écrit-il, qui ne puisse rendre témoignage, et on ne saurait la dépeindre en peu de mots. Je ne crois pas avoir jamais vu son pareil pour l'humilité dans l'attitude et la tenue... Dans ce grand troupeau de nos frères où je l'invitais à prendre la première place, il semblait toujours, par la pauvreté de son vêtement, occuper la dernière. Je m'étonnais souvent, j'en étais presque stupéfait, de voir, dans les processions, lorsqu'il marchait devant moi avec les autres frères, suivant l'ordre liturgique, de voir, dis-je, un homme d'un nom si grand et si fameux s'humilier et s'abaisser à ce point... Modeste dans son costume, il se contentait de la robe la plus simple et ne cherchait rien au-delà du nécessaire. Ainsi faisait-il pour le manger, pour le boire, pour tous les soins du corps. Tout ce qui est superflu, tout ce qui n'est pas absolument indispensable, il le condamnait par sa parole et par son exemple, pour lui-même comme pour les autres. Sa lecture était incessante, sa prière assidue, son silence persistant, à moins de questions familières de la part des frères, ou de conférences générales sur les choses divines, qui le forçaient de parler. Il s'approchait des sacrements, offrant à Dieu le sacrifice de l'agneau immortel aussi souvent qu'il le pouvait — que dis-je ? presque sans interruption depuis que, par ma lettre et mon entremise, il était rentré en grâce auprès du Saint-Siège. Qu'ajouterai-je de plus ? Son esprit, sa bouche, ses actes étaient voués incessamment à la méditation, à l'enseignement, à la manifestation des choses divines, philosophiques et savantes. »

Témoin et acteur de cette transfiguration, Pierre le Vénérable n'a pas cessé de suivre Pierre Abélard de cet œil attentif qu'il lui portait depuis les débuts mêmes de son histoire. Pourtant, que de sollicitations le réclamaient! Les années 1140-1141 sont celles aussi qui voient l'accomplissement d'une de ses œuvres les plus importantes : la traduction du Coran. C'est un trait essentiel de la personnalité de Pierre le Vénérable que l'attention qu'il porte à ceux qui professent des confessions différentes : il a fait traduire le Talmud et, le premier, s'est préoccupé de mieux connaître et faire connaître à ses contemporains les doctrines de l'islam. Grâce à son effort, on pourra, par la suite, prescrire à tous les prédicateurs de la croisade d'avoir d'abord lu le Coran — et il faudra attendre notre époque pour retrouver un souci semblable de connaissance mutuelle. Il n'a rien négligé pour que cette entreprise fût menée à bien dans les meilleures conditions : c'est une véritable équipe qu'il réunit pour la traduction, comportant deux savants clercs, l'un anglais, Robert de Ketene, l'autre venu de Carinthie, Hermann le Dalmate, auxquels il adjoint un Mozarabe, Pierre de Tolède, et un Sarrasin nommé lui-même Mahomet; enfin, il devait confier à un excellent latiniste, Pierre de Poitiers, e soin de rectifier et coordonner la traduction latine. Dans sa préface, s'adressant aux musulmans, il disait les aborder non avec des armes, mais avec des paroles, non par la force, mais avec des arguments, non dans la haine, mais dans l'amour[46].

Semblable tournure d'esprit pouvait lui créer des affinités avec Pierre Abélard. L'un des thèmes familiers au philosophe n'avait-il pas consisté à étendre même aux païens le bénéfice de la Rédemption ? Les philosophes de l'Antiquité grecque ou latine, Sénèque, Epicure, Pythagore, Platon, en auraient témoigné par l'intégrité de leur vie. Les sibylles — c'est là d'ailleurs une croyance générale en son temps — auraient prédit la naissance du Sauveur et, par conséquent, connu, d'une certaine manière, le mystère de l'Incarnation. Abélard, dans ses ouvrages, parle même des brahmanes dont il fait un éloge inattendu, encore que son époque ait eu une connaissance au moins diffuse de leurs croyances : ne lit-on pas, dans l'*Image du monde* d'Honorius d'Autun, que certains parmi les sages d'Extrême-Orient « se jettent au feu par amour de la vie de l'au-delà » ?

Toujours est-il que l'achèvement de cette grande œuvre de la traduction du Coran, aussi bien que le soin de son ordre, amenaient souvent Pierre le Vénérable à quitter la maison mère : pendant son abbatiat, il ne devait pas fonder moins de trois cent quatorze monastères nouveaux, élevant à plus de deux mille le chiffre des maisons dépendant de Cluny. Cette activité ne l'empêchait pas de porter l'attention la plus vigilante, la plus délicatement personnelle à Pierre Abélard.

Celui-ci avait repris ses travaux. Il a sans doute remanié à Cluny son œuvre de *Dialectique* dédiée à ses neveux et dont on peut constater, d'après les manuscrits, qu'elle a été plusieurs fois par lui reprise et modifiée. De même aura-t-il composé, ou achevé, son testament intellectuel et spirituel : le long poème en distiques qu'il lègue à son fils Astrolabe. Très probablement aussi, c'est à Cluny qu'il aura composé son *Commentaire sur les six jours, Expositio in Hexaemeron,* qu'il laissera inachevé. L'œuvre est composée à la demande expresse d'Héloïse, comme en témoigne la préface dans laquelle — c'est un détail à noter — Abélard s'adresse à elle dans les mêmes termes qu'il avait employés lorsqu'il lui dédiait son *Apologie :* « Ma sœur Héloïse, qui me fut chère dans le siècle et m'est à présent très chère dans le Christ. » Abélard commente à son intention tout le premier chapitre de la Genèse, mais l'œuvre s'arrête brusquement, sans conclusion, et l'on peut penser qu'au moment où il posa la plume il avait lui-même parcouru le cycle de ses jours.

Ses derniers mois avaient été tourmentés par une maladie que la médecine moderne a identifiée[47]. C'est ce qui détermina Pierre le Vénérable à lui assigner une retraite dans un climat plus sédatif et une atmosphère plus calme qu'à Cluny même où le grand nombre des

227

moines, les allées et venues des visiteurs pouvaient troubler son repos.

« J'avais songé, dit-il, à lui assurer une retraite à Saint-Marcel-de-Chalon, sur les bords de la Saône, à cause de la salubrité du climat qui en fait presque la plus belle partie de notre Bourgogne. »

Ce prieuré Saint-Marcel, établi sur les bords de la Saône, avait une origine illustre : un couvent y avait été fondé aux temps mérovingiens, l'an 584, et c'était la première fondation faite sur le modèle de l'institution de Saint-Maurice-d'Agaune, où résonnait ce qu'on appelait la *laus perennis*, la louange perpétuelle; l'office y était chanté nuit et jour, sans interruption, par les moines divisés, à cet effet, en trois chœurs dont chacun prenait, au cours de la journée, le relais du précédent. Cette pratique était née dans l'Eglise d'Orient au début du ve siècle et avait d'abord été instaurée dans l'antique monastère du canton de Vaud; elle avait dû s'éteindre au cours des troubles et des invasions qui marquent la fin du haut Moyen Age.

C'est donc à Saint-Marcel-de-Chalon, en ce lieu de la « louange perpétuelle », que Pierre Abélard passa les derniers moments de sa vie. « Là, revenant à ses anciennes études autant que sa santé pouvait le lui permettre, il était toujours penché sur ses livres et, semblable à saint Grégoire le Grand, il ne pouvait laisser passer un instant sans prier, lire, écrire ou dicter. C'est dans l'exercice de ces divines occupations que le trouva le Visiteur annoncé par l'Evangile. »

Ainsi s'achevait dans la paix cette existence tourmentée, le 21 avril 1142; Abélard avait soixante-trois ans ou environ.

*

Pierre le Vénérable n'a pas considéré que sa tâche fût alors achevée. Il ne sépare pas, en esprit, Abélard d'Héloïse. Elle avait été informée de la mort d'Abélard par l'un des moines de Cluny nommé Thibaud, mais, dès son propre retour à Cluny, dès le « premier jour de relâche trouvé au milieu de ses tracas » (ce sont ses propres expressions), lui-même écrit à Héloïse. Par les confidences d'Abélard, il connaît celle à qui il s'adresse. Il sait quels trésors d'amour l'ont animée et quel mal secret la mine : cette abbesse parfaite, entrée au couvent pour l'amour d'un homme, ne demeure-t-elle pas persuadée que son sacrifice ne signifie rien aux yeux de Dieu puisqu'il fut accompli non pour Lui mais pour un homme, pour Abélard ?

Pierre le Vénérable aurait pu se contenter d'une lettre de condoléances ; il aurait pu, se donnant à lui-même le prétexte facile de la discrétion, taire toute allusion au passé ; ou encore, redoutant les arcanes de la psychologie féminine, s'en tenir à de vagues exhortations. Sa lettre à Héloïse ne contient rien qui soit dicté par une prudence humaine ; elle se situe au niveau où se situe l'histoire même d'Héloïse et Abélard : celui du dépassement, d'une recherche d'absolu qui les a placés l'un et l'autre au-delà des compromis et des acceptations faciles.

C'est d'abord à Héloïse qu'il s'adresse : elle a été l'admiration de sa jeunesse et il le lui rappelle en cette heure de leur maturité. Dans les termes qu'il emploie, nous nous retrouvons au siècle de l'Amour courtois : « Je voulais vous montrer quelle place j'avais réservée dans mon cœur à l'affection que je vous porte en Jésus-Christ. Et ce n'est pas d'aujourd'hui que date cette affection, elle remonte fort loin dans mes souvenirs. » Suivent des pages qui sont un éloge éclatant d'Héloïse, de sa haute intelligence, de son zèle pour l'étude manifesté dès sa jeunesse. « Plus tard, poursuit-il, quand il plut à celui qui vous avait mise à part dès le sein de votre mère de vous appeler à lui par sa grâce, vous avez dirigé vos études dans une voie meilleure : femme vraiment philosophe, vous avez laissé la logique pour l'Evangile, la physique pour l'Apôtre, Platon pour le Christ, l'Académie pour le cloître. » Et d'exalter chez elle la maîtrise avec laquelle elle conduit à Dieu les moniales qui lui sont confiées : « Ceci, ma très chère sœur en Notre-Seigneur, je ne le dis point pour vous flatter, mais comme exhortation à envisager l'éminence du bien que vous poursuivez depuis longtemps, et à le conserver avec sagesse; en sorte que vos exemples et vos paroles enflamment... le cœur des saintes qui servent avec vous le Seigneur... Comme une lampe, vous devez à la fois brûler et éclairer. Vous êtes disciple de la vérité, mais, pour le rôle dont la charge vous est confiée, vous êtes en même temps maîtresse d'humilité. » Il la compare à Penthésilée, reine des Amazones, à Déborah, prophétesse d'Israël, et fait délicatement allusion à sa connaissance de l'hébreu en lui rappelant que le nom de *Déborah* signifie « abeille » : « Vous composerez un trésor de miel... tous les sucs que vous aurez recueillis çà et là de diverses fleurs, vous les verserez par votre exemple, par vos paroles, par tous les moyens possibles, dans le cœur des femmes de votre maison ou d'autres femmes. »

Semblable lettre remettait Héloïse face à ses obligations personnelles, à sa vie propre. Abélard mort, elle ne devait pas céder à la tentation de vivre dans le passé, de se consumer en vains regrets; son rôle à elle était loin d'être terminé. Son action, sa personne étaient vouées au service de son monastère, et cela seul devait compter pour elle : là était la réalité de sa vie. Pierre le Vénérable, en terminant cette partie de son épître, si bien faite pour éveiller chez Héloïse le courage, le sens de la responsabilité, toutes les valeurs positives de sa nature profonde, soupirait : « Il serait doux pour moi de prolonger avec vous semblable entretien tant je suis charmé par votre érudition, tant, surtout, l'éloge que bien des personnes m'ont fait de votre piété m'attire. Plût à Dieu que notre abbaye de Cluny vous eût possédée! Plût à Dieu que cette délicieuse maison de Marcigny vous eût renfermée avec les autres servantes du Christ qui attendent, dans cette captivité, la liberté céleste! » Marcigny était un couvent de moniales particulièrement cher au cœur de Pierre le Vénérable puisque sa mère, Raingarde, y avait pris le voile ainsi que deux de ses nièces.

*

Et ce n'est qu'après s'être ainsi adressé à Héloïse que Pierre le Vénérable passe au souvenir d'Abélard : « Si la Providence divine, dispensatrice de toutes choses, nous a refusé les avantages de votre propre présence, elle nous a du moins accordé celle de l'homme qui vous appartient, du grand homme qu'il ne faut pas craindre d'appeler avec respect le serviteur et le véritable philosophe du Christ, maître Pierre. »

L'homme qui vous appartient... On a quelque peine, en lisant cette forte expression, à penser qu'elle vient sous la plume d'un abbé écrivant à une abbesse, et l'on ne peut s'empêcher d'imaginer en parallèle les précautions oratoires dont serait enveloppée aujourd'hui semblable situation en semblables circonstances. Mais l'onction ecclésiastique est une invention du XVIIe siècle. Cette vigoureuse simplicité, elle, est bien de la même époque que les outrances verbales de saint Bernard. L'expression allait d'ailleurs recouvrir une réalité concrète. Car Héloïse avait demandé à l'abbé de Cluny le corps d'Abélard pour que, conformément au désir de celui-ci, il fût enterré au Paraclet. Pierre le Vénérable était mieux fait que quiconque pour comprendre tout ce que contenait semblable requête, la fin de sa lettre à Héloïse en fait foi : « Celui auquel vous avez été unie par le lien de la chair, ensuite par le lien plus solide et plus fort de l'amour divin, celui avec lequel et sous lequel vous vous êtes consacrée au service de Dieu, celui-là, dis-je, Dieu le réchauffe aujourd'hui dans son sein à votre place ou plutôt comme un autre vous-même. Et au jour de la venue du Seigneur, à la voix de l'Archange, au son de la trompette annonçant le souverain Juge descendant des cieux, il vous le rendra par sa grâce, il vous le réserve. » Ainsi, au témoignage de Pierre, Dieu lui-même devenait garant et protecteur du couple qu'ils avaient formé. Bien loin de se sentir l'objet d'une réprobation, Héloïse pouvait s'adresser à Dieu comme à celui qui, au-delà de la mort, gardait l'être bien-aimé pour lequel elle avait vécu[48].

Un geste pourtant restait à accomplir, et Pierre le Vénérable tint à l'accomplir en personne : ramener la dépouille d'Abélard au Paraclet, dans cette fondation qui lui était doublement chère. Pierre fit donc — furtivement, précise-t-il — enlever le corps du cimetière de Saint-Marcel-de-Chalon et l'escorta lui-même jusqu'à la chapelle édifiée jadis par le philosophe et ses élèves sur les bords de l'Ardusson. Ce fut sa première rencontre avec Héloïse; elle eut lieu le 16 novembre, de l'an 1142 très probablement. Pierre le Vénérable célébra la messe au Paraclet, adressa une allocution aux religieuses réunies en chapitre et établit entre le monastère et celui de Cluny l'un de ces « jumelages spirituels » qui sont fréquents entre abbayes au Moyen Age. Héloïse allait lui écrire, pour l'en remercier, une lettre pleine d'émotion : « Nous nous réjouissons, excellent Père, que Votre Grandeur ait daigné descendre jusqu'à notre petitesse et nous nous en glorifions, car votre visite est un grand sujet de gloire pour les plus grands. Les autres savent combien la présence de Votre Grandeur leur a apporté d'avantages. Pour moi, je ne saurais, je ne dis pas seulement exprimer, mais concevoir le bienfait et la douceur de votre visite. » La suite de cette lettre contient trois requêtes : Héloïse demande à Pierre de faire dire après sa mort un « trentain », c'est-à-dire une suite de trente messes à l'abbaye de Cluny; elle lui demande aussi de lui adresser, sous forme de parchemin scellé de son sceau, une absolution générale de Pierre Abélard qu'elle puisse suspendre à son tombeau : elle tenait à ce qu'aux yeux de tous fût attestée la réconciliation complète du maître dont la foi avait été quelque temps mise en doute. Enfin, elle le priait d'obtenir pour leur fils, Pierre Astrolabe, « quelque prébende de l'évêque de Paris ou de tout autre diocèse ».

Cette lettre est le dernier écrit que nous possédions d'Héloïse. Elle représente, dans une certaine mesure, pour nous, ses dernières volontés. Il est significatif qu'elle ne se préoccupe, en ce qui concerne Abélard et elle-même, que de leur éternité; et il n'est pas sans intérêt non plus d'y relever sa préoccupation en faveur d'Astrolabe. Ce fils qui tient si peu de place dans l'histoire — aussi discret, semble-t-il, que ses parents y auront été scandaleux — on ne sait rien de lui. C'est vainement qu'on a cherché sa trace à travers documents et cartulaires de l'époque. Il est fait mention d'un abbé portant ce nom peu commun d'Astrolabe à l'abbaye d'Hauterive dans le canton de Fribourg, de 1162 à 1165. S'il s'agissait d'une abbaye clunisienne, on serait aussitôt tenté de l'identifier avec le fils d'Abélard devenu le fils spirituel de Pierre le Vénérable (Héloïse elle-même suggère cette filiation lorsqu'elle dit à l'abbé de Cluny : *votre* Pierre Astrolabe). Mais Hauterive est une abbaye cistercienne et il est peu probable que le fils d'Abélard soit entré à Cîteaux. Plus vraisemblable apparaît l'hypothèse fondée sur le cartulaire d'une église bretonne : celui de Buzé, qui mentionne en l'an 1150, parmi les chanoines de la cathédrale de Nantes, un nommé Astrolabe, neveu d'un autre nommé Porchaire, qui a pu être un frère d'Abélard. Le nécrologe de l'abbaye du Paraclet mentionne sa mort à la date du 29 ou 30 octobre, sans donner aucun détail ni sur la date de cette mort ni sur la qualification du défunt : *Petrus Astrolabius magistri nostri Petri filius.* La mention de la mort d'Héloïse elle-même est d'ailleurs à peine plus détaillée : « Héloïse, première abbesse et mère de notre ordre religieux, renommée pour son savoir et sa piété, après nous avoir donné espérance par sa vie, a béatement rendu son âme au Seigneur. » Cela, à la date du 16 mai; l'année elle-même n'est pas sûre, et ce n'est que par recoupement que l'on a pu conclure à celle de 1164 comme la plus probable. Elle aurait ainsi survécu vingt ans à Abélard et serait morte à soixante-trois ans comme lui.

*

Dieu créa l'homme à son image;
à l'image de Dieu il le créa,
homme et femme il les créa.
Genèse, 1, 27.

Qui peut m'écrire? Ouvrons... grand Dieu! c'est Héloïse!
A peine votre époux revient de sa surprise...
Je couvre de baisers cet écrit séduisant,
Il pénètre mon cœur d'un plaisir ravissant;
Mais Abélard doit-il s'occuper de vos charmes?
Vos tourments, vos soupirs me causent mille alarmes.

Ces vers représentent la « traduction » qui fut faite
au XVIIIᵉ siècle de la réponse d'Abélard à Héloïse
(*Lettre II*). Celle-ci, dans la lettre précédente, s'exprimait sur le même ton :

Quel nouveau coup de foudre et que viens-je d'entendre?
Je ne vous verrai plus! vous pouvez me l'apprendre!
Cruel! vous m'ôtez tout et c'est pour votre cœur
Un barbare plaisir de combler ma douleur [49].

On a quelque peine à reproduire semblables naïvetés
après s'être plongé dans des textes si denses, devant des
destinées si tragiques. Et c'est pourtant sous cette
forme que le XVIIIᵉ siècle a connu l'histoire d'Héloïse et
Abélard; et cette « traduction » connut un énorme succès — le même, il est vrai, qui saluait *La Pucelle* de
Voltaire.
En notre époque où l'on aime parler de « démy-
thification », celle-ci s'est opérée de la façon la plus
simple : par le recours aux textes authentiques. De
même qu'il suffit de lire le texte des deux procès pour
trouver une Jeanne d'Arc extrêmement différente du
monceau d'ouvrages fades ou cocardiers derrière lequel

elle a longtemps disparu, comme pour éliminer toutes les sottes légendes nées à son sujet au XIXe siècle (bâtardise, etc.) — de même suffit-il de recourir directement à la correspondance d'Héloïse et Abélard pour retrouver l'histoire vécue dans son intensité.

Cette histoire apparaît alors dans sa *valeur de signe.* Car on ne peut s'y tromper : si cette histoire s'est transmise avec une telle ferveur de génération en génération, au point que chacune l'a travestie selon sa propre manière et sa mentalité, c'est parce qu'elle avait, pour toutes, *valeur de signe.* Les noms d'Héloïse et Abélard, indissolublement liés, évoquent ce que sont les rapports de personne à personne dans le couple humain; et, au-delà de cette interprétation immédiate, il ne serait sans doute pas excessif d'y retrouver ce que sont en chaque être les rapports de la raison et de la foi.

Tel qu'il nous apparaît à travers la *Lettre à un ami,* Abélard, reconnaissons-le, semble peu doué pour les relations humaines. Aucune espèce de sympathie n'émane de sa personne; aucune marque de bienveillance ni d'attention pour les autres, si ce n'est pour ses élèves (mais alors joue son goût du prestige personnel). Il est extraordinaire de penser qu'il a rencontré dans sa vie l'être le plus opposé à cette disposition intime : cette incarnation de la bienveillance que fut Pierre le Vénérable; extraordinaire aussi que, dans la vie d'Abélard, ce soit Pierre le Vénérable qui ait eu le dernier mot, au sens propre, puisque c'est lui qui prononça cette absolution après la mort, qu'Héloïse suspendit au tombeau de son époux.

Mais lorsque les deux hommes se rencontrent, Abélard a déjà subi une évolution qui le rend capable de goûter cette bienveillance et d'en ressentir les effets; ce qui n'eût pas été possible sans doute quand Pierre le Vénérable lui écrivait après le concile de Soissons. Il n'a pas fallu moins que les épreuves traversées entre-temps pour l'amener au « oui », à la réconciliation avec les autres et avec lui-même que Pierre lui proposait.

Ce « oui », cette adhésion, c'était la reconnaissance

implicite de ce pouvoir en l'homme qu'Abélard, si grand fût-il, avait ignoré. Dans sa quête de la vérité, rompant avec son temps qui admettait deux instruments de connaissance : la raison et l'amour, il ne laissait place qu'à la raison seule.

Eût-il été lui-même satisfait des conséquences auxquelles, dans la suite des temps, allait amener sa méthode, renforcée et développée par le retour de la pensée aristotélicienne et l'influence de la philosophie arabe ? Au siècle de l'intellectualisme triomphant, un Bossuet, soucieux de maintenir sa foi devant une raison seule admise comme instrument de connaissance, en sera réduit à déclarer : « J'ignore de tout mon cœur. » Contre une telle formule, Abélard se fût réconcilié non seulement avec Bernard de Clairvaux, mais avec toute l'école de Saint-Victor. En fait, on trouve expressément, sur les lèvres de Richard de Saint-Victor, la formule contraire : « Je cherche de tout mon cœur. » Abélard, lui, se fût probablement contenté de dire : « Je cherche sans cesse », c'est le contenu même de sa méthode propre, qu'il appelle « l'inquisition permanente »; les accablantes épreuves qu'il a dû vivre l'ont fait évoluer vers une attitude qui le rapprochait du « je cherche de tout mon cœur » de Richard de Saint-Victor. Il n'en fallait pas moins pour l'amener au dépassement, à l'amour.

Aussi bien, l'évolution d'Abélard — cette évolution qui, peu à peu, de l'intellectuel, fait un homme — commence-t-elle avec Héloïse. C'est par Héloïse et grâce à elle que, des instincts qu'il comptait assouvir, il est conduit au mouvement de l'amour; que le monde de la matérialité, que méprise cet intellectuel, devient celui de la réalité concrète. Et nous ne faisons pas seulement allusion, ici, à la brève page des amours satisfaites. Par deux fois, Héloïse a su s'imposer à Abélard, obligeant celui-ci à un dépassement imprévu; par deux fois, elle l'a obligé à entendre le langage même de l'amour, quoique à deux niveaux différents.

236

Car il est remarquable qu'après « leur commune entrée en religion », Abélard redevienne plus que jamais Abélard. Durant toute une longue période de son existence, Héloïse disparaît littéralement; il n'est plus occupé que de ses calamités personnelles, des rivalités avec ses anciens condisciples, des tempêtes qu'il soulève un peu partout sur son passage, à Saint-Denis, à Saint-Gildas et ailleurs; à nouveau, ce ne sont plus que ses ambitions personnelles, ses rancœurs, ses ouvrages et ses échecs qui comptent. Il est redevenu l'homme seul et, inévitablement, l'intellectuel enfermé dans son système de pensée. Il a fallu qu'Héloïse se trouvât soudain jetée hors de son monastère d'Argenteuil pour que la nouvelle de cette détresse matérielle l'ait assez ému pour provoquer le don du Paraclet.

Mais un geste matériel, si généreux fût-il, reste toujours insuffisant, et Héloïse a raison de lancer le cri indigné qui déclenche la correspondance amoureuse. Quelles que soient alors leurs situations respectives au regard des hommes, elle aura pleinement, en la circonstance, joué son rôle de femme; elle a obligé Abélard à lui faire place même dans son œuvre de philosophe et de prédicateur; elle en a fait un fondateur d'ordre et un maître spirituel. C'est assez dire qu'elle l'a mené où il eût été, de lui-même, incapable d'aller; et cette suite de dépassement qu'imposait un amour désormais transfiguré l'a conduit à la transfiguration dernière. L'œuvre d'Abélard, à partir de la correspondance amoureuse, est aussi celle d'Héloïse, même lorsqu'il commente l'Epître aux Romains ou le chapitre premier de la Genèse. Qu'aurait été Abélard sans Héloïse? Le premier des intellectuels? L'intellectuel pur, en effet, n'existe guère en son temps, car, au XIIᵉ siècle, on ne croit pas à la science « désintéressée »; on ne se soucie que de ce qui tend de quelque manière à transformer la condition de l'homme, soit dans sa vie pratique, soit — et avant tout — dans son être intérieur. Epoque technique plus que scientifique, elle vise au développement spirituel, auquel l'activité intellectuelle est invitée à concourir[50]; c'est vainement qu'on y chercherait l'art pour l'art ou la science pour la science. Au demeurant, à notre époque, le titre d'intellectuel pur nous paraît à nouveau assez peu enviable; et celui de « père de la scolastique », que mérite aussi Abélard, est, lui, dénué de toute espèce de prestige. En fait, si Abélard a légué son nom juqu'à notre génération, c'est bien parce qu'il fut le héros d'une histoire d'amour sans pareille; c'est là que pour nous sa vie prend toute sa valeur.

Autant dire que ce qui fait la grandeur d'Abélard, c'est Héloïse.

NOTES

CHAPITRE I : LES DÉBUTS D'UN ÉTUDIANT DOUÉ

1. *Le Moniage Guillaume.*

2. L'autobiographie d'Abélard, connue sous le titre d'*Historia cala-mitatum* ou *Lettre à un ami*, a fait récemment l'objet d'une édition critique par J. Monfrin (1962). L'édition courante est celle de la *Patrologie latine* (P.L., T. 178). La correspondance d'Abélard et d'Héloïse (excellente traduction par O. Gréard, 1869) est authentique : Etienne Gilson a établi ce point avec toute la netteté possible (*Héloïse et Abélard,* 3e édition, 1964). Voir notamment, dans l'ouvrage cité d'E. Gilson, Appendice I, p. 169 et suiv. Les conclusions étaient semblables dans l'ouvrage d'Enid McLeod, paru à peu près à la même époque que la première édition de celui de Gilson (*Héloïse,* trad. 1941). Nous renverrons à la première Lettre sous le titre : *Lettre à un ami,* avec indication du chapitre ; les autres lettres de la correspondance seront désignées dans leur ordre traditionnel : Lettre I (d'Héloïse), II (d'Abélard), etc.

3. *Dialectica.* Ed. V. Cousin, *Ouvrages inédits d'Abélard,* Paris, 1836, p. 518 et Introd. CXXII-CXXIII.

4. Cité dans F. J. E. Raby, *A history of secular latin poetry in the Middle Ages,* Oxford, 1957, 2 vol. in-8°, t. I, p. 287

5. Otton de Freisingen, *Gesta Friderici,* I, 49, p. 55. Cité dans E. Lesne, *Histoire de la propriété ecclésiastique en France,* V : *Les Ecoles,* p. 105.

6. *Lettre à un ami,* c. 2, ainsi que les extraits qui suivent.

7. Cf. extraits cités dans Raby, II, p. 25.

8. Cf. Lesne, *op cit.,* V, pp. 258-259.

9. *Metalogicus,* I, 24.

10. G. Paré, A. Brunet, P. Tremblay, *La Renaissance du XIIe siècle. Les écoles et l'enseignement.* Refonte complète de l'ouvrage de G. Robert (1909). Publications de l'Institut d'Etudes médiévales d'Ottawa. Paris-Ottawa, 1938. Cf. p. 132.

11. G. Lefèvre, *Les Variations de Guillaume de Champeaux et la question des universaux.* Travaux et Mémoires de l'Université de Lille, t. VI, n° 20, Lille, 1898.

12. Cuissard, *Documents inédits sur Abélard tirés des manuscrits de Fleury*, Orléans, 1880 : J. Carnandet, *Notice sur le bréviaire d'Abélard conservé à la bibliothèque de Chaumont*, Paris, 1855.

13. Nous donnerons les textes du *Poème à Astrolabe* d'après l'édition la plus complète : M.-B. Hauréau, *Le Poème adressé par Abélard à son fils Astrolabe. Notices et extraits des manuscrits de la Bibliothèque nationale et autres bibliothèques publiés par l'Institut national de France...*, t. XXXIV, Paris, 1895, pp. 153-187.

> *Major discendi tibi sit quam cura docendi* (v. 3, p. 157).
> *Disce diu, firmaque tibi, tardaque docere*
> *Atque ad scribendum ne cito prosilias* (p. 157).

14. *Lettre à un ami*, c. 3 ainsi que les extraits suivants.
15. *Lettre*, c. 4.
16. *Lettre*, c. 5.
17. PL, 178, c. 371-372.
18. Alexandre Neckham. Cf. Raby, II, p. 119.
19. Nigel Longchamp. Cf. Raby, II, p. 96.
20. Foulques de Deuil. PL, 178, c. 371-372.
21. Raby, II, p. 40.
22. *Ibid.*, p. 273.
23. Gautier de Châtillon. Raby, II, p. 193.
24. Guy de Bazoches, *ibid.*, p. 41.
25. Gautier de Châtillon, *ibid.*, p. 191.
26. *Lettre*, c. 10.
27. *Lettre I*, c. 5.
28. *Lettre I*, c. 5.
29. *Lettre à un ami*, c. 5.
30. On désigne sous le nom de clerc celui qui est convenablement instruit, à quelque ordre et quelque condition qu'il appartienne. » (Rupert de Tuy.)
31. *Altercatio Phyllidis et Florae*, de la première moitié du XIIᵉ siècle. Cité par Raby, II, p. 293.
32. *Secundum scientiam et secundum morem,*
> *ad amorem clericum dicunt aptiorem.*

Tiré des *Métamorphoses de Golias*, où est décrite une scène qui se passe devant le dieu d'Amour, toujours sur le thème du clerc et du chevalier (Raby, II, p. 294).

CHAPITRE II : LA PASSION ET LA RAISON

1. *Lettre à un ami*, c. 6.
2. Lettre de Pierre le Vénérable, citée ici dans la traduction d'O. Gréard. Ed. de la Bibliothèque de Cluny, 1959.
3. *Ibid.* L'édition latine a été donnée dans *Bibliotheca Cluniacensis*, L. I, 9. Des extraits sont traduits dans l'ouvrage consacré à Pierre le Vénérable par dom J. Leclercq, 1946.
4. Se reporter à l'ouvrage d'Enid McLeod, *Héloïse*, 1941.

5. *Lettre à un ami*, c. 6.
6. Cf. Raby, *op. cit.*, II, p. 239.
7. *Lettre à un ami*, c. 5.
8. Raby, II, p. 319.
9. *Lettre*, c. 6.
10. *Lettre I*, c. 5.
11. *Ibid.*
12. Abélard, *Planctus David super Saul et Jonatha*. Ed. Giuseppe Vecchi, *Pietro Abelardi. I planctus. Introduzione, testo critico, trascrizioni musicali*. Modena, 1951, p. 68.
13. *Quecumque est avium species consueta rapinis*
Quo plus possit in his, femina fortior est.
~ *Nec rapit humanas animas ut femina quisquam.*
(Ed. Hauréau, citée plus haut, p. 167.)
14. Aube anonyme, publiée dans J. Anglade, *Anthologie des troubadours*, p. 13.
15. Tiré d'une chanson de Christine de Pisan.
16. *Lettre à un ami*, c. 6.
17. *La Folie Tristan*, éd. J. Bédier, 1907, v. 734-737.
18. *Lettre à un ami*, c. 7, ainsi que les extraits suivants.
19. Voir à ce sujet E. Gilson, *Héloïse et Abélard*, 3e éd. 1964, pp. 25 et suiv.
20. Cette conception, cependant, se situe à l'opposé de celle qu'érigera en principe la bourgeoisie du XIXe siècle, pour laquelle l'œuvre d'art et les travaux de la pensée ne peuvent naître que dans l'entourage du bourgeois qui détient l'argent; cette confusion entre l'art et le luxe semble bien avoir eu son origine à la Renaissance; elle est aussi étrangère que possible à la mentalité médiévale.
21. S. de Beauvoir, *La Force de l'âge*, p. 81.
22. *Lettre*, c. 6.
23. *Lettre*, c. 8.
24. *Lettre IV*, c. 4.
25. *Lettre à un ami*, c. 8.
26. PL, 178, c. 174.
27. *Planctus Jacob super filios suos*. Ed. Vecchi, p. 45.
28. Bernard de Ventadour. Ed. Anglade, *Anthologie des troubadours*, p. 45.
29. Baudry de Bourgueil, Ed. Ph. Abrahams, p. 199.
30. *Lettre I*, c. 6.
31. Gilson, *op. cit.*, p. III.

CHAPITRE III : LE PHILOSOPHE ERRANT

1. *Lettre à un ami*, c. 8.
2. Cf. sur Saint-Denis l'ouvrage de Summer McKnight Crosby, *Abbey of Saint-Denis*, Yale Univ. Press, 1942. Une monographie a été donnée, tenant compte des fouilles de S. M. K. Crosby, par Jules Formigé, *L'Abbaye royale de Saint-Denis*, 1960.
3. *Lettre*, c. 9.

4. *Ibid.*

5. *Quidquid agis quamvis etiam si jussus obedis,*
   Quod facis hoc quia vis, id tua lucra putes.
(Ed. Hauréau, p. 174.)

6. *Lettre,* c. 9.

7. *Lettre,* c. 9.

8. *Si qua neges ex arbitrio contingere nostro*
   Arbitrio fuerit liberiore Dei.
   Nil igitur temere fieri temere reputabis
   Cum prestet cuncta summa Dei ratio.
   Quidquid contingerit justo non provocat iram :
   Disponente Deo scit bene cuncta geri.
(Ed. Hauréau, p. 181.)

9. *Lettre,* c. 9.

10. *Ibid.*

11. *Ibid.*

12. *Per famam vivit defuncto corpore doctus.*
    Et plus natura philosophia potest.
(Ed. Hauréau, p. 184.)

13. On se référera, sur ce sujet, aux travaux du père Henri de Lubac et notamment à cette somme que constituent les quatre volumes d'*Exégèse médiévale.* Il y aurait beaucoup à dire sur cette question, sereinement ignorée des exégètes et commentateurs de notre temps.

14. *Lettre,* c. 10.

15. Longtemps, on a cru perdu ce traité *De Unitate et Trinitate divina.* L'érudit Stolzle l'a retrouvé et publié d'après le ms. 229 de la bibliothèque d'Erlangen.

16. Voir notamment l'édition du *De Trinitate* de Richard de Saint-Victor par G. Salet, 1959, nº 63 de la collection « Sources chrétiennes ». Cf. aussi Gervais Dumeigne, *Richard de Saint-Victor et l'idée chrétienne de l'amour,* 1952.

17. Saint Anselme, *De fide Trinitatis.* Cf. P. Vignaux, *La Philosophie au Moyen Age,* 1958, pp. 47 et suiv.

18. PL, 178, c. 355-357.

19. *Lettre,* c. 9.

20. Cf. l'Introduction de Victor Cousin à l'édition des œuvres d'Abélard, 1836, notamment pp. CLIV, CLXIII, CLXXIII.

21. Pour la composition et la chronologie des œuvres d'Abélard, consulter L. Nicolau d'Olwer, *Sur la date de la Dialectica d'Abélard,* dans *Revue du Moyen Age latin,* I, 4, nov.-déc. 1945, pp. 375-390 et R.P. Damien van Den Eynde, *Les Rédactions de la Theologia christiana de Pierre Abélard,* dans *Antonianum,* 36, 1961, pp. 273-299.

22. PL, 178, c. 357-372.

23. *Qui scribunt libros caveant a judice multo*
    Cum multus judex talibus immineat.
(Ed. Hauréau, p. 184.)

24. *Lettre,* c. 10.

25. *Ibid.,* ainsi que les extraits suivants.

26. *Omnia dona Dei transcendit verus amicus*

Divitiis cunctis anteferendus hic est.
Nullus pauper erit thesauro preditus isto.
Qui pro rarior est hoc pretiosior est.
(Ed. Hauréau, p. 160.)

27. Cf. l'excellente introduction de Vecchi à son édition, citée plus haut, des *Planctus* d'Abélard, notamment p. 16.

28. *Lettre*, c. 11.

29. Cité dans dom Leclercq, *Pierre le Vénérable*, p. 6.

30. Voir le *Dictionnaire de Théologie catholique* de Vacant-Mangenot, t. I, c. 43-48.

31. On voudra bien se reporter à ce sujet aux travaux d'E. Gilson. Voir aussi Pierre Lasserre, *Un conflit religieux au XIIe siècle. Abélard contre saint Bernard*, 1930. *Cahiers de la Quinzaine;* 13e cahier de la 19e série. H. Ligeard, *Le Rationalisme de Pierre Abélard*, dans *Recherches de Sciences religieuses*, II, 1911, 384-396.

32. Otton de Freisingen, *Gesta Friderici imperatoris*, I, 47.

33. Cité d'après Vignaux, *op. cit.*, pp. 47-48.

34. V. éd. Stolzle, Fribourg, 1891.

35. *Introductio ad theologiam*, PL, 178, c. 1056.

36. PL, 178, c. 1314.

37. PL, 178, c. 1349.

38. Paré, Brunet, Tremblay, pp. 292 sq.

39. PL, 178, c. 1353.

40. PL, 178, c. 1051.

41. *Lettre*, c. 11, ainsi que les extraits suivants.

42. *Lettre*, c. 12.

43. *Detestandus est ille rusticus*
Per quem cessit a scola clericus...
Heu! quam crudelis est iste nuntius
Dicens : Fratres, exite citius
Habitetur vobis Quinciacus
Alioquin non leget monachus.
Tort a vers nous le maître!, etc.
(PL, 178, c. 1855-1856.)

44. Raby, II, pp. 177-178.

45. *Lettre*, c. 13.

46. *Lettre*, c. 11.

47. *Lettre*, c. 13.

48. *Lettre*, c. 14.

49. Etienne de Bourbon, *Anecdotes*, n° 508. Ed. Lecoy de la Marche, p. 439.

50. *Liber de rebus in administratione sua gestis*. Cf. éd. des *Œuvres de Suger* par Lecoy de la Marche, pp. 160-161. Ses allégations sont étudiées et critiquées dans les ouvrages d'E. McLeod, pp. 73-83, et de Ch. Charrier, pp. 154-174.

51. Gilson, *Héloïse et Abélard*, p. 64.

52. *Credit inhumanam mentem sapientibus esse*
Qui nihil illorum corda dolere putat.
(Ed. Hauréau, p. 172.)

53. *Lettre*, c. 14 et 15.

CHAPITRE IV : HÉLOÏSE

1. Poème attribué à Abélard. Cf. Raby, II, p. 313.
2. *Lettre I*, c. 4.
3. *Lettre I*, c. 3.
4. *Lettre I*, c. 6. On trouvera la démonstration et l'exposé complet des erreurs entraînées par une mauvaise lecture des manuscrits dans l'ouvrage de Gilson. La discussion apparaît désormais sans objet; mais n'ayons pas trop d'illusion : la race des gens pour qui Héloïse et Abélard n'étaient pas Héloïse et Abélard, comme Jeanne d'Arc n'était pas Jeanne d'Arc, ou Christophe Colomb n'était pas Christophe Colomb, etc., n'est pas près de s'éteindre. Elle est du reste savamment entretenue par les méthodes universitaires qui habituent à se fier davantage aux déductions logiques d'une « tête bien faite » qu'au matériau historique dans sa simplicité.
5. *Ibid.*
6. *Ibid.*
7. *Lettre II*, c. 1.
8. *Ibid.*
9. *Lettre II*, c. 2.
10. *Juges*, 11, 31 et 34.
11. *Lettre II*, c. 2.
12. *Lettre II*, c. 3.
13. *Lettre II*, c. 4.
14. *Est nostre super hoc Eloyse crebra querela,*
   Que mihi que secum dicere sepe solet :
   « Si, nisi poeniteat me commisisse priora,
   Salvari nequeam, spes mihi nulla foret.
   Dulcia sunt adeo commissi gaudia nostri
   Ut memorata juvent que placuere nimis. »
(Ed. Hauréau, p. 167.)
15. *Lettre III*, c. 1.
16. *Lettre IV*, c. 1.
17. *Ibid.*
18. *Lettre III*, c. 2.
19. *Lettre IV*, c. 2.
20. *Lettre III*, c. 3.
21. *Lettre IV*, c. 4.
22. *Ibid.*
23. *Lettre IV*, c. 4.
24. *Ibid.*
25. *Lettre III*, c. 4.
26. *Lettre IV*, c. 4.
27. *Ibid.*
28. *Lettre III*, c. 4.
29. *Lettre III*, c. 5.
30. *Lettre III*, c. 4.
31. *Lettre IV*, c. 3.

32. *Lettre IV*, c. 4.
33. *Lettre III*, c. 5.
34. *Lettre IV*, c, 4.
35. Nous devons cette observation au philosophe trop tôt disparu, Jean Dahhan, dont le *Commentaire sur la Genèse* est demeuré inoubliable pour ceux qui en ont bénéficié; ce commentaire est en cours de publication. Réf. de la Genèse : 1,7. Bien entendu, nous souhaitons vivement que ces lignes ne tombent en aucun cas sous les yeux des exégètes actuels, lesquels, on le sait, ont depuis longtemps relégué la Genèse au rang d'histoires puériles, reflet des connaissances scientifiques des Hébreux, lesquelles étaient en effet déplorablement sommaires; ou encore ils y voient un condensé de ces contes babyloniens auxquels on se réfère avec d'autant plus de sérénité qu'on les connaît moins.

Dieu ne pouvait évidemment se douter qu'un jour il aurait affaire à des exégètes si intelligents.

36. *Lettre V*, c. 5.
37. PL, 178, c. 332.

CHAPITRE V : « L'HOMME QUI VOUS APPARTIENT... »

1. *Apologie* d'Abélard, PL, 178, c. 375.
2. Sur la morale d'Abélard, consulter notamment l'ouvrage de J. G. Sikes, *Peter Abailard*, Cambridge, 1932, cf. pp. 194 sq. Voir aussi le *Dictionnaire de Théologie* de Vacant-Mangenot, I, c. 47-48.
3. Voir R. P. Damien van den Eynde, *Chronologie des écrits d'Abélard à Héloïse*, dans *Antonianum*, 37, 1962, pp. 337-349, et R. Oursel, *la Dispute et la Grâce*, p. 82. Le Dialogue est édité dans P.L., 178, c. 1611-1682. Sur la date de composition de cet ouvrage, nous ne pouvons nous ranger à l'opinion traditionnelle qui y voit une œuvre composée à Cluny. Le ton de cette œuvre respire la superbe confiance en lui-même dont Abélard témoigne dans la plupart de ses écrits et qui ne l'abandonne qu'au moment où il compose l'*Apologia seu fidei confessio* qui met fin à toutes les controverses. La mention de « cette œuvre admirable de théologie, que l'envie n'a pu supporter, sur laquelle elle n'a pu prévaloir et qu'elle a rendue plus glorieuse en la poursuivant », peut s'entendre de la condamnation de son œuvre par le concile de Soissons, mais non de celle prononcée par le concile de Sens, ratifiée aussitôt par le pape : elle démentirait la profession de foi dont le ton est si différent.

Il nous semblerait plus indiqué d'assigner au *Dialogus* la date de 1139-1140 : Abélard ne l'aurait-il pas composé au moment de ses entretiens avec Bernard de Clairvaux, ou aussitôt après ceux-ci ? L'œuvre correspondrait bien à cette période pendant laquelle les deux adversaires font assaut chacun de leur côté, Bernard rédigeant le *Traité* contre quelques chapitres des erreurs d'Abélard, ce dernier, confiant en son propre raisonnement et en l'appui de Rome et ne songeant qu'à défier publiquement l'abbé de Clairvaux.

4. Guillaume de Saint-Thierry, trad. de D. Dechanet, dans son ouvrage intitulé *Guillaume de Saint-Thierry*, pp. 67-69.

5. Oursel, *La Dispute et la Grâce*, p. 39.

6. Saint Bernard, *Lettre 327*.

7. Cf., note 5.

8. H. Ligeard, *Le Rationalisme de P. Abélard*, p. 396.

9. Cf. sur tout ceci P. Lasserre, *Un conflit religieux au XIIe siècle. Abélard contre saint Bernard*, Paris, 1930. *Cahiers de la quinzaine*, 13e cahier de la 19e série, p. 91.

10. Cité d'après S. Lemaître, *Textes mystiques d'Orient et d'Occident*, t. II, p. 147.

11. *Ibid.*, p. 145.

12. *Ibid.*, p. 147.

13. Otton de Freisingen, *Gesta Friderici*, I, 47.

14. *Lettre 106*, citée dans *Saint Bernard de Clairvaux, Textes choisis* par Albert Béguin et Paul Zumthor, Paris, 1947, p. 133.

15. *Lettre 158*.

16. Cf. Lasserre, *op, cit.*, p. 91.

17. Cf. Lasserre, *op. cit.*, p. 107.

18. *Lettre 188*.

19. PL, 182, c. 1049.

20. Trad. Béguin-Zumthor, p. 117.

21. On a cru longtemps que l'*Apologeticum* avait été composé après la condamnation d'Abélard. La critique de Raymond Oursel a établi qu'il a été rédigé avant. L'auteur de la *Disputatio* qui le réfute parle d'Abélard comme exerçant son activité d'enseignant, ce qui n'aurait plus de sens après la condamnation.

22. Trad. Oursel, *op. cit.*, p. 48.

23. Il y a donc trois œuvres apologétiques d'Abélard : l'une composée lors des controverses avec saint Bernard, avant le concile de Sens, et connue par la *Disputatio anonymi abbatis;* la seconde adressée à Héloïse et citée tout au long dans la lettre de Bérenger de Poitiers (elle aurait été rédigée, croyons-nous, aussitôt après le concile de Sens); la troisième, intitulée *Apologia seu fidei confessio*, a été certainement rédigée à Cluny.

24. *Lettre 192* de Bernard de Clairvaux (la lettre adressée à l'ensemble de la curie porte le n° 188 de sa correspondance).

25. *Lettre 331*.

26. *Lettre 193;* la lettre à Gérard Caccianemici porte le n° 332.

27. *Lettre 330*.

28. *Lettres 336* et *338*.

29. *Lettre 189*.

30. *Lettre 187*.

31. Geoffroy d'Auxerre, *Vie de saint Bernard*, trad. Oursel, p. 59.

32. Le docteur Jeannin (*La Dernière Maladie d'Abélard, Mélanges Saint-Bernard*, 1953), d'après les divers renseignements tirés de Geoffroy d'Auxerre, et de Pierre le Vénérable, a diagnostiqué chez Abélard la maladie de Hodgkin : état leucémique avec manifestations cutanées prurigineuses. La défaillance de Sens serait une manifestation d'asthénie caractéristique.

33. Trad. Héfèle, *Conciles,* t. VII, p. 257.

34. *Lettre 189.* On peut la lire dans la trad. d'Oursel, *op. cit.,* pp. 61-63.

35. *Lettre 189.*

36. *Lettres 333, 334, 335.*

37. Cottiaux, *La Conception de la théologie chez Abélard,* dans *Revue d'Histoire ecclésiastique,* 28, 1932, pp. 269-276, 533-551 et 788-828; cf. p. 822.

38. PL, 178, c. 1858.

39. L'expression est du pasteur Roger Schutz, qui fait revivre, non loin de Cluny, l'œuvre et l'esprit de Pierre le Vénérable.

40. Lettre de Pierre le Vénérable à Innocent II. Cf. trad. Gilson, dans *Héloïse et Abélard,* pp. 136-137. PL, 189, c. 305-306.

41. Lettre de Pierre le Vénérable à Innocent II, pp. 136-137. PL, 189, c. 305-306.

42. Chanoine Didier, *Un scrupule identique de saint Bernard pour Abélard et pour Gilbert de la Porrée* dans *Mélanges saint Bernard,* 1954, pp. 95-99.

43. PL, 178, c. 105-108.

44. Cité dans Vacandard, *Saint Bernard,* II, p. 165.

45. Trad. Gilson, *op. cit.,* pp. 136-137.

46. Voir PL, 189 et l'étude de Dom J. Leclercq sur *Pierre le Vénérable,* dans la collection *Figures monastiques,* Saint-Wandrille, 1946. Consulter aussi, dans *A Cluny, Travaux du Congrès scientifique. Art, Histoire, Liturgie,* publiés par la Société des Amis de Cluny, Dijon, 1950, l'article de M.-Th. d'Alverny, *Pierre le Vénérable et la légende de Mahomet,* pp. 161-170.

47. Cf. article du docteur Jeannin cité, p. 261.

48. On ne peut mieux faire que de renvoyer aux belles pages de Gilson, *Héloïse et Abélard,* pp. 141 *sq.*

49. *Imitations en vers faites par Beauchamp, Colardeau, Dorat, Mercier,* etc. On les trouve en appendice de la traduction de la correspondance par O. Gréard; pour l'énumération exhaustive des œuvres inspirées par Héloïse et Abélard se reporter à l'ouvrage de Ch. Charrier cité plus haut.

50. On se reportera à cette œuvre indispensable à quiconque veut pénétrer la philosophie du Moyen Age et, en général, sa mentalité : H. de Lubac, *Exégèse médiévale,* Aubier, 1960-1964, 4 vol. in-8°.

BIBLIOGRAPHIE

1. Textes et études.

Œuvres d'Abélard : au tome 178 de la Patrologie Latine de Migne (PL).

Charrier (Ch.) : *Héloïse dans l'histoire et dans la légende*, Paris, 1933.

Cousin (V.) : *Ouvrages inédits d'Abélard*, Paris, 1836.

Gilson (Etienne) : *Héloïse et Abélard*, Paris, 1938.

Gréard (Octave) : *Lettres complètes d'Abélard à Héloïse*, Paris, 1869.

Mac Leod (Enid) : *Héloïse*, Paris, 1941.

Monfrin (J.) : *Abélard, Historia Calamitatum*, Paris, 1962.

Oursel (R.) : *La dispute et la grâce*, Paris, 1959.

2. Récits.

Bourin (J.) : *Très sage Héloïse*, Paris, 1966.

Jeandet (Y.) : *Héloïse. L'amour et l'absolu*, Lausanne, 1966.

3. Ouvrages généraux.

Bezzola (R.) : *Les origines et la formation de la littérature courtoise en Occident*, Paris, 1946-1963, 5 vol.

Bruyne (E. de) : *Etudes d'esthétique médiévale*, Bruges, 1946, 3 vol.

Calmette (J.) et David (H.) : *Saint Bernard*, Paris, 1953.

Davenson (Henri) : *Les troubadours*, Paris, 1960.

Gilson (E.) : *L'esprit de la philosophie médiévale*, 2ᵉ éd., Paris, 1944.

Lasserre (Pierre) : « Un conflit religieux au XIIᵉ siècle, Abélard contre saint Bernard », *Cahiers de la Quinzaine*, 1930.

Leclercq (Dom J.) : *Pierre le Vénérable*, Saint-Wandrille, 1946.

Lesne (E.) : *Histoire de la propriété ecclésiastique en France;* t. V : *Les écoles de la fin du VIIIᵉ siècle à la fin du XIIᵉ siècle*, Lille, 1936-1940.

Lubac (H. de) : *Exégèse médiévale. Les quatre sens de l'Ecriture*, Paris, 1960-1964, 4 vol.

Paré (G.), Brunet (A.), Tremblay (P.) : *La Renaissance du XIIᵉ siècle. Les écoles et l'enseignement*, Paris-Ottawa, 1938.

Raby (F. J. E.) : *A history of secular latin poetry in the Middle Ages*, Oxford, 1957, 2 vol.

Vacandard : *Vie de saint Bernard, abbé de Clairvaux*, 4ᵉ éd., Paris, 1910, 2 vol. A compléter par les études citées de N. d'Olwer et Van den Eynde.

TABLE DES MATIÈRES

DU MÊME AUTEUR

LES STATUTS MUNICIPAUX DE MARSEILLE. Édition critique du texte latin du XIIIᵉ siècle. Collection des Mémoires et documents historiques publiés sous les auspices de S.A.S. le prince de Monaco. Paris-Monaco, 1949; LXIX-289 pp.

LUMIÈRE DU MOYEN AGE. Grasset, Prix Femina Vacaresco, 1946.

LES ORIGINES DE LA BOURGEOISIE. Presses Universitaires de France, coll. « Que sais-je? », 1947; rééd. 1964; 128 pp.

HISTOIRE DE LA BOURGEOISIE EN FRANCE. I. Des origines aux temps modernes; II. Les temps modernes. Éd. du Seuil, 1960-1962; 472-688 pp. Rééd. 1976.

VIE ET MORT DE JEANNE D'ARC. Les témoignages du procès de réhabilitation 1450-1456. Hachette, 1953; 300 pp. Ed. Livre de poche, 1953. Rééd. 1980.

JEANNE D'ARC PAR ELLE-MÊME ET PAR SES TÉMOINS. Éditions du Seuil, 1962; 334 pp.

JEANNE DEVANT LES CAUCHONS. Éditions du Seuil, 1970; 128 pp.

8 MAI 1429. La Libération d'Orléans. Coll. « Trente journées qui ont fait la France ». Gallimard, 1969; 340 pp.

LES CROISÉS. Hachette, 1959; 318 pp.

LES CROISADES. Coll. « Il y a toujours un reporter », dirigée par Georges Pernoud. Julliard, 1960; 322 pp.

LES GAULOIS. Éditions du Seuil, coll. « Microcosme », 1957; rééd. 1962, 1972; 192 pp. Rééd. 1979.

POÈTES ET ROMANCIERS DU MOYEN AGE. Réédition avec textes nouveaux, en collaboration avec Albert-Marie Schmidt, de l'ouvrage dû à A. Pauphilet. Bibliothèque de la Pléiade, Gallimard, 1952.

LA LITTÉRATURE MÉDIÉVALE dans HISTOIRE DES LITTÉRATURES, t. III de l'Encyclopédie de la Pléiade. Gallimard, 1958; 163 pp., et t. XIX, HISTOIRE DES SPECTACLES, LE THÉÂTRE AU MOYEN AGE, 1965; 25 pp.

L'HISTOIRE RACONTÉE À MES NEVEUX (couverture de Georges Mathieu), coll. Laurence Pernoud. Stock, 1969.

BEAUTÉ DU MOYEN AGE. Gautier-Languereau, 1971; 190 pp.

Conseiller technique de la revue ARCHEOLOGIA depuis sa fondation (1965) jusqu'en 1970.

Plan et direction de l'ouvrage collectif LE SIÈCLE DE SAINT LOUIS. Hachette, 1970; 320 pp.

ALIÉNOR D'AQUITAINE. Albin Michel, 1966; 304 pp.

HÉLOÏSE ET ABÉLARD. Albin Michel, 1970; 304 pp.

LA REINE BLANCHE, Albin Michel, 1972, 368 pp.

LES TEMPLIERS, P. U. 1974.

POUR EN FINIR AVEC LE MOYEN AGE, Ed. du Seuil, 1976. Livre de poche, 1978.

LA FEMME AU TEMPS DES CATHÉDRALES, Ed. Stock, 1980.